UNE JEUNESSE ALLEMANDE

STEFANIE ZWEIG

UNE JEUNESSE ALLEMANDE

Roman autobiographique

*Traduit de l'allemand
par Jean-Marie Argelès*

ÉDITIONS DU
ROCHER
Jean-Paul Bertrand

Titre original : *Irgendwo in Deutschland*.
Première publication : Langen Müller, 1996.

Tous droits de traduction, de reproduction et d'adaptation réservés pour tous pays.

© F.A. Herbig Verlagsbuchandlung GmbH, 1996.

© Éditions du Rocher, 2003, pour la traduction française.

ISBN 2 268 04620 6

RÉSUMÉ
Une enfance africaine

Avocat juif originaire d'une petite ville de haute Silésie, Walter Redlich débarque en 1938 au Kenya, fuyant l'Allemagne nazie où il ne pouvait plus exercer son métier depuis plusieurs années. Walter parvient à trouver du travail dans une ferme isolée et réussit à faire venir sa famille : sa femme Jettel et sa fille Regina, âgée de six ans. Ensemble, pense-t-il, ils pourront commencer une nouvelle vie, loin de la tourmente de l'Histoire.

Mais la vie à la ferme est dure, et Jettel, issue de la bourgeoisie provinciale, ne parvient pas à se faire à ce pays. Le couple Redlich traverse des crises, encore aggravées par la suspicion dans laquelle sont tenus les Juifs par les autres Européens.

Seule Regina semble trouver le bonheur dans cette Afrique de rêve, se faisant un grand ami en la personne de Owuor, le boy jaluo de la famille, qui va lui faire découvrir les beautés et la langue de son pays. Regina se sent adoptée par cette Afrique riche, odorante et foisonnante dans laquelle elle va grandir. Mais la guerre prend fin et l'heure du retour sonne bientôt pour la famille Redlich. C'est avec un véritable déchirement que l'adolescente s'apprête à revenir dans une Allemagne en ruine…

1

Le 15 avril 1947, malgré un arrêt de deux heures au point de contrôle entre les zones britannique et américaine, l'express mit un peu moins de dix-neuf heures pour aller d'Osnabrück à Francfort-sur-le-Main, un temps de trajet exceptionnellement bref. Bien qu'entassés dans les compartiments et les couloirs, les voyageurs, surpris d'une telle rapidité, ressentirent cette arrivée davantage comme un choc que comme une délivrance. Engourdis par le froid de la nuit puis la chaleur, inhabituelle en cette heure matinale, ils étaient incapables de se repérer derrière les cartons qui tenaient lieu de vitres et, durant quelques minutes, leurs sens les privèrent de la certitude d'avoir enfin atteint le but si longtemps attendu.

Certains hésitaient à poser par terre leurs sacs à dos, leurs serviettes et leurs valises, craignant de les exposer aux dangers malheureusement caractéristiques des temps nouveaux. On vivait en effet une époque d'où – phénomène proprement révoltant – avaient disparu certaines valeurs morales encore en vigueur pendant les années de guerre, lesquelles, malgré leur immense lot de souffrances, n'avaient tout de même pas été totalement dépourvues de points de repère. D'autres, qui avaient eu la chance d'assurer leur confort de haute lutte mais d'une manière qu'ils jugeaient équitable et en tous points conforme à la démocratie moderne, ne voulaient surtout pas perdre leurs places – assises ou debout – dans les compartiments en se préparant trop tôt à descendre de voiture.

Seuls les voyageurs qui avaient pris place sur les marchepieds ou les toits du train – voyageurs enviés pour leur santé robuste – virent tout de suite que les poutres calcinées du hall ouvert à tous les vents, les câbles aériens aux molles courbes, les monceaux de verre cassé étincelant au soleil entre les rails et les entassements de pierres surgissant des ruines constituaient bien le cœur de la gare centrale de Francfort. Dans un premier temps, donc, seules quelques personnes osèrent quitter le train, bientôt suivies d'hommes dégringolant des toits avec leur sac à dos et de femmes qui, un fichu sur la tête et une expression de grande détermination sur leurs traits noirs de suie, sautaient des marchepieds.

Pour refaire leur vie dans cette ville, ils étaient tous beaucoup mieux lotis que la famille Redlich qui, dans le wagon de queue, rentrait de son exil africain. La voiture étant verrouillée de l'extérieur, il fallut attendre, pour sortir enfin, que la portière ait été ouverte par un caporal américain dont la silhouette d'homme bien nourri sautait aux yeux, mais qui, hélas, avait tendance à remuer les mâchoires beaucoup plus vite que les jambes.

Vêtu d'un lourd manteau gris, dernier cadeau de l'*Army* britannique lors de sa libération trois jours plus tôt, à Londres, Walter descendit du train avec quelque hésitation. Il portait ses deux valises, achetées autrefois à Breslau, qui avaient quitté le sol allemand dix ans auparavant et qui, aujourd'hui, le touchèrent juste avant lui. Dans une robe qu'elle avait fait confectionner tout exprès par un couturier indien de Nairobi pour le retour dans une patrie qui lui était devenue étrangère, Jettel le suivait. Elle tenait d'une main un mouchoir qu'elle avait trempé de ses larmes pendant cette nuit interminable et, de l'autre, le carton à chapeau qui l'avait accompagnée dans chacun de ses déplacements à travers le Kenya, au cours des dix années de l'exil.

Fillette de quatorze ans qui n'avait pas les rondeurs de sa mère et dont le corps peinait à remplir une de ses robes, retouchée à son intention, Regina, en descendant de voiture, se concentrait sur une double obligation : éviter de pleurer comme sa mère et, surtout, se garder de la mécontenter en laissant paraître sur son visage le soupçon de sourire optimiste que son père attendait d'elle. Elle portait son frère Max, âgé d'un an, qui manqua l'instant crucial de l'arrivée dans sa nouvelle patrie. Ses cris, qui, de toute la nuit, n'avaient ni cessé ni perdu de leur véhémence, l'avaient aidé à surmonter les fatigues du voyage et les flatulences provoquées par l'ingestion d'une nourriture inhabituelle pour lui – des feuilles de salade entre des tranches de pain blanc. À présent, appuyé contre le ventre de Regina, la tête reposant sur son épaule, il dormait, bercé par la marche. Quand le premier souffle d'air francfortois lui effleura le visage, il se contenta de serrer un peu les poings, sans se réveiller.

C'est avec une grande circonspection et un fort esprit de responsabilité que la *British Army* s'était acquittée de son devoir de libérer un soldat sur le sol de sa patrie. À leur arrivée à Hoek van Holland, on avait emmené les Redlich en Jeep jusqu'à Osnabrück, où on les avait logés pour la nuit dans un camp de réfugiés... en leur recommandant d'éviter dans la mesure du possible d'entrer en contact avec les ennemis allemands !

On avait ensuite installé Walter, Jettel, Regina et le bébé dans le wagon verrouillé, munis de la ration alimentaire d'une journée à laquelle avait droit tout soldat n'ayant pas d'effort physique intense à fournir. Leurs compagnons de voyage étaient un *major* anglais et un *captain* canadien qui, embarqués avec deux bouteilles de whisky par personne, eurent eu tôt fait d'en vider une chacun. Les contacts avec eux se limitèrent aux «*Shut up !*[1]» qu'ils lançaient, à intervalles réguliers, au «*Bloody baby !*[2]» ou aux constatations de «*Fucking Germans !*[3]», plus épisodiques, qu'ils formulaient quand les sanglots de Jettel devenaient trop bruyants ou que Max criait avec trop de conviction pour un enfant appartenant au camp des vaincus. Le *major* et le *captain* avaient déjà quitté le train quand Francfort, pour la première fois, s'offrit au regard de Walter.

– Quelqu'un devait venir nous accueillir, dit-il, c'est pourtant bien ce que disait la lettre reçue à Londres.

Telle fut sa première phrase, dix minutes après son arrivée dans la ville dont il avait choisi de faire sa patrie.

– Je croyais que les Allemands étaient ponctuels, répliqua Jettel, que c'était même leur plus grande qualité.

– À notre arrivée en Afrique, personne non plus n'a déroulé pour nous le tapis rouge. Et ici, au moins, on peut se faire comprendre. Laisse-nous un peu de temps, Jettel.

---

1. « Ferme-la ! »
2. « Satané bébé ! »
3. « Sales Allemands. »

11

– Ce sont eux qui prennent leur temps, renifla Jettel. Je n'en peux plus. Pauvre bébé. Combien de temps ce petit être innocent devra-t-il supporter de telles épreuves ? Je n'ose même pas le regarder dans les yeux.

– Tu aurais de la peine, de toute façon ; tu vois bien que le petit dort, dit-il.

Regina fixait le bout de ses chaussures. Elle s'appliquait à ne ressentir ni la faim, ni la soif, ni cette peur qui lui avait figé le corps, quand, sitôt la frontière allemande franchie, ils avaient aperçu les premières maisons détruites et, en gare d'Osnabrück, les hommes amputés d'une jambe se déplaçant à l'aide de béquilles. Elle se frotta la figure contre la peau si chaude de son frère, résistant à la tentation de lui chuchoter à l'oreille les quelques mots en langue jaluo qui lui auraient donné la force de lutter contre la peur. Réveiller l'enfant d'une mère incapable de garder les yeux secs n'aurait pas été une bonne chose. Puis, s'étant rendu compte que ses parents avaient cessé de se disputer et qu'ils étaient tous les deux tournés dans la même direction, Regina osa enfin libérer ses propres yeux et jeter un regard autour d'elle.

Son père n'était déjà plus à ses côtés. Quant à sa mère, elle avait posé par terre le carton à chapeau et, le bras droit tendu, elle s'écriait :

– Mon Dieu, Koschella ! Qu'est-ce qu'il fabrique ici ? Il assistait à notre mariage !

Regina vit son père courir, s'arrêter devant un homme en complet gris, secouer un moment la tête, ouvrir les bras et, soudain, les laisser retomber. Ce fut l'étranger qui prit la main de Walter. Il avait une voix grave et, de loin, Regina perçut tout de même que cette voix avait l'habitude de voyager.

– Walter Redlich, dit l'homme, je n'en ai pas cru mes oreilles quand on m'a dit, hier, que je devais venir vous chercher. Je n'arrive toujours pas à croire que quelqu'un a perdu la raison au point de revenir dans ce pays. Mais de quelle planète tombez-vous, bon sang ? Oui, oui, je suis au courant. Ça fait plusieurs jours que tout le monde ici, dans la justice, ne parle que du fou qui quitte son pays de cocagne africain pour venir faire le juge et crever de faim. Mais dites-moi, pour l'amour de Dieu, ce bébé est aussi à vous ?

Regina observa attentivement la façon dont l'homme tendait la main à sa mère et elle vit d'un seul coup refleurir chez elle le sourire des jours qui n'étaient plus, quand, à Nairobi, elle ignorait encore tout du retour de la famille en Allemagne. Ensuite, Regina essaya de donner elle aussi la main à l'inconnu, mais elle ne put achever son geste, parce que son frère, qui se faisait de plus en plus lourd, avait commencé à glisser de ses hanches. Elle faisait de gros efforts pour réussir à prononcer à part soi le nom de Koschella et à écouter en même temps les propos tout excités de ses parents et les phrases que l'homme formulait avec nervosité, d'une voix toujours un peu stridente. Elle laissa toutefois s'écouler trop de temps à se demander ce que pouvait bien signifier le mot «procureur général» et s'il avait une importance quelconque pour eux.

Pour donner à ses parents les motifs de satisfaction qu'on attendait d'elle, Regina se contenta alors d'avancer d'un pas régulier et de s'efforcer de ne pas se laisser distancer par les deux hommes et sa mère. Elle remarqua que son père marchait d'une tout autre manière qu'en Afrique : elle pouvait maintenant entendre ses chaussures frapper le sol et les voir soulever de la poussière à chaque pas, une poussière sombre et épaisse qui n'avait rien de commun avec celle, claire et transparente, des jours heureux où il faisait chaud.

Le groupe sortit de la lumière grise de la gare et fit irruption dans la clarté du printemps. Il traversa une première rue, bordée de part et d'autre d'immeubles détruits, où des femmes âgées poussaient des brouettes aux chargements en forme de montagne. De petits enfants étaient assis sur des valises en carton et sur des couvertures grises. Leurs yeux étaient sans éclat, pareils à ceux des mendiants lépreux du marché couvert de Nairobi. Un tramway jaune clair fit entendre ses tintements aigus. Les portes étaient ouvertes. Serrés les uns contre les autres sur les marchepieds, les gens faisaient songer aux vieux arbres qui, à la ferme d'Ol'Joro Orok, avaient poussé agglutinés les uns aux autres pour se défendre contre le vent. Des plantes jaunes poussaient en vigoureux buissons sur les amoncellements de gravats qui, autrefois, avaient été des immeubles. Les oiseaux gazouillaient.

— Même les oiseaux chantent ici d'une autre manière qu'en Afrique, dit Walter.

Koschella secoua la tête en riant.

— Tu es bien toujours le même farceur.

Son père fit entrer Regina dans une grande pièce propre, très sombre, qui avait l'odeur forte du savon de son école, au bord du lac

Nakuru. Un instant, elle oublia qu'elle avait détesté cette école, et elle sourit à l'idée qu'elle était déjà comme sa mère, toujours à mélanger les bons et les mauvais souvenirs. Elle vit pourtant les flamants s'envoler et elle fut obligée d'interdire à ses yeux de s'enfoncer dans leur nuée rose.

Une jeune femme hyper blonde, aux lèvres hyper rouges, était assise derrière une longue table. Elle portait une robe bleue avec un col blanc. Le sommet de ses cheveux, relevés en une mise en plis impeccable, montait au moins aussi haut que la plus longue des roses jaunes disposées dans un vase bleu.

La voix puissante de Koschella se fit un tantinet plus forte encore quand il se présenta :

— Docteur Koschella, procureur général.

Puis, après un bref temps d'arrêt dont la femme profita pour lui lancer un regard mécontent, il ajouta :

— Et voici le docteur Walter Redlich, conseiller à la cour, qui arrive de Nairobi. J'ai réservé hier deux chambres pour lui et sa famille.

La femme glissa un doigt à l'intérieur de la boucle la plus basse de sa coiffure. C'était à peine si elle remuait les lèvres, mais on l'entendit distinctement dire :

— Je regrette. L'hôtel Monopol est *off limits* [1] pour les Allemands.

— Mais qu'est-ce que ça signifie ? Vous auriez dû me le dire hier, quand j'ai réservé les chambres !

— Vous ne m'en avez pas laissé le temps, docteur Koschella, répondit la femme avec un sourire qui lui découvrit les dents du haut. Vous avez réservé les chambres et vous avez aussitôt raccroché.

— Alors, adressez-moi à un autre hôtel. Croyez-vous que la justice puisse se permettre de faire venir un juge d'Afrique et de le laisser sans logement ? Est-ce que vous vous rendez compte ?

— Il n'y a pas d'hôtel pour les Allemands à Francfort. Vous devriez le savoir, monsieur le procureur général. Ils ont tous été réquisitionnés par le gouvernement militaire américain.

— Alors, je demande à parler immédiatement à votre directeur.

— Le Monopol fait partie des hôtels directement administrés par le gouvernement militaire. Nous n'avons pas de directeur. Je dois d'ailleurs

---

1. « Interdit. »

aussi attirer votre attention sur le fait que, si je laisse s'asseoir des Allemands dans le hall de l'hôtel, je me mets en infraction avec le règlement.

Durant quelques secondes, le docteur Hans Koschella regarda la femme, puis, plus longuement, sa montre. Il eut un petit geste en direction du bébé contre le ventre de Regina ; elle lui tendit l'enfant pour qu'il puisse le caresser, mais il retira la main, regarda Walter et lui dit, avec moins d'assurance qu'auparavant, mais toujours avec la voix de l'homme habitué à ce qu'on l'écoute :

— Je suis absolument navré, Redlich. Il y a quelque chose qui a cloché. J'ai malheureusement un rendez-vous urgent et je ne peux pas m'occuper de vous plus longtemps. Vous n'allez pas tarder à vérifier par vous-mêmes qu'on fait mener une vie infernale aux quelques juristes encore autorisés à exercer.

— Mais qu'est-ce que nous allons devenir ? demanda Jettel à voix basse.

— De toute façon, vous n'avez pas de souci à vous faire, madame Jettel. Le mieux, c'est que votre mari se rende tout de suite au bureau compétent et se fasse attribuer un logement. Il a d'ailleurs en sa possession le certificat d'urgence fourni par la Justice. Venez, Redlich, et n'ayez pas l'air aussi malheureux. Je vous accompagne jusqu'au tramway. Tant pis, je serai en retard. Et là-bas, ne vous laissez pas marcher sur les pieds par les employés. Ils sont tenus d'accorder la priorité aux rapatriés. De nos jours, il ne faut pas faire preuve de trop de retenue.

Regina accompagna Walter jusqu'à la porte. Ses pieds étaient lourds et elle avait la bouche sèche. Elle savait que sa mère l'observait et elle n'osa pas demander à son père où Jettel, elle et Max devaient l'attendre. Elle suivit les deux hommes du regard jusqu'au moment où leurs silhouettes se furent évanouies dans la vive lumière du soleil, et elle revint vers sa mère avec toute la lenteur dont ses pieds étaient capables. Elle était encore devant la table aux roses quand la femme blonde, montrant du doigt un banc en cuir dans le coin le plus sombre de la pièce, dit à Jettel :

— Asseyez-vous là-bas jusqu'au retour de votre mari. Mais, pour l'amour du ciel, arrangez-vous pour que l'enfant se tienne tranquille. Si quelqu'un vous découvre ici, je ne pourrai pas faire autrement, il faudra que je vous mette dehors.

Le tramway était si bondé que Walter ne put accéder du marchepied à l'intérieur du wagon que deux stations plus loin. Bien qu'ayant à peine mangé depuis le départ d'Osnabrück afin de garder les rations militaires pour Regina et Max, il ressentit l'effort à fournir, malgré le vertige et l'envie de vomir qui le tourmentaient, comme une occasion bienvenue de se distraire de son triste état, un mélange déroutant de révolte, d'angoisse et de choc.

Lorsque, en dépit de la résistance de Jettel et du désespoir jamais exprimé de Regina, il avait fait prévaloir sa décision de rentrer en Allemagne, il ne s'était fait aucune illusion : il savait que ce rapatriement le confronterait à des problèmes dont il ne pouvait avoir la moindre idée en Afrique, même durant ses instants de profond pessimisme. Jamais, pourtant, il n'avait imaginé que l'ironie du sort l'accablerait aussitôt d'un sentiment de honte identique à celui qu'il avait ressenti en janvier 1938, quand il avait débarqué au Kenya sans ressource et sans espoir. À l'instant même où il avait dû laisser Jettel, Regina et Max seuls à l'hôtel, la honte avait sapé son assurance. Par expérience, il savait pertinemment que cette nouvelle humiliation l'accompagnerait longtemps.

Walter s'attendait à mettre beaucoup de temps pour trouver l'immeuble décrit par Koschella, et c'est avec un certain accablement qu'il descendit du tramway. Mais la première personne à qui il demanda son chemin lui montra un bâtiment gris aux fenêtres obturées avec les moyens du bord et dont la porte d'entrée était un simple panneau de bois. Sur une pancarte en carton fixée par des punaises, on pouvait lire : «Office municipal du logement.»

Un homme âgé portant un cache-œil noir le dirigea vers une pièce à l'entrée de laquelle un écriteau portait le mot «immigration» ; quatre hommes plus jeunes, dont l'attitude était frappante de mimétisme avec celle du premier employé, le fixèrent tour à tour, interloqués, avant de se déclarer incompétents et, en quelques mots fort secs, de l'expédier dans un autre bureau. À aucun des quatre il n'arriva à dire son nom, ni à expliquer que sa femme et ses enfants l'attendaient dans le hall d'un hôtel où ils n'avaient pas le droit de rester.

Sur la cinquième porte, on pouvait lire : «Accueil des réfugiés.» L'employé était assis derrière une petite table en bois sur laquelle étaient posés des dossiers, trois crayons courts et une paire de ciseaux rouillés. Il y avait aussi un quart en fer-blanc rempli d'un liquide fumant. Walter crut se souvenir que l'odeur était celle de l'infusion de camomille. Cela faisait déjà plus de dix ans que le mot ne lui était même pas venu à l'esprit. Cette pensée l'occupa à un point qu'il jugea indigne de ce moment d'extrême tension.

Tandis que Walter s'avançait vers lui, l'homme feuilletait une pile de papiers gris tout en mordant dans une tranche de pain étonnamment jaune. Il ne paraissait pas différent de ses collègues, et Walter s'attendait à le voir faire le même geste de lassitude et d'impuissance, quand, à sa grande surprise, il l'entendit d'abord le saluer d'un « Bonjour », puis lui dire : « Eh bien, asseyez-vous ! »

Il avait une voix chantante qui évoqua immédiatement pour Walter le souvenir de son ami Oha, de Gilgil. Il s'apprêtait une nouvelle fois à résister aux tours que lui jouait sa mémoire quand l'idée lui vint que les habitants de Francfort devaient tous parler comme Oha, puisque celui-ci était originaire de la ville. Son estomac, d'abord contracté au spectacle de l'employé mâchant son pain, se détendit un peu. Walter sourit et eut légèrement honte de sa gêne.

L'employé s'appelait Fichtel ; il était enroué et il portait une chemise grise qui flottait autour de son cou ; en dépit de sa pomme d'Adam saillante et de ses joues creuses, il émanait de lui un soupçon de bonhomie qui réconforta quelque peu Walter.

— Eh bien, allez-y, racontez votre histoire, dit Fichtel.

En apprenant que Walter arrivait tout juste d'Afrique, il émit un long sifflement qui avait quelque chose d'absurdement juvénile, puis eut un « Ben, mon coco », que Walter ne comprit pas. Encouragé par l'expression d'intérêt qui avait subitement animé les traits de Fichtel, il se mit à raconter dans le détail les dix dernières années de son existence.

— Et vous voulez me faire croire que vous êtes revenus volontairement dans ce pays de merde ? Bon Dieu, moi qui en partirais dans la minute même, si je pouvais. C'est ce que tout le monde voudrait faire ici. Qu'est-ce qui vous a poussé à revenir ?

— Ils ne voulaient pas de moi en Afrique.

— Et ils veulent de vous ici ?

— Je crois que oui.

— Bon, vous devez savoir de quoi vous parlez. De nos jours, rien n'est impossible. Avez-vous au moins rapporté du café de votre séjour chez les nègres ?

– Non, dit Walter.

– Ou bien des cigarettes ?

– Quelques-unes, oui. Mais je les ai déjà fumées.

– Ben, mon coco, dit Fichtel. Et moi qui croyais que les Juifs sont assez malins pour se sortir de toutes les situations.

– Même d'Auschwitz, par les cheminées.

– Oh, ce n'est pas ce que je voulais dire, vraiment pas. Vous pouvez me croire, assura Fichtel.

Sa main tremblait un peu tandis qu'il déplaçait ses tampons d'un bout de la table à l'autre. Il reprit d'une voix incertaine :

– Même si je vous inscris aussitôt parmi les cas de grande urgence, vous n'obtiendrez pas de logement ici avant des années. La plupart ont été détruits dans les bombardements ou réquisitionnés par les Américains. Le mieux, pour vous, c'est la communauté juive de Baumweg. Je veux dire qu'elle peut faire des miracles et qu'elle a de tout autres moyens que les nôtres, ici.

Walter fut si bouleversé par ce qu'il venait d'entendre qu'il étouffa sur-le-champ les sentiments qui l'assaillaient.

– Vous ne voulez tout de même pas dire qu'il y a ici, à Francfort, une communauté juive ? demanda-t-il.

– Bien sûr que si, dit Fichtel, il en est revenu suffisamment des camps dont on parle dans le monde entier. Et, à ce qu'on dit, ils s'en sortent pas mal. C'est qu'ils ont droit à l'allocation supplémentaire des travailleurs de force. Vous aussi, vous y aurez droit. Tenez, je vous écris leur adresse, monsieur le Conseiller. Vous verrez : demain, vous aurez un logement à vous. C'est ce que je dis toujours : on n'est jamais abandonné par les siens.

Quand Walter revint au Monopol, il était quatre heures passées. À la communauté juive, il n'avait rencontré qu'une femme qui l'avait convoqué pour le lendemain et il s'attendait à retrouver Jettel en larmes, à supposer qu'il la retrouve. Il l'aperçut de loin et il crut qu'il était définitivement devenu la proie des hallucinations qui le menaçaient depuis le départ de Koschella.

Jettel était assise dans une Jeep, à côté d'un soldat en uniforme américain, tandis que Regina, Max sur les genoux, occupait la banquette arrière. Walter eut la certitude qu'on était en train d'arrêter sa famille pour être restée illégalement dans l'hôtel, et, pris de panique, l'estomac noué, il se précipita vers la voiture avec des gestes qui lui semblaient aussi dénués de sens que tous les événements de la journée.

– Dépêche-toi, lui cria Jettel, tout excitée, j'ai bien cru qu'ils allaient nous emmener d'ici avant que tu sois revenu. Mais qu'est-ce que tu fabriquais ? Le bébé n'a plus un seul lange sec et Regina n'a pas cessé de saigner du nez.

– *Sir !* s'écria Walter, *this is my wife. And my children* [1].

– Alors, la prochaine fois, tâche de ne pas laisser ta jolie *wife* traîner dans un hôtel réquisitionné, espèce de ballot ! ricana le *sergeant*.

Il était impossible de ne pas entendre qu'il s'exprimait dans un dialecte de la Bade ; il s'appelait Steve Green, après s'être jadis appelé Stefan Grünthal, et, depuis l'occupation de Francfort, en raison de ses compétences linguistiques, il était chargé, auprès du gouvernement militaire américain, de régler tous les problèmes concernant les Allemands. La secrétaire de l'hôtel Monopol l'avait appelé quand elle avait compris qu'elle n'arriverait pas, par les voies habituelles de l'arrogance et de l'intimidation, à se débarrasser des lamentations de Jettel, des sanglots de Regina et des cris du bébé.

Jusqu'en 1935, les parents de Steve possédaient un petit hôtel dans les environs de Baden-Baden. La mère faisait le meilleur bouillon de poule du monde et détestait les Allemands. À New York, le père, d'abord portier de nuit à Brooklyn, était devenu, à force de travail, vendeur dans un magasin de bijoux de la 47ᵉ Rue ; il allait à la synagogue à chaque sabbat et détestait lui aussi les Allemands. Ce que Steve détestait avant tout, c'était Francfort, la *bloody Army* [2] et les employés allemands du magasin PX qui écoulaient les marchandises au marché noir avant que les G.I. aient eu le temps de les acheter.

Il racontait tout ça dans un mélange d'allemand irréprochable et d'américain incompréhensible, conduisant sa Jeep à toute allure dans les rues du centre-ville bordées d'immeubles incendiés et proférant des jurons beaucoup plus orduriers encore que tout ce que Walter avait pu entendre pendant son service dans l'armée britannique. Quand il était obligé de s'arrêter pour laisser passer un tramway ou des hommes poussant une brouette, il jetait une cigarette par terre et prenait plaisir à

---

1. « Monsieur ! C'est ma femme, et mes enfants. »
2. « Satanée armée. »

19

voir les gens se la disputer. Parfois, en fonction des circonstances, oubliant sa haine des Allemands, il stupéfiait de jeunes femmes qu'il appelait tantôt « mademoiselle », tantôt « Veronika », en leur lançant une barre de chocolat Hershey's.

Il offrit à Regina un paquet de chewing-gum, et il conduisait si vite qu'il se mit à confondre de plus en plus fréquemment le genou de Jettel avec le levier de vitesse. Chaque fois que Walter lui demandait où il les conduisait, il répondait en clignant des yeux que le sujet était *off limits*. Au bout d'un quart d'heure, il quitta une large allée bordée de marronniers en fleurs et tourna dans l'étroite Eppsteiner Strasse, qui se distinguait par son aspect bien entretenu ; il sauta de la Jeep, aida galamment Jettel à mettre pied à terre, puis, avec la grossièreté d'un homme soudain pressé, il intima à Walter et à Regina, qui tenait toujours le bébé dans ses bras, l'ordre de descendre ; sortant un pistolet de la poche de son pantalon, il se précipita dans l'entrée d'un immeuble, grimpa quatre à quatre l'escalier jusqu'au deuxième étage et appuya sur une sonnette.

Une femme aux cheveux gris ouvrit la porte avec hésitation et poussa un « Ah ! » d'effroi.

— Réquisitionné, hurla Steve en direction de la femme terrorisée.

Puis il lança dans la cage d'escalier un « *Okay !* » retentissant. La femme pâlit et, ne cessant de se frotter les mains contre son tablier à fleurs, se mit à gémir, les yeux fermés :

— Mais je n'ai plus que deux pièces !

— Une de trop, cria Steve, ces gens logent ici. Ils resteront une semaine.

La femme ouvrit la bouche, mais la referma aussitôt quand Steve lui eut crié « *Shut up !* » et demandé :

— Qui a perdu la guerre, toi ou moi ? Et tu tâcheras aussi de leur trouver quelque chose à manger. Sinon, je reviendrai. Et pas seul, ajouta-t-il.

Là-dessus, il caressa les cheveux de Jettel, donna à Walter une tape sur l'épaule, poussa Regina de côté et fourra dans la bouche de Max un chewing-gum que Jettel, paniquée, lui enleva et commença à mâcher. Max se mit à hurler. La femme gémit, disant qu'elle s'appelait Reichard, qu'elle n'avait elle-même rien à manger et que, jusqu'à l'occupation de Francfort, elle habitait un cinq pièces.

Des tresses formaient sur sa nuque un chignon qui, tandis qu'elle se tenait là, les bras croisés sur le ventre, lui donnait une apparence sévère et intimidante ; on eut un instant l'impression qu'elle allait faire un geste pour repousser Jettel de l'autre côté de la porte, mais Walter s'interposa :

— Je suis navré de vous occasionner des ennuis.

— Je vous montre votre chambre, soupira Mme Reichard. Mais, autant que vous le sachiez tout de suite, je n'ai que de la soupe de légumes dans des bols. Je ne suis pas tenue à vous offrir davantage.

De tous les mystères de cette journée, qui restèrent à jamais non élucidés, cette femme est demeurée le plus grand. La soupe de légumes s'était transformée en une potée consistante, une boîte en carton en un lit d'enfant ; chacun obtint une mince tranche de pain, puis, servie dans des tasses en porcelaine de Saxe, une boisson chaude que Mme Reichard déclara être du café. Elle appela Max « mon petit bout de chou » et le berça sur ses genoux en pleurant. Elle alla chercher au grenier un lit de camp pour Regina. Après le dîner, elle parla de son mari, « coffré par les Ricains », et de son fils unique, tombé en Russie. Jettel dit qu'elle était désolée et Mme Reichard la regarda avec étonnement.

Ils dormirent tous les quatre dans la chambre de Mme Reichard. Au-dessus du lit conjugal, il y avait un tableau représentant deux anges joufflus qui fascinèrent Regina. Sur le mur opposé, on pouvait voir un grand rectangle clair qui attira d'abord l'attention de son père. Il prétendit qu'avant pendait là une photo de Hitler.

— Dommage que tu ne sois malin que pour les choses qui n'ont aucune espèce d'importance, répliqua Jettel.

Mais le ton de sa voix n'avait rien de méchant, si bien que Walter répondit en riant :

— C'est déjà ce que disait ta mère.

Regina fut heureuse de ne pas être obligée d'attraper au vol des flèches empoisonnées avant qu'elles touchent leur but. Elle pensa un bref instant au chocolat que Steve lançait aux jeunes femmes et, bien plus longuement, à l'odeur du goyavier de Nairobi, mais son estomac n'était pas assez plein et sa tête était trop vide pour que ce safari de la mémoire lui procure un réel plaisir.

Peu avant de s'endormir, elle entendit pourtant ses parents se chamailler, mais c'était un combat sans hargne qui rappelait presque les

meilleurs moments des jours qui n'étaient plus, et la paix fut rapidement conclue. Ils avaient commencé par se disputer pour savoir qui
avait invité Koschella à leur mariage, puis, au même instant, ils avaient
eu tous les deux la certitude de l'avoir confondu avec quelqu'un
d'autre, concluant qu'il n'avait probablement jamais mis les pieds à
Breslau.

2

Dimanche 20 avril. Hourra! C'est la première fois aujourd'hui que je suis (presque) heureuse à Francfort. Nous sommes enfin partis de chez Mme Reichard. Au bout de deux ou trois jours, elle s'est mise à beaucoup nous embêter. Jusqu'à ce qu'on nous attribue un logement (ce qui prendra un bon bout de temps), nous pouvons habiter au 36 de la Gagernstrasse. Il y a trois jours, Papa a enfin réussi à rencontrer quelqu'un de la communauté juive. C'est l'homme le plus gentil du monde. Il s'appelle le docteur Alschoff et il s'est débrouillé pour que nous puissions loger provisoirement dans l'ancien hôpital juif qui est très détruit. Ce n'est plus un hôpital, mais un foyer pour vieilles personnes. Nous avons une chambre avec trois lits, une table, trois chaises et une plaque pour faire la cuisine. Nous nous lavons dans une cuvette posée sur un trépied qui me plaît beaucoup. Le cabinet est dans le couloir. Le cuisinier du foyer nous fournit un repas, mais pour trois personnes seulement, parce que Max n'a qu'une carte d'alimentation pour petit enfant et qu'il a trop de tickets pour le lait et pas assez pour les matières grasses. C'est du moins ce que prétend le cuisinier. Nos habits restent dans les valises. Pour la première fois de ma vie, je suis contente de ne pas avoir grand-chose à me mettre. C'est un camion qui nous a amenés à la Gagernstrasse. En fait, nous aurions pu venir dès samedi, mais ça n'a pas été possible, car les Juifs n'ont pas le droit de prendre un véhicule le jour du sabbat; et puis le foyer est casher.

Je suis heureuse de pouvoir tenir un journal. C'est au docteur Alschoff que je le dois. Aujourd'hui, en guise de cadeau de bienvenue, il m'a offert trois cahiers et deux crayons, et j'ai enfin quelqu'un à qui parler dans ma langue. En effet, je n'utiliserai que l'anglais dans ce journal. J'ai l'impression de me retrouver chez moi. Il faut que j'écrive en très petites lettres et pas tous les jours, parce que le papier est quelque chose de très rare en Allemagne. Qui sait si j'en aurai jamais d'autre ?

Je veux encore écrire quelque chose à propos du docteur Alschoff. Il a été dans un camp de concentration. À Auschwitz. Quand maman l'a appris, elle a beaucoup pleuré. Bien sûr, c'est là que sa mère et sa sœur sont mortes. Mais il ne les a pas rencontrées.

Il a des yeux très tristes et il veut sans arrêt caresser Max. Il dit qu'à part nous, il n'y a qu'une seule autre famille juive avec des enfants dans la Communauté. Papa m'a ensuite expliqué que les Juifs n'étaient pas déportés quand ils avaient un conjoint chrétien. Comme Koschella. Maman a dit que le bon Dieu aurait pu se dispenser de le sauver. Papa était furieux et a répondu qu'elle venait de commettre un péché. Ils ont alors commencé à se disputer de manière effroyable. Quand mes parents haussent ainsi le ton, ça fait toujours rire Max. Il ne parle plus depuis que nous sommes à Francfort. Alors qu'à la maison il savait déjà dire « *kula* », « *aja* », « *lala* », « *toto* », « *jambo* » et presque « Owuor ». Cette nuit, pour la première fois, Max ne dormira pas dans une boîte en carton, mais avec moi, dans un lit. Qu'est-ce que je suis contente !

Jeudi 24 avril. Ici, il y a une grande pelouse avec beaucoup de bancs. Aujourd'hui, je me suis assise pour la première fois sur un de ces bancs. Une très vieille dame s'est assise à côté de moi. Elle s'appelle Mme Feibelmann et elle s'est tout de suite mise à me parler. J'étais affreusement gênée, mais elle n'a pas du tout ri de mon accent anglais. Elle a dit qu'elle avait perdu l'habitude de rire à Theresienstadt. C'était aussi un camp de concentration. Presque tous les gens qui habitent ici étaient à Theresienstadt. Mme Feibelmann a pris Max sur ses genoux et lui a chanté quelque chose. Ensuite, elle est partie en boitant et elle est revenue avec deux gâteaux secs qu'elle lui a fourrés dans la bouche. Elle avait trois enfants, mais seul un fils vit encore. En Amérique (c'est pour ça qu'elle a des gâteaux, il lui envoie des paquets). Ses deux filles sont mortes ainsi que cinq de ses petits-enfants. Je ne comprends pas comment quelqu'un peut raconter des choses pareilles sans pleurer. De toute ma vie, je n'ai entendu raconter des histoires aussi tristes que pendant ces dix premiers jours à Francfort. Beaucoup de personnes, ici, portent un numéro inscrit sur le bras. Ça veut dire qu'ils étaient à Auschwitz.

Il y a trois moutons dans le jardin. Je les envie beaucoup : eux, au moins, ils ont assez à manger. Le cuisinier ne nous aime pas. Les rations que je vais chercher à la cuisine (nous n'avons pas le droit de manger au réfectoire parce que Max dérange les personnes âgées) sont bien plus petites que celles des autres pensionnaires. Nous avons tous déjà maigri. À part Max. Nous lui donnons tous un bon morceau de notre portion.

Vendredi 2 mai. Papa est allé au tribunal pour la première fois aujourd'hui. Il a été nommé conseiller auprès du tribunal d'instance. Il était terriblement excité, et plus pâle encore qu'à l'ordinaire. Au petit déjeuner, maman lui a donné sa deuxième tranche de pain. Il l'a prise dans ses bras et il l'a embrassée en disant : « Jettel, c'est le plus beau jour de notre vie depuis que nous avons dû quitter Leobschütz. » Dommage que maman ait alors ajouté : « Comme nous serions heureux si nous avions au moins le ventre plein. » J'ai cru que papa allait se fâcher, mais il lui a donné un nouveau baiser. Quand il est rentré à la maison, il avait les joues toutes rouges et il paraissait beaucoup plus grand que le matin. Il a dit que tout le monde était gentil avec lui et voulait l'aider à se réhabituer à son ancienne profession. S'ils savaient à quel point il n'a jamais oublié son ancien métier ! Sinon, en effet, nous ne serions pas à Francfort, mais à Nairobi. Ou, mieux encore, dans la ferme d'Ol'Joro Orok. Ce soir nous irons tous à l'office religieux. Maman voulait que je reste dans la chambre avec Max, mais papa a ri et a dit : « Chez nous, à Sohrau, les femmes ont toujours emmené leurs bébés avec elles au temple. » C'est drôle que nous pensions tous quelque chose de différent quand nous disons « chez nous ».

Samedi 5 mai. Malgré la rareté du papier, il faut que j'écrive aujourd'hui. Max a recommencé à parler. Il a dit « Herta ». C'est comme ça que s'appelle le chien de berger qui appartient au cuisinier. Je suis très heureuse et je vais essayer de ne plus parler anglais ou swahili avec Max. Maman dit que ça ne fait que lui mettre la tête à l'envers.

Lundi 12 mai. Depuis hier, la nuit ne tombe qu'à onze heures du soir. C'est la «double heure d'été». En d'autres termes : nous allons au lit plus tard et nous devons supporter notre faim plus longtemps. Papa appelle ça la « vengeance des vainqueurs », mais j'ai entendu dire que c'était pour faire des économies de courant. Si on consomme trop, on vous met en prison.

Mercredi 21 mai. Cela fait une heure que papa chante *Gaudeamus igitur*; il a complètement oublié sa faim, car il a retrouvé un compagnon de corporation. Ça s'est passé comme ça : il a engagé la conversation dans le jardin avec une jeune femme (belle comme un astre). Elle lui a raconté que son père était autrefois dans une corporation étudiante, mais qu'il avait dû la quitter parce qu'il avait épousé une femme non juive et qu'il ne donnait pas une éducation juive à ses enfants. Papa a aussitôt compris que cet homme avait certainement appartenu lui aussi à la KC, la corporation juive de sa jeunesse. C'est le docteur Goldschmidt, un médecin. Il vient tous les mercredis à la Gagernstrasse. Alors qu'il cherchait sa fille dans le jardin, papa l'a salué du sifflotement qui servait de signal de reconnaissance à la KC. Il veut nous inviter. À boire une tasse de vrai café (c'est un patient qui le lui fournit).

Lundi 2 juin. Il fait plus chaud qu'à Nairobi. Maman se plaint beaucoup. Elle est tout de même venue me remplacer alors que je faisais la queue devant chez le laitier depuis une heure. On n'a touché qu'un quart de litre. Ce n'est pourtant pas une journée complètement ratée. Depuis ce matin, nous avons un journal, le *Frankfurter Rundschau*. Il est livré aux persécutés raciaux (c'est ce que nous sommes) sans qu'ils aient à s'inscrire sur la liste d'attente. Nous n'avons enfin plus de problèmes pour trouver du papier toilette. Dommage que nous n'ayons pas droit à *Die Neue Zeitung*. Il paraît qu'il est beaucoup plus doux.

Jeudi 5 juin. Encore une bonne nouvelle. La voiture de sport que nous avons commandée à Londres, pour Max, vient d'arriver. Elle a été expédiée au tribunal. Je n'ai à présent plus besoin de traîner Max quand nous partons nous promener.

Samedi 7 juin. Les Allemands se montrent très curieux. Ils veulent tous savoir d'où je tiens une si belle voiture et, quand je réponds qu'elle vient de Londres, il faut que j'explique tout : que nous étions en Afrique, que nous sommes revenus, etc. Presque tous disent alors : « Comment peut-on revenir dans un pays comme celui-ci ? » et continuent à me poser des questions. Beaucoup disent qu'ils avaient autrefois des amis juifs et qu'ils ont toujours été contre Hitler. Ça m'est désagréable.

Dimanche 8 juin. Papa n'a pas fait attention à Max et ne s'est pas aperçu qu'il sortait du jardin. Deux heures de recherches. Max, pieds nus et seulement vêtu d'une petite culotte, était assis sur les rails du tramway de la Wittelsbacherallee. Par chance, les tramways ne roulent pas le dimanche et il ne s'est rien passé.

Lundi 9 juin. Nous avons dû aller au commissariat et donner nos empreintes digitales pour les cartes d'identité. Maman était furieuse : « Exactement comme sous Hitler », mais papa a dit que c'était la faute des Ricains. Maman m'a ensuite expliqué que, depuis l'époque nazie, elle avait peur des agents allemands en uniforme. J'ai trouvé ces hommes très gentils. L'un d'eux a donné à Max une tranche de vrai pain blanc. C'est drôle, quand les gens parlent allemand, ici, à Francfort, ils parlent tout autrement que nous. Je les comprends très mal.

Vendredi 13 juin. Mon Dieu, quelle joie ! Nous avons un appartement. Dans le Nuss-Zeil, à Eschersheim. Trois pièces, cuisine et salle de bains. Papa est arrivé avec l'avis d'attribution du bureau du logement et, de joie, il n'arrivait pas à manger le peu de choses que nous donne le cuisinier (ça se réduit de jour en jour). Maman dit qu'il va maintenant nous falloir une bonne.

Lundi 16 juin. Journée de larmes. Quand, tôt ce matin, papa et maman sont partis voir le nouvel appartement, il était occupé. Par M. Hitzerot. Il avait emménagé dès jeudi. Le propriétaire de l'immeuble a soufflé à papa que H. est marchand de papier et qu'il a acheté les gens du bureau de logement. Papa ne veut pas le croire et dit que tout ça doit résulter d'un malentendu. Les employés allemands ne se laissent pas corrompre. En tout cas, M. H. a assez de papier pour pouvoir en offrir. J'ai cinq cahiers neufs (au cas où on m'accepte à l'école), mais ils ne me font aucun plaisir. Alors que nous avions fini par nous calmer un peu, le cuisinier est venu nous dire qu'il ne pouvait pas nous garder ici plus longtemps.

Vendredi 20 juin. Maman a trente-neuf ans aujourd'hui. Papa a peint pour elle un petit coffret à cigares (donné par le docteur Goldschmidt) et lui a offert un billet valable pour une bonne (qui sera honoré dès que nous aurons un logement). Moi, je lui ai fait cadeau d'un bol de framboises que j'ai ramassées dans l'Ostpark. Mme L. (elle est originaire de Breslau et elle est venue à pied jusqu'à Francfort) m'y a accompagnée hier tout exprès. Je trouve ça très bien de sa part, car elle aussi a un enfant. Pour la première fois depuis le bateau, Max a redit « maman ». C'est moi qui le lui ai appris.

Jeudi 3 juillet. Dans la queue, devant le magasin des Spannheimer, une femme s'est soudain mise à dire : « On se crève à faire la queue pendant des heures ; tout est pour la gueule des Juifs. » Maman lui a crié : « Vous croyez que c'est pour mon plaisir que je passe mon temps à côté d'une foutue nazie comme vous ? Je suis juive. Et si vous voulez savoir ce qui nous est arrivé, toute notre famille a péri. » Tout le monde nous a regardées, mais personne n'a soufflé mot. La femme s'est dépêchée de partir alors qu'elle était tout au début de la queue. J'admire beaucoup maman.

Mercredi 9 juillet. À présent, nous avons vraiment un appartement. Dans la David-Stempel-Strasse, sur l'autre rive du Main, à Sachsenhausen. De nouveau un trois pièces avec cuisine et salle de bains. Pour l'instant, un ancien nazi et sa femme l'occupent encore, mais ils doivent l'avoir quitté avant le 1ᵉʳ août.

Vendredi 11 juillet. Aujourd'hui, M. Spannheimer a servi en premier tous les gens qui étaient derrière moi. J'allais me mettre en colère, mais il a alors saisi mon sac d'un geste vif et y a déposé des flocons d'avoine, du sucre et un morceau de fromage. C'est à peine si j'ai réussi à le remercier, tellement j'ai été surprise. M. Spannheimer a dit qu'il a beaucoup de respect pour maman et qu'il la trouve très courageuse. Il n'a plus qu'une jambe et il déteste les nazis. Il a vu comment on est venu chercher les malades dans l'hôpital juif. Cette histoire a fait un très grand plaisir à papa.

Dimanche 15 juillet. Enfin ! Je partage à nouveau un secret avec papa. Quand je suis entrée dans notre pièce, aujourd'hui (maman était en train de discuter avec quelqu'un dans le jardin), il était assis sur le balcon, Max sur ses genoux, et il m'a dit «*Kwenda safari*». J'ai répondu «*Jambo bwana*», et nous avons d'abord engagé une longue conversation sans paroles avant de nous mettre à parler de Kimani et de la ferme. Plus tard, papa a encore chanté *Kwenda Safari* et il m'a dit : «Ce n'est pas la peine de raconter tout ça à ta mère.» J'ai eu l'impression d'être redevenue une enfant. À la différence près que je ne savais pas, alors, que l'amour peut aussi empêcher de sentir la faim.

Mercredi 16 juillet. Papa a ramené du tribunal l'adresse d'une femme originaire de haute Silésie qui habite en zone orientale, mais qui veut passer à l'Ouest et qui cherche une place de bonne. Maman lui a écrit sans attendre.

Jeudi 17 juillet. On m'a inscrite à l'école Schiller. Comme notre nouvel appartement, elle se trouve à Sachsenhausen. J'ai peur. Car, pour finir, je vais bientôt avoir quinze ans et c'est à peine si je sais lire. L'allemand, en tout cas.

Vendredi 18 juillet. Il y a quelques jours, à son travail, papa a raconté à un agent de police qu'en Afrique il n'arrêtait pas de me parler des cerises avec enthousiasme, mais que je ne savais toujours pas quel goût elles avaient. On ne trouve en effet nulle part de fruits à acheter. Hier, l'agent de police lui a apporté un sac plein de cerises de son jardin. En nous racontant cette histoire, papa avait les larmes aux yeux et il a déclaré qu'en dix ans d'Afrique personne n'avait fait preuve à son égard d'une telle gentillesse. Je n'ai évidemment pas dit que je trouve les cerises acides et que je préfère les mangues.

Lundi 28 juillet. Nous n'aurons pas le nouvel appartement. Le nazi a produit un papier attestant qu'il n'avait pas été nazi et il peut donc rester dans son logement. Il est boucher. Maintenant, même papa croit à la corruption.

Lundi 4 août. J'ai été malade toute la semaine. Des spasmes dans le ventre et des vomissements. C'est une inflammation de l'appendice. Mais ça ne suffit pas pour être admis à l'hôpital, car les lits manquent. J'en étais tout heureuse. Maman m'a fait des compresses et le docteur Goldschmidt est venu tous les jours. Lors d'une de ses visites, il en a même profité pour soigner papa qui s'était évanoui au tribunal. Sous-alimentation. Il a perdu près de huit kilos. Maman et moi, cinq seulement. Tous les dimanches, nous allons à la gare, où il y a une balance.

Mardi 12 août. L'excitation est à son comble. La bonne est arrivée. Elle s'appelle Else Schrell et, tout d'un coup, elle était là, devant la porte. Elle a profité d'une occasion favorable pour franchir la frontière interzones. Maman a été très contente. À la différence de papa. En effet, Else va devoir coucher dans son lit et lui devra dormir sur le balcon. À présent, c'est en cinq qu'il faut partager la nourriture pour trois. Mais Else a apporté des oignons. Elle est originaire de Hochkretscham. C'est tout près de Leobschütz. Les trois adultes ont parlé jusque tard dans la nuit.

Samedi 16 août. Hier, je suis allée pour la première fois à l'école. Je ne sais pas du tout par où commencer. J'avais une peur terrible. C'est d'ailleurs un miracle que j'aie réussi à trouver l'école. En effet, il n'y a pas d'école Schiller. Ce qui en reste, c'est un monceau de ruines. Les élèves doivent aller à l'école Holbein. Les cours ne commencent qu'à deux heures. Je suis arrivée une demi-heure à l'avance et j'ai demandé à la première fille que j'ai rencontrée où la troisième avait cours. Par chance, c'était aussi sa classe. Elle s'appelle Gisela et elle a tout de suite voulu savoir si j'étais catholique ou protestante. J'ai eu très peur et j'ai dit: «Je suis juive.» Alors, elle a été encore plus gênée que moi et a murmuré: «Oh, pardon. Je demandais ça juste parce qu'on a "reli" en première heure.» Je n'ai pas compris ce qu'elle disait et, alors, elle a précisé: «Cours de religion.» Elle est protestante et je suis allée avec elle.

La professeur a été très gentille avec moi. Très différente des enseignantes anglaises qui ne pouvaient pas souffrir les nouvelles élèves – surtout quand elles n'étaient pas comme les autres. Elle m'a demandé de quelle école je venais et j'ai répondu : « Kenya Girls'High School Nairobi. » Il a fallu une éternité avant qu'elle comprenne que je venais du Kenya. Elle m'a alors demandé si j'étais là-bas en internat et j'ai répondu : « Non, seul mon père a été interné. » Elles ont toutes éclaté de rire. J'ai eu extrêmement honte et je ne sais toujours pas ce que j'ai dit de si drôle.

En deuxième heure, une professeur assez âgée s'est avancée vers moi. Elle s'appelle Mlle Jauer. Elle a dit : « Je suis très heureuse de te connaître. » J'ai aussitôt répété la phrase, car j'ai cru que c'était en Allemagne l'équivalent de « *How do you do*[1] ». Ce qui n'est manifestement pas le cas puisque les filles ont à nouveau éclaté de rire. Mais pas Mlle Jauer. Elle enseigne l'anglais et elle nous a lu un texte ; j'ai failli pouffer de rire à mon tour. Chez nous, même les *refugees*[2] ne parlaient pas aussi mal l'anglais.

Dans les autres cours, je n'ai pas compris un traître mot. Le professeur d'allemand s'appelle M. Dilscher et il a été particulièrement aimable envers moi. Il m'a demandé quels étaient mes auteurs préférés. Il m'a semblé qu'il n'avait jamais entendu parler de Dickens, de Wordsworth ou de Robert Browning.

Les filles de ma classe sont incroyablement curieuses. Pendant la récréation, elles étaient toutes autour de moi et n'ont pas arrêté de me poser des questions. Elles sont toutes très amicales. Et très élégantes. Beaucoup d'entre elles portent des jupes faites dans deux tissus différents et de magnifiques chaussettes blanches. La plupart ont de longues tresses et ressemblent à Heidi.

Mardi 19 août. Else est comme Aja. Elle n'a qu'à prendre Max sur ses genoux pour qu'il s'arrête instantanément de pleurer. Elle a une poitrine très forte et, le soir, quand nous partons nous promener, elle reste seule avec lui dans la chambre. Hier, nous sommes même allés au cinéma. Pour avoir des billets, il faut faire la queue plus longtemps

---

1. « Enchanté / Moi de même. »
2. « Réfugiés. »

encore que chez le boulanger, mais ça en vaut la peine. Le film, qui avait pour titre *En ces temps-là*, était très triste. Maman et moi avons pleuré à qui mieux mieux. Ça m'a conforté dans l'idée que nous avons eu bien de la chance d'être en Afrique.

Jeudi 21 août. Au lycée, la fille qui me plaît le plus s'appelle Hannelore. Tout le monde l'appelle Puck, parce qu'un jour elle a tenu ce rôle dans *Le Songe d'une nuit d'été*. Elle porte des habits merveilleusement beaux, car elle a une grand-mère, une mère et deux tantes qui toutes savent coudre. Elles confectionnent des corsages et des jupes en utilisant de vieux rideaux et elles transforment même des vestes d'uniforme en chaussures. Puck passe son temps à me répéter ce que les professeurs ont dit.

Hier, par exemple, la directrice m'a convoquée et m'a déclaré : « Si une fille se montre désagréable envers toi, tu dois me le dire. Je ne le tolérerai pas. Les Juifs ont assez souffert comme ça. » Je me suis contentée de la regarder sans rien dire. Dans une école anglaise, aucun professeur n'aurait eu une idée pareille. Ça m'a beaucoup impressionnée et j'ai tout de suite raconté l'histoire à Puck. Elle a été prise de fou rire et m'a rapporté que, il n'y a pas si longtemps, la directrice punissait sévèrement toutes celles qui disaient « Bonjour » au lieu de « *Heil Hitler !* ». J'ai l'impression que je ne me ferai jamais à la vie d'ici. Tout est tellement compliqué. Je n'ai pas parlé de ça à la maison. Papa ne veut pas entendre parler de ce genre de choses et maman l'aurait de nouveau traité de nigaud.

Vendredi 22 août. Else est rentrée en pleurs à la maison. Dans la queue, à la boucherie, un homme lui a dit : « Il ne manquait plus que vous, les Tsiganes de l'Est. Vous n'aviez plus rien à manger chez vous et vous êtes venus ici bouffer le peu qui nous reste. » Maman, qui aime beaucoup Else parce qu'elle l'appelle toujours « Madame le Docteur », était furieuse et elle a consolé Else avec beaucoup de gentillesse. Le père d'Else était l'un des plus riches paysans de Hochkretscham. Voilà pourquoi Else s'y connaît si bien en plantes. Souvent, elle se rend de très bonne heure dans l'Ostpark pour y ramasser des orties qu'elle prépare en salade. Ça n'est pas mauvais du tout et ça coupe même la faim. Il n'y a que papa pour toujours remarquer : « Heureusement qu'Owuor ne voit pas que son *bwana* s'est transformé en bœuf qui mange de l'herbe. »

Samedi 25 août. On a de nouveau des ennuis. Else a suspendu les langes sur le balcon pour les faire sécher. Elle ne savait pas qu'ici il était interdit de le faire le jour du sabbat et nous, bien sûr, nous n'y avons pas pensé. La femme de l'administrateur était déchaînée. Papa est à son tour entré en fureur et il s'est mis à crier : « Mon fils chie aussi le jour du sabbat ! » Tout le foyer pour personnes âgées en parle.

Lundi 1ᵉʳ septembre. À la récréation, les G.I. nous fournissent des repas scolaires. Il s'agit le plus souvent de nouilles avec une sauce au chocolat ou à la tomate. Je ne mange qu'une partie de ma portion et je ramène toujours le reste à Max. Papa ne voit pas ça d'un bon œil. Je pèse en effet de moins en moins lourd, alors que Max grossit sans arrêt. Une des raisons de mon amaigrissement, c'est aussi la distance à laquelle se trouve l'école : une heure et demie pour y aller et une heure et demie pour rentrer. Il n'y a qu'un seul pont pour se rendre à Sachsenhausen et il faut le traverser à pied. Mes camarades de classe ont bien de la chance de toutes habiter à Sachsenhausen. Moi aussi, j'aurais eu cette chance si le nazi avait quitté son logement.

Vendredi 5 septembre. Papa a quarante-trois ans aujourd'hui. Seule Else lui a fait un cadeau (des mûres cueillies dans l'Ostpark). J'avais de la peine de ne rien avoir pour lui, mais il m'a consolée : « Tu n'as pas idée de tout ce que tu me donnes chaque jour. » Je crois qu'il veut dire que jamais je ne me plains de notre vie ici. Ça m'a enlevé mon chagrin. Nous avons toujours notre secret, lui et moi, et nous chantons à Max des chansons en swahili quand nous sommes seuls avec lui. Je n'aurais jamais imaginé que papa en connaissait autant.

Vendredi 19 septembre. J'ai aujourd'hui quinze ans. Maman m'a offert un bracelet en poils d'éléphant qui porte bonheur. Elle l'avait acheté à Nairobi spécialement à mon intention et l'avait caché pendant tout ce temps. De papa, j'ai reçu *Le Magasin d'antiquités*. En anglais ! J'ignorais qu'il savait ce que Dickens représente pour moi, et tout particulièrement ce livre. Il n'a pas voulu me dire comment il avait déniché ce trésor, mais, après son départ pour le tribunal, maman a fini par me le révéler. C'est un juge qui le lui a procuré et, en échange, il lui a donné sa ration de tabac du mois à venir. Je n'oublierai jamais cet anniversaire et l'amour de mes parents. Dommage que nous ne puissions (simplement à quatre) vivre tout seuls sur une île. Au milieu du lac Naivasha !

Au lycée, tout le monde m'a souhaité un bon anniversaire. Mais je n'ai pas réussi à être réellement contente. Puck a malheureusement veillé à ce que je sache exactement quelles filles avaient été des admiratrices des nazis. Ça me gêne beaucoup. L'année dernière, à la même époque, jamais je n'aurais imaginé que de telles pensées me viendraient un jour. Nous étions alors tous à Nairobi. Owuor avait fait cuire les petits pains dont il était si fier et je ne savais pas encore ce que c'est que la faim. J'ai l'impression qu'il y a des années de tout ça.

Samedi 20 septembre. Les gens du foyer viennent sans arrêt chercher papa pour la prière. Il leur faut dix hommes avant de pouvoir commencer le service divin, et il n'y a jamais assez d'hommes présents. Papa estime qu'il s'agit là d'une obligation d'honneur et il s'y rend chaque fois, tout en maugréant.

Mercredi 24 septembre. Cette semaine, les cartes de rationnement alimentaire ne totalisent plus que neuf cents calories, mais, par chance, la communauté juive a procédé à une distribution exceptionnelle. Une demi-livre de matière grasse, une livre de divers produits alimentaires, deux cents grammes de lait en poudre ou une boîte de lait concentré et deux cents grammes de poudre d'œuf. Des gens qui n'ont jamais été juifs prétendent soudain avoir été persécutés par les nazis. On les appelle « les Juifs du lait en boîte ». La KC d'Amérique (l'ancienne corporation étudiante de papa) a écrit qu'elle allait nous expédier un paquet de ravitaillement, bien que ce ne soit pas réglementaire puisque papa est revenu en Allemagne volontairement. Ils veulent faire une exception à cause de moi et de Max. Il y a longtemps que je n'avais pas vu papa aussi furieux. Il a aussitôt écrit qu'il n'acceptait pas qu'on lui fasse l'aumône, mais maman a déchiré la lettre. Ils ont eu une dispute terrible. Je trouve que maman a raison. La fierté ne nourrit pas son homme.

Jeudi 2 octobre. Bien qu'il fasse encore chaud, tout le monde parle de l'hiver. Papa craint de ne plus pouvoir dormir longtemps sur le balcon.

Lundi 6 octobre. À Zeilsheim, il y a un camp juif. C'est Puck qui m'en a parlé. On peut y acheter des produits alimentaires au marché noir. Je crois qu'elle y va avec sa mère. Quand j'ai demandé à papa pourquoi nous n'essaierions pas d'en faire autant, il s'est fâché pour de bon. Il est hors de question qu'un juge allemand se permette ce genre de choses. Malheureusement, un juge allemand ne peut absolument rien se permettre, en dehors d'être fier qu'on lui donne du «monsieur le Conseiller». La semaine dernière, quelqu'un a voulu donner à papa une livre de lard, mais un juge allemand doit demeurer incorruptible. Les pierres à briquet que nous avons rapportées de Londres et qu'on pourrait échanger contre de la nourriture sont toujours dans la valise. Un juge allemand ne se livre pas au commerce. Dans ma classe, je suis la seule à avoir un père juge et pas de parents vivant à la campagne. C'est pire que d'être une petite fille juive dans une école anglaise.

Jeudi 16 octobre. Il y a trois jours, des Juifs qui avaient émigré à Shanghai se sont installés dans le foyer. À leur arrivée, ils étaient déjà aussi maigres et pâles que nous le sommes à présent, mais ils sont beaucoup plus hardis que nous et ils se plaignent à tout propos. Maman les admire énormément et dit: «Eux au moins, ils ont du cran et ils ne se laissent pas faire comme ça!» La Communauté leur a aussitôt fourni des habits et ils racontent à tout le monde qu'ils ne logeront pas longtemps au foyer pour vieilles personnes. Le cuisinier nous a à nouveau menacés. Il ne veut pas nous garder plus longtemps. Mais M. Alschoff dit que nous pouvons rester ici tant que nous n'avons pas d'autre logement. Else a proposé d'abattre un des moutons du cuisinier. Elle saurait le faire, puisqu'elle a vécu dans une ferme, mais papa s'y est bien entendu opposé (juge allemand).

Jeudi 23 octobre. Le professeur d'allemand a inscrit sous ma rédaction, en dépit de trente-trois fautes d'orthographe: «Tu fais des progrès remarquables.» Ça m'a fait extrêmement plaisir, car l'allemand est l'unique matière qui me plaise. M. Dilscher est aussi le seul à comprendre que les écoles anglaises sont totalement différentes des écoles allemandes. Que je n'aie jamais entendu parler de Schiller ou de Goethe avant d'arriver ici ne l'étonne pas. La professeur de français fait comme si je lui arrachais les oreilles quand je lis un texte à voix haute. À Nairobi, en effet, nous prononcions le français tout autrement. Même chose pour le latin. Et nous n'avions pas le moindre cours de physique, de chimie ou de biologie. À part l'allemand, seule l'histoire me plaît. La professeur a même montré beaucoup d'intérêt quand j'ai dit que la guerre de Sept Ans avait aussi eu lieu en Inde et au Canada. Toute ma vie, je m'étais fait du souci parce que j'étais la meilleure de la classe et que, aux yeux de mes camarades anglaises, ça passait pour du fayotage, ce qui était très désagréable. Ici, ça ne m'arrivera jamais, mais je ne suis pas heureuse, je suis même souvent très abattue. C'est aussi parce que les autres filles se moquent de la petite valise en carton bleu dans laquelle je transporte mes affaires de classe et le bocal contenant le repas de l'école et qu'elles n'arrêtent pas d'en parler. Nous n'avions pas de cartable au Kenya. Je ne peux tout de même pas recommencer tous les jours les mêmes explications !

Mercredi 29 octobre. On nous a une nouvelle fois attribué un logement. À occuper le 15 novembre, dans la Höhenstrasse. Trois pièces, cuisine, cabinet de toilette, tout meublé. L'appartement appartient au propriétaire de l'immeuble. Il a été nazi et il en est expulsé. Aucun d'entre nous ne croit que ça se passera comme ça. Au moins, cette fois, nous ne serons pas déçus. Maman a dit : « J'entends bien le message, mais la foi me manque. » Il paraît que c'est de Goethe[1].

Lundi 3 novembre. C'est la plus belle journée depuis notre arrivée à Francfort. À mon retour de l'école, maman était allée au bureau des douanes chercher un paquet venu d'Amérique. C'est son amie de Breslau, Ilse Schottländer, qui le lui envoie. Une livre de café, dix sachets de poudre à pudding, deux tablettes de chocolat, un kilo de farine, une boîte de cacao, quatre de corned-beef, une livre de sucre, un paquet de flocons d'avoine, trois boîtes de sardines à l'huile, une de fromage, une d'ananas, trois culottes pour Max et deux corsages pour

---

1. Dans *Faust*, première partie *(NdT)*.

moi. Nous avons tout posé sur la table, nous nous sommes assis et nous avons pleuré devant un tel spectacle (papa aussi).

Samedi 8 novembre. Nous avons rendu visite à M. et à Mme Wedel dans la Höhenstrasse. Ils ont été assez aimables et ils n'ont pas du tout l'air de nazis. Ils doivent emménager dans deux mansardes et nous laisser leur appartement. Leurs meubles sont trop grands pour les pièces du comble et ils nous autorisent à les utiliser. Maman et moi, nous sommes persuadées que tout ça n'est qu'une ruse, mais papa dit que M. Wedel, qui travaille à l'usine à gaz, ne possède sans doute rien qui lui permette de corrompre les gens de l'office du logement. Qui sait ?…

Vendredi 14 novembre. Papa est retourné chez Mme Wedel et nous avons maintenant tous l'espoir en tête, mais la crainte au ventre. Nous devons emménager demain. Quand le cuisinier l'a appris, il est soudain devenu très aimable et, le soir, il nous a fait porter quatre portions du repas du sabbat, bien que, jusque-là, nous n'ayons eu droit qu'au déjeuner. Si demain, à la même heure, je ne suis plus ici, je croirai de nouveau aux miracles. Et je recommencerai à prier.

3

Karl Wedel était un modeste employé des services municipaux du gaz, un homme travailleur et peu exigeant, un bricoleur invétéré qui, à ses moments de loisir et tant que les circonstances l'avaient permis, avait consacré la minutie qui le caractérisait – une minutie d'ailleurs fort appréciée de ses supérieurs – à reproduire en miniature des châteaux allemands célèbres. Sa vie durant, il s'était davantage fié à l'intuition pratique de son épouse, une femme intrépide, qu'aux promesses ou aux menaces du moment. Jusqu'aux meurtrières attaques aériennes contre Francfort, il ne s'était jamais intéressé plus que nécessaire à des événements dont il estimait qu'il n'était de toute façon pas en mesure de les influencer. Après la guerre, il eut d'autant moins de peine à recommencer à se concentrer entièrement sur ses besoins propres que cette attitude était la seule possible pour des gens qui ne voulaient pas se voir accusés de s'être trop impliqués dans la politique.

L'avis d'expulsion lui était parvenu à un moment où il ne l'attendait plus. Exception faite des restrictions générales occasionnées par la rareté des vivres, les coupures de courant et la pénurie de charbon, l'après-guerre avait valu aux Wedel moins de sacrifices qu'à de très nombreuses personnes se retrouvant dans la même situation qu'eux et ne les avait pas non plus contraints – désagrément fort courant à l'époque – à se reconnaître coupables.

Pour Karl Wedel, un homme qui avait de la peine à percevoir où se situait son intérêt personnel et plus de peine encore à parler de lui, la procédure de dénazification avait certes été un épisode désagréable, précédé d'un long état d'incertitude et de craintes, mais qui avait fini par déboucher sur un résultat pas totalement insatisfaisant. Sa précoce adhésion au parti – à laquelle il s'était d'ailleurs résolu plus en raison de l'insistance de sa femme que de celle de ses supérieurs, parfois ouvertement menaçants – lui avait certes valu d'être rangé dans la catégorie de ceux sur qui pesaient de lourdes charges. Mais, dès le début de l'année 1947, confrontée au manque de main d'œuvre expérimentée et ardente à l'ouvrage, son administration avait réussi à obtenir en sa faveur une autorisation exceptionnelle et l'avait réembauché aux mêmes conditions que certains de ses collègues qui, au prix d'habiles corrections de leur curriculum vitæ, avaient réussi à se faire passer pour de simples suivistes, statut fort recherché.

L'obligation de céder son appartement après un délai aussi long apparut à Wedel comme un châtiment trop dur pour un homme qui, même en regard de la conception démocratique désormais en vigueur, ne s'était jamais véritablement compromis. Une nouvelle fois, ce fut sa femme qui lui permit de tirer son épingle du jeu et qui lui vint en aide dans une succession d'événements qu'il ressentit comme autant de malheurs et d'injustices.

Ne s'étant pas, contrairement à lui, laissé aveugler par le calme apparent, elle s'était préparée au pire. Grâce à des relations dont Karl Wedel n'avait pu soupçonner l'existence et que d'ailleurs, en sa qualité de fonctionnaire, il aurait difficilement pu approuver, Frieda avait fait aménager les deux pièces mansardées de manière à ce qu'on puisse y emménager à tout moment. Pourtant, ne serait-ce qu'en raison de ses locataires, dont il savait qu'ils n'étaient pas exposés au même triste destin que lui, il prenait comme une défaite personnelle l'installation prévue des Redlich, cette famille de rapatriés, dans son appartement.

Il aurait été moins accablé si, comme c'était l'usage en ces temps difficiles, on l'avait obligé à héberger des sous-locataires dans l'une de ses trois pièces. Et, surtout, il aurait pu évoquer publiquement cette limitation de ses droits de propriétaire et, sans avoir rien à redouter, se plaindre de malentendus si caractéristiques de l'époque ; en outre, il n'aurait pas été exposé, comme il l'imaginait, aux moqueries cachées de gens qui n'avaient pas eu jadis un comportement différent du sien, mais qui, en cette époque nouvelle, dite « démocratique », s'avéraient plus chanceux que lui.

Quand elle finit par avoir la certitude que ses protestations auprès du bureau du logement seraient vaines et qu'elles pourraient même éventuellement hypothéquer l'avenir dans des proportions encore difficiles à mesurer, Frieda Wedel s'en tint à ce qui était chez elle une seconde nature : se résigner à l'inévitable et faire contre mauvaise fortune bon cœur. Son passé d'aînée de cinq enfants ayant perdu très tôt leur père, les privations qu'adolescente elle avait endurées pendant la Première Guerre mondiale, ses rapports avec un mari perpétuellement indécis et deux belles-filles qui, en dépit de tous ses efforts, étaient toujours restées pour elle des étrangères et, surtout, la longue querelle à propos de l'héritage de l'immeuble de la Höhenstrasse avaient, à toutes les étapes de son existence, conservé intact son talent inné pour s'accommoder de son sort sans aggraver soi-même ses blessures.

Quand il fut certain que leur expulsion était inéluctable, Frieda Wedel entreprit les derniers préparatifs d'aménagement des deux pièces mansardées avec autant d'énergie que, jeune femme, elle en avait déployée pour équiper son premier logement ; elle s'efforça – et elle y réussit parfaitement – d'entretenir l'espoir que cette occupation importune cesserait peut-être aussi rapidement qu'elle était intervenue. En effet, il courait des bruits, très encourageants dans ce cas précis, selon lesquels les Juifs d'Allemagne gardaient de toute façon leurs valises prêtes, dans l'attente de pouvoir émigrer dans des pays où leur arrivée n'occasionnerait pas de problèmes de ce genre.

Frieda Wedel ressentait certes comme une ironie du sort, encore difficilement mesurable dans toutes ses dimensions, que ce soit justement une personne comme elle qui ait à mettre son appartement à la disposition d'une famille juive revenue au pays ; elle n'en estimait pas moins comme une chance insigne de n'avoir personnellement rien à se reprocher sur ce plan-là. Elle n'avait jamais pris part à des événements aujourd'hui qualifiés à juste titre d'atrocités, même durant les années où il aurait été compréhensible et opportun de le faire.

À part le couple Isenberg, propriétaires d'un immeuble de la Rothschildallee – visible depuis ses fenêtres – qui avaient soudain disparu, et à part la malheureuse épouse du facteur Öttcher à qui, à plusieurs reprises, et même après l'obligation du port de l'étoile jaune, elle avait glissé du pain et un peu de charcuterie la nuit, Frieda Wedel n'avait jamais eu affaire à des Juifs. Elle redoutait pourtant fort la rencontre avec les Redlich. Il suffisait, comme c'était le cas de Frieda Wedel, de s'intéresser à l'actualité pour, à la perspective d'accueillir des locataires juifs, ne pas avoir à leur égard des préventions qu'elle n'aurait certainement pas nourries s'il s'était agi de personnes dont elle aurait mieux connu les habitudes et mieux pu prévoir les réactions.

Aussi trouva-t-elle d'autant plus agréable sa première entrevue avec Walter Redlich. Contrairement à ce qu'elle envisageait et craignait, il ne s'était pas présenté en personnage conscient de ses droits, mais plutôt comme un homme timide, presque mal à l'aise à l'idée de devoir la chasser de son appartement. Deux semaines plus tard, Frieda Wedel pouvait constater avec satisfaction que sa première impression favorable, née de la rencontre de deux mondes aux intérêts si opposés, n'avait pas été un leurre. Tout au contraire.

Qu'elle le veuille ou non, que ses connaissances la comprennent ou non, qu'elle parvienne ou non à s'expliquer ses propres sentiments, les Redlich plaisaient à Frieda Wedel. Ce n'était pas seulement la satisfaction de voir un homme ayant reçu une formation universitaire, un intellectuel qui n'aurait jamais loué un appartement dans la Höhenstrasse en temps normal, venir enrichir la communauté bourgeoise de l'immeuble : les Redlich disposaient manifestement de moins de ressources que la plupart des consommateurs normaux, en dépit de tout ce qui se racontait à propos de la belle vie que menaient de nouveau les Juifs. Frieda Wedel les trouvait touchants sans toutefois réussir à conférer un sens à ses émotions et à sa sensiblerie : en ce début d'automne et face aux menaces du froid et de la faim qui se profilaient à l'horizon, ces sentiments lui apparaissaient ridicules et en total décalage avec les circonstances.

Chacune de leurs conversations dans l'escalier, c'était visible, rendait heureux cet homme aimable et réservé qui, de surcroît, était ouvert aux suggestions et faisait preuve d'une étonnante compréhension pour la situation des Wedel. Son attitude modeste et la joie, totalement inattendue, de l'entendre dire « votre appartement », même une fois l'emménagement terminé, comme s'il avait été conscient du caractère temporaire de leur relation, ne laissaient aucun doute à ce sujet.

Pour Mme Wedel, Jettel Redlich personnifiait la dame qu'elle aurait aimé devenir, et elle l'admirait avec une absence d'arrière-pensée qui la stupéfiait elle-même. Le total manque de sens pratique de Jettel, son flegme si sympathique et une naïveté à toute épreuve quand il s'agissait de lutter contre la misère en faisant appel à l'expérience et à l'imagination, avaient, pour elle, le parfum d'une culture dont on avait réussi à faire disparaître jusqu'aux dernières traces et dont les gens avaient la nostalgie. Le seul fait que – situation très étrange – Jettel ait une bonne dans un appartement de trois pièces et que, dès leur première conversation, elle lui ait confié n'avoir, de toute sa vie, jamais tenu son ménage sans aide et en être de toute façon incapable, avait déjà de quoi l'impressionner. Ce qui lui plaisait aussi, c'étaient le caractère ouvert et l'absence d'arrogance de Jettel qui se montrait toujours disposée à entreprendre une conversation et qui savait alors parler de son existence au Kenya avec autant de naturel que Mme Wedel évoquait son jardin ouvrier dans la localité voisine de Seckbach. Pouvoir conseiller un tel oiseau de paradis et lui venir en aide lui rendait un peu de son assurance, profondément affectée par l'assignation à résider dans les combles.

Mais il y avait autre chose encore. Frieda Wedel enviait les Redlich pour un style de vie de famille qu'elle n'avait jamais connu. Même si les parents se disputaient parfois si bruyamment que les reproches de Jettel et les répliques tout aussi vives de Walter s'entendaient jusque dans ses deux pièces sous les combles, Mme Wedel était sensible à une solidarité dont elle avait jadis souvent entendu dire qu'elle était typique des familles juives. Elle était littéralement fascinée par l'habitude qu'avait Regina de rentrer aussitôt après la fin de ses cours, de ne jamais rencontrer d'amies, de promener tous les après-midi le landau de son frère le long des allées du Günthersburgpark et d'être en permanence disponible pour s'occuper de Max, qui appelait «maman» non seulement sa mère, mais assez souvent aussi sa sœur.

En dépit du soulagement et du bonheur d'avoir échappé au foyer de vieillards et par conséquent aux tracasseries du cuisinier, du gérant et, en fin de compte aussi, de leurs voisins de Shanghai, Walter, Jettel et Regina éprouvaient plus de difficultés qu'ils ne l'avaient envisagé à s'adapter à leur nouvel environnement. En cette fin de novembre où une grande fraîcheur avait succédé sans transition à la chaleur torride de l'été, l'inquiétude face à la pénurie de charbon, aux coupures de gaz et d'électricité et, surtout, au manque criant de vêtements d'hiver était passée au premier plan.

Sous ce dernier aspect, seule Jettel était pourvue : elle avait toujours le lourd manteau en laine noire datant de Breslau dont elle n'avait pas réussi à se débarrasser, même à l'occasion de la détresse qui avait marqué leurs années d'exil, pour l'unique raison que le déclenchement de la guerre avait empêché les femmes des riches fermiers britanniques de rentrer en Angleterre, rendant les manteaux d'hiver invendables au Kenya.

Walter, lui, dès le premier jour de grand froid, s'était fait voler au tribunal le manteau d'hiver gris que lui avait octroyé l'armée britannique, de sorte qu'il ne possédait plus qu'un cache-poussière trop grand pour lui, dans lequel il gelait au point de sentir se réveiller d'anciens rhumatismes. Il se demandait souvent s'il souffrait davantage de ces douleurs que de la faim, et il faisait tout pour dissimuler son état à Jettel et à Regina.

On donna à Regina l'ancien costume de ski de sa mère : un ensemble presque neuf que celle-ci n'avait porté qu'une fois, lors de son voyage de noces dans les monts des Géants, mais si démodé qu'il suscitait une vive curiosité, jusque dans le Francfort de l'après-guerre pourtant blasé par l'étalage des misères. Dès la première journée de grand froid, elle revint à la maison les mains gelées et, le restant de l'hiver, elle dut tant et si bien s'emmitoufler les avant-bras à l'aide de chiffons de laine qu'elle avait l'impression de ressembler aux hommes dépenaillés et juchés sur des béquilles qu'elle croisait sur le pont. Les jours de pluie ou de grand vent, elle revoyait toujours Jettel enceinte, assise sous un arbre en pleine canicule, quand, à Nairobi, la saison des pluies ne se décidait pas à commencer, et elle l'entendait encore déclarer : « On peut se protéger du froid, mais pas de la chaleur. » La douleur du souvenir la démoralisait davantage encore que la constatation qu'elle n'avait plus assez d'énergie pour se défendre contre le désespoir.

Else possédait encore un manteau d'hiver acheté à Leobschütz avant la guerre, mais elle n'avait pas d'autres chaussures que les sandales qu'elle avait portées tout l'été dans la Gagernstrasse. On ne s'en aperçut qu'en raison de son refus obstiné de sortir de la maison. Ce refus fut à l'origine de son premier différend avec Jettel, celle-ci se refusant à faire de longues queues devant les magasins quand Regina était à l'école.

Le salut vint des vieilles bottes de l'armée que Walter n'avait pas rendues lors de sa démobilisation. Else les gardait aux pieds jusque dans l'appartement où seul fonctionnait le poêle à charbon de la cuisine, poêle qui, en raison des fréquentes coupures de courant, servait aussi de cuisinière. Walter lui apprit à dire en anglais : « C'est un cadeau de King George » et, y compris dans les circonstances les plus critiques, ses difficultés de prononciation avaient le don d'égayer toute la famille.

Sans Mme Wedel, le moral aurait connu des baisses plus brutales encore que le thermomètre. Elle avait fait auprès du marchand de charbon la démarche indispensable à des gens n'ayant pas les relations voulues, si bien qu'il fournissait au moins à la famille la quantité de combustible à laquelle ses cartes lui donnaient droit. C'est elle aussi qui confia à Jettel l'adresse de commerçants suffisamment compatissants pour leur procurer occasionnellement quelque marchandise en échange de tickets de textiles. C'est elle encore qui était allée trouver la marchande de légumes du quartier : sans l'intervention d'une femme qui savait tout de son passé, la boutiquière n'aurait même pas fourni des raves aux Redlich, sans parler de pommes de terre !

Mme Wedel ne se contenta pas d'apprendre à Regina à tricoter ; elle lui montra aussi comment défaire de vieux pull-overs et réutiliser la laine ainsi obtenue pour confectionner à son frère d'autres pulls, des bonnets et des moufles. À Else, elle enseigna des recettes si précieuses pour accommoder les raves que celle-ci cessa presque de ronchonner, ne lâchant qu'en de très rares occasions : « Chez nous, c'était tout juste bon pour les cochons. »

La quasi-totalité des ustensiles provenaient du foyer des Wedel, sorti indemne de la guerre : la hache, la batterie de cuisine, les couvertures, les aiguilles et le fil à repriser, l'encre et le sachet pour les restes de savon, les bocaux servant à faire les courses, le petit tub en zinc pour Max, les pinces à linge, la pelle à charbon, le seau, le balai et les divers autres objets nécessaires à la vie quotidienne, trésors parfois distribués aux gens ayant souffert de persécutions politiques ou raciales, mais qu'on ne trouvait à acheter dans aucun magasin.

Au début, la pitié qu'elle ressentait pour cette famille déconcerta Mme Wedel ; ensuite, ce qui la troubla, ce fut, en dépit de son robuste sens pratique, de s'avérer incapable – alors même que l'époque imposait de se préoccuper exclusivement de sa propre survie – de se défendre contre un penchant permanent à venir en aide à autrui.

Contrairement à ce que la plupart de ses voisins et de ses connaissances croyaient et ne se privaient nullement de suggérer avec une cruelle ironie, si Frieda Wedel prenait au pied de la lettre l'obligation morale de réparer l'injustice – devoir sans cesse proclamé publiquement mais ressenti comme superflu et importun –, ce n'était pas seulement en raison d'une sensibilité particulière à l'esprit du temps ou parce qu'elle escomptait en tirer des avantages personnels. Elle ne s'attendait tout simplement pas à ce que des gens dont on prétendait le sort préférable à celui de tout un chacun soient en fait dans une misère bien plus grande que les nombreux envieux qui accordaient foi aux rumeurs qu'ils propageaient eux-mêmes.

En apprenant la prochaine visite des Puttfarken, impressionnée à l'idée qu'un conseiller ministériel de Wiesbaden pût s'asseoir sur son canapé, Mme Wedel, non contente de communiquer la recette d'un gâteau à base de flocons d'avoine, de succédané de cacao et de miel artificiel, fournit encore le moule à pâtisserie et une pomme provenant de son jardin ouvrier. Le produit final de cette savante alchimie suscita chez Jettel le sentiment d'un triomphe personnel. Elle avait l'esprit moins préoccupé par des retrouvailles pourtant impatiemment attendues que par la question de savoir si les Puttfarken mangeraient avec plaisir une part de ce monticule gris qui, par chance, s'était imprégné de l'arôme des pelures de pomme grillées. Ou encore si les hautes fonctions de Puttfarken, plus que celles d'un simple juge, lui assuraient un statut social susceptible de nourrir son homme, de sorte que, peut-être, seules les règles de la bienséance le contraindraient à avaler, bouchée après bouchée, son morceau de gâteau.

Depuis la lettre que Puttfarken avait envoyée à Nairobi pour annoncer la nomination de Walter à un poste de juge à Francfort, ils n'avaient eu avec lui qu'un seul autre contact. Peu après leur arrivée, Walter et Jettel avaient reçu de leur ami de Leobschütz une carte postale leur souhaitant la bienvenue. Elle les avait plus vexés que réjouis : le ton des quelques lignes était cérémonieux, dépourvu de chaleur, guindé même, tout à fait conforme au souvenir que le couple avait gardé de Puttfarken du temps où il était juge à Leobschütz, et il tranchait donc absolument avec la franchise et la cordialité de la lettre reçue au Kenya, lettre dont Walter dit longtemps qu'elle avait marqué le début de sa « troisième existence ».

« Jettel, avait dit Walter lorsqu'il était revenu du tribunal avec la carte, nous allons devoir prendre notre parti de ce qu'un simple juge

n'est que quantité négligeable aux yeux d'un conseiller ministériel. »
Ce fut, depuis qu'ils étaient en Allemagne, une des rares occasions où
Jettel put se déclarer d'accord avec son mari.

Et voilà que Puttfarken, toujours aussi grand et blond, se trouvait
dans leur salon. À première vue, il avait peu changé : il avait simplement maigri, affichait le teint grisâtre de rigueur en ces temps de
misère, portait une veste trop longue et une chemise trop ample. Il était
tout aussi embarrassé que lors de sa visite d'adieu à Leobschütz, quand
il avait eu peur que puisse se répandre le bruit qu'il fréquentait encore
des amis juifs.

Il eut un geste, comme s'il lui suffisait, pour se ressaisir, de lisser ses
cheveux qui l'auraient empêché de clairement percevoir la situation du
premier coup d'œil. Il s'abandonna pourtant aussitôt, sans la moindre
résistance, à la surprise de retrouver dans Jettel une aussi belle femme
que dans son souvenir : elle avait toujours son épaisse chevelure de jais,
sa peau parfaite et, dans son doux regard marron, ce soupçon d'insatis-
faction qui l'avait toujours désignée à ses yeux comme une jeune
femme capricieuse – et désirable –, quoique de manière très troublante.
Il chercha les mots pour lui dire ce qui, dans ces sentiments, valait
d'être exprimé, mais il avait la gorge sèche et la langue lourde.

Il tenta, dans ce petit espace d'espoir, de faire une place à sa femme
dont il ressentait la gêne, bien qu'elle fût derrière lui. Mais il n'y parvint pas non plus. C'est alors qu'il aperçut Regina. Malgré sa maigreur
et ses joues creuses, il se dégageait d'elle une harmonie qu'il n'était
pas capable, après tout ce temps et ces épreuves, de s'expliquer. Elle
tenait sur son ventre un enfant qui piaillait de joie et battait des mains,
crachant de petites bulles de salive. Soulagé, parce qu'il était trop
pudique pour prendre le père dans ses bras, Hans Puttfarken attira à lui
le paquet rigolard entortillé dans une serviette-éponge.

— Il s'est passé trop de choses, murmura-t-il.

— Beaucoup trop, approuva Walter, soulagé lui aussi de voir que
l'émotion dont l'instant était chargé empêchait les discours trop longs.

Ils prirent place à table. Else servit le café de malt dans la cafetière à
fleurs qui avait fait le tour du monde, la cafetière qu'Owuor aimait tant
et qui s'était si souvent chauffée au soleil d'Ol'Joro Orok. Regina vit
soudain luire un bras noir, elle entendit le glissement de pieds nus sur
des planches épaisses et elle sentit la douce odeur de la peau d'Owuor.

Effrayée, elle se hâta de ravaler le sel du souvenir avant qu'il arrive jusqu'à ses yeux.

Mme Puttfarken, un regard las dans des yeux marqués par la souffrance, cherchait vainement à réprimer le tremblement de ses mains ; elle loua le gâteau tout en caressant Max avec timidité. Jettel souriait, mais un sentiment oppressant de gêne, inscrit sur les visages figés comme les fleurs de givre sur les vitres, persistait à imposer sa présence indésirable à des êtres qui n'aspiraient qu'à faire revivre les années enfuies, tout en ne sachant comment s'y prendre.

Saisissant sa timbale d'une main, empoignant de l'autre la petite broche qui donnait à la robe marron foncé de Mme Puttfarken un semblant d'éclat et de luminosité, Max arracha alors à Regina un «Ne renverse pas ton godet ! ».

– Mon Dieu ! Regina parle le silésien, s'écria Puttfarken. Ça alors, il faut le voir pour le croire ! Grandir comme elle dans la brousse et parler le silésien.

Son rire éveilla en Regina l'écho que le soleil des montagnes entourant Ol'Joro Orok savait si bien ranimer et que, avec le temps, elle avait réussi à enfouir au plus profond de sa mémoire. Elle se prépara une nouvelle fois à faire la guerre à ses larmes. Quand elle rouvrit les yeux, elle vit que Puttfarken riait toujours. Son père aussi.

Après que les cœurs se furent aussi soudainement et inopinément ouverts, le flot des paroles ne tarit plus. Comme mues par une force irrépressible, elles surgissaient du silence. Alors qu'on les croyait déjà consumées, les briquettes du poêle, qu'on avait enveloppées dans du papier journal humide pour qu'elles brûlent plus lentement, semblèrent retrouver une nouvelle vie. Le vent secouait encore les fenêtres, mais sa voix avait perdu de sa virulence et de sa rudesse.

Puttfarken évoqua les épreuves endurées et la peur qu'il avait eue pour la vie de sa femme juive durant toutes ces années où chaque journée supplémentaire était à la fois un cadeau du ciel et une prolongation des tourments ; il racontait aussi sa condamnation au travail obligatoire, l'épouvantable fuite de haute Silésie à la fin de la guerre, les difficultés et les espoirs du nouveau départ. Sa voix avait retrouvé le calme, mais pas ses yeux.

Jettel et Walter se disputèrent à propos de l'Afrique. Elle évoquait la ferme et Nairobi, les amis et les joies qu'elle avait dû laisser derrière elle ; il parlait, lui, de son désespoir durant les longues années passées dans ce pays étranger.

— Walter a toujours été un rêveur, expliqua Jettel.

— Et toi, tu n'étais jamais autant à l'aise que là où nous n'étions justement pas, lui reprocha Walter.

Hans Puttfarken eut un léger sourire.

— Vous deux, vous n'avez jamais cessé de vous quereller de si joyeuse manière. Quel bonheur de vous retrouver identiques à vous-mêmes.

Regina chercha la traduction en anglais du mot « humiliation », que son père crachait comme elle autrefois les baies piquantes du poivrier, mais ses pensées partirent alors pour un de ces safaris qu'elle cherchait d'habitude à éviter à tout prix. Puis ce furent ses oreilles qui allèrent à leur tour vagabonder dans un pays où les mots qu'elle ne comprenait pas n'étaient plus capables de la troubler.

Plus tard, tenant toujours sur ses genoux son frère endormi, lequel lui réchauffait bras et jambes comme jadis le chien Rummler, elle se retrouva en compagnie de Mme Puttfarken dans le coin le plus sombre de la pièce éclairée par une unique ampoule. Ce fut une journée heureuse, parce que Mme Puttfarken voulait tout connaître de l'Afrique et qu'elle essaya de prononcer le nom d'Owuor, ce qui la fit tellement rire que ses yeux en changèrent de couleur. Elle s'intéressa même à la fée du goyavier qui avait été la compagne de Regina quand elle était encore une enfant et qu'elle avait le droit de croire aux fées.

— Tu sais parler le swahili ? demanda Mme Puttfarken. Mon fils m'a spécialement chargée de te le demander. Il a quinze ans lui aussi. Exactement comme toi.

— Je sais tout dire en swahili, assura Regina.

— Alors, chuchota Mme Puttfarken en se mettant à rire pour la deuxième fois, dis-moi : « Je hais les Allemands. »

— Je ne connais pas de mot pour la haine, reconnut Regina avec stupéfaction. Je crois que, chez nous, nous ne haïssions pas. Je n'avais que le droit de haïr les nazis, se souvint-elle, les Allemands, jamais.

— Heureuse enfant, soupira Mme Puttfarken. J'ai appris à haïr et je suis incapable de pardonner.

Ses yeux étaient devenus tout petits au fond de ses orbites qui s'étaient creusées. Le tremblement de ses mains avait repris.

— Je hais aussi les Allemands, dit Jettel.

Else porta la vaisselle sale à la cuisine et ne se montra plus, même lorsque les Puttfarken, au moment de prendre congé, demandèrent où elle était passée et crièrent :

— Au revoir ! À Hochkretscham, espérons-le !

Regina mit Max au lit toute seule. Elle lui chanta doucement la chanson du chacal qui a perdu sa chaussure, puis attendit qu'il se soit endormi pour se glisser hors de la petite pièce et partir à la recherche d'Else. Celle-ci était assise à la table de la cuisine, très pâle. Ses cheveux blonds, trempés, pendaient en longues mèches collées, et elle avait de tout petits yeux, rougis par les larmes. Des sanglots secouaient ses épaules.

Regina essaya de la caresser, mais le corps d'Else était aussi flasque que le feuillage d'un acacia épineux cassé par la tempête, et il ne réagissait pas plus au doux contact de la main de la jeune fille que ses oreilles n'entendaient ses questions chuchotées d'une voix effrayée. Regina ouvrit brusquement la porte donnant sur le salon et appela ses parents.

— Else, mais qu'est-ce qu'il se passe ? cria Jettel, alarmée. Qu'est-il arrivé ?

— Quelqu'un vous a fait quelque chose ? demanda Walter.

Else tordit les mains et recommença à pleurer de plus belle. Quand elle réussit enfin à parler, entre deux crises de larmes, elle dit en sanglotant :

— Mon père.

Un instant plus tard, elle cria :

— Ils l'ont battu à mort. Comme une bête.

— Qui ? demanda Walter, tout pâle à son tour.

— Pourquoi ? fit Jettel. Pourquoi justement votre père, Else ?

Il était presque minuit quand Else, emmitouflée dans la couverture de Mme Wedel et buvant à petites gorgées le café fumant que Jettel ne cessait de réchauffer et de lui tendre, finit par retrouver le contrôle de son corps et de sa voix.

— Mon père a été tué par les Polonais, dit-elle en gardant le regard fixé sur le poêle. Ils sont venus dans notre ferme, ils l'ont traîné au-dehors et l'ont battu à mort.

— Pourquoi ? demanda Regina.

— Parce qu'il était allemand, dit Walter.

Ils se couchèrent sans un mot. Regina essaya de ranimer l'ancienne formule magique contre les images déplaisantes mais, n'ayant pas supporté la longueur du voyage, celle-ci avait perdu son pouvoir. Les mots, et surtout les diables qu'elle aurait voulu assassiner à l'aide du baume apaisant et toujours efficace de son enfance narguaient Regina, pareils à un guerrier qui, face à un ennemi désarmé, ne se contente pas de le trouer d'une flèche de son arc.

Elle entendit dans la chambre de ses parents les premiers sons, encore contenus, qui annonçaient une guerre imminente, puis la voix de son père lui parvint très distinctement :

— Si tu détestes tous les Allemands, alors n'oublie pas Else dans ta haine.

Jettel, de ce ton plein d'étonnement que Regina aimait chez sa mère mais ne comprendrait jamais, lui répondit :

— Mais non, pas notre Else ! Je n'éprouve pas de haine pour elle.

— Alors, peut-être Mme Wedel. Tu as parfaitement le droit de la détester, elle, répliqua Walter, puisqu'elle a même été nazie.

— Je ne laisserai pas toucher à Mme Wedel, surtout pas ! Où serions-nous sans elle ? s'exclama Jettel, indignée.

Le rire de Walter, suffisamment sonore pour venir cogner contre la cloison sans rien perdre de son mordant, parvint aux oreilles de Regina une fraction de seconde avant que lui vienne la certitude de s'être malgré tout trompée : bien qu'elle ait dû abandonner le dieu Mungo, sa magie n'était pas morte en dépit du temps écoulé. Seul Mungo était capable de sécher les larmes avant qu'elles ne se figent en sel et de les transformer en rire.

4

Karl Maas, le président du tribunal d'instance, était un personnage exceptionnel, aimable avec tout un chacun, mais plus réservé – sans que cette retenue ait quoi que ce soit de blessant – quand il avait affaire à quelqu'un qui croyait habile de chercher à gagner trop rapidement son amitié. Il ne s'abandonnait pas plus aux jérémiades, si courantes en ces temps difficiles, qu'à la manie de vouloir à tout propos prouver que son passé était sans tache. Il parlait la langue imagée qui passait pour typique du Francfort d'avant la guerre, d'un style de vie convivial et sans affectation. Même en février 1948, à une date où les difficultés d'approvisionnement étaient pires que jamais, Maas gardait l'apparence de quelqu'un bénéficiant d'une nourriture aussi copieuse qu'en temps de paix.

Qu'un homme puisse paraître en bonne santé, manger à sa faim et, surtout, se préoccuper dans la vie d'autres choses que de problèmes de beurre ou de tickets de viande, et que cet homme, de surcroît, semble en éprouver de la satisfaction, voilà qui redonnait l'espoir. Il était impossible de ne pas voir que Maas disposait de relations très intéressantes en matière d'alimentation et, surtout, qu'il avait le courage de les mettre à profit malgré ses fonctions. Faisant mentir la tendance générale à ne trouver légitimes des facilités de cet ordre que lorsqu'on en jouissait soi-même, personne n'envia jamais à ce président de tribunal d'instance tout en rondeur son sens pratique et son penchant pour le substantiel. Outre une forme d'humour toujours débonnaire mais jamais triviale et cette vivacité de repartie qui lui permettait d'atténuer d'un bon mot la rudesse du propos, c'était justement la rondeur du personnage, si atypique en ces jours de misère, qui contribuait à sa popularité.

Mais c'était elle aussi qui faisait oublier à beaucoup combien Maas était marqué par ce qu'il avait vécu durant la période nazie. Au tribunal, on pensait généralement qu'il avait été chassé de la justice parce qu'il n'avait pas eu peur d'un régime dont il avait très tôt percé à jour la nature et avec lequel il s'était refusé à passer le moindre compromis. En réalité, il avait une épouse juive et il avait dû attendre l'entrée des Américains dans Francfort avant de la savoir hors de danger.

Les humiliations subies et la terreur des longues années de désespérance avaient rendu Maas sensible au sort de gens ayant connu la même honte que lui face à leur impuissance : depuis leur première rencontre, il éprouvait même une certaine affection pour Walter. Ce qui l'avait de prime abord touché, c'étaient l'accablement de son cadet, sa crainte si évidente de ne pas réussir à renouer avec son ancien métier après les longues années d'exil, mais aussi le besoin irrépressible, inquiétant par sa violence, qu'avait l'ex-banni de se retrouver sur un pied d'égalité avec ses pairs.

Pourtant, quand Karl Maas s'aperçut que Walter possédait, tout comme lui, le courage de ses opinions et qu'il réagissait avec vivacité et une grande causticité à des remarques de collègues volontairement ou inconsciemment blessantes, la sympathie spontanée des débuts céda la place à des relations qui, s'ils avaient été plus jeunes, auraient sans aucun doute passé à leurs yeux pour de l'amitié.

Dans un premier temps, chacune de leurs rencontres dans les couloirs du tribunal leur fournit l'occasion d'une conversation, puis ils cessèrent bientôt de s'en remettre au hasard pour passer un moment ensemble. Maas se sentait responsable de Walter bien au-delà des obligations de sa charge, qui lui commandaient déjà de se soucier d'un collaborateur ayant subi, dans son existence professionnelle, une coupure de dix années ; Walter, de son côté, libéré de sa pudeur habituelle, confiait à son président ses projets et ses aspirations, parfois aussi le désespoir qui s'emparait de lui quand, sous le coup d'un accès de pessimisme, il se sentait aussi étranger à Francfort qu'il l'avait été en Afrique.

Les deux hommes ne s'étaient rencontrés que deux fois en dehors du tribunal : la première, dans l'appartement des Maas et, la seconde, chez les Redlich, dans la Höhenstrasse. Ces deux invitations avaient donné lieu à un échange de politesses plutôt pesant. On pouvait voir que les lamentations de Jettel, sa totale absence de débrouillardise et, surtout, son obstination à faire jouer à des tiers un rôle d'arbitre dans ses querelles conjugales irritaient Mme Maas au plus haut point. Bien qu'ayant à peu près le même âge, les jeunes filles ne s'entendaient pas bien non plus. La fille des Maas, une sportive robuste et sociable, ne savait par quel bout prendre Regina avec ses manières réservées, son sérieux et sa sollicitude envers son petit frère, sentiment qu'une enfant unique comme elle ne pouvait comprendre. Quand son père lui recommanda de faire entrer Regina dans son cercle de connaissances, voire de lier amitié avec elle, elle ne laissa pas naître le moindre doute sur sa résolution à n'en rien faire.

Ainsi libérés des contraintes d'une étiquette sociale que Maas aurait de toute façon ressentie comme un fardeau, les liens entre les deux hommes eurent plutôt tendance à se renforcer. Walter perdit l'habitude de feindre de rendre aussi fréquemment visite à Maas uniquement en raison de la douce chaleur que dispensait le poêle de son bureau. Maas, de son côté, cessa de couvrir ses conversations avec Walter du camouflage d'entretiens professionnels. Aussi sembla-t-il tout à fait naturel à Walter que Karl Maas fût la première personne à apprendre son intention de ne pas rester juge plus longtemps que nécessaire. Bien sûr, il s'attendait à des objections de sa part et craignait même que Maas ne ressente son attitude comme un signe d'ingratitude, mais, une fois sa décision arrêtée, il n'avait pas hésité et n'avait pas repoussé l'entretien.

Or Karl Maas se contenta de dire :

– Cela ne me surprend pas.

– Pourquoi ?

– Vous n'êtes pas né employé.

– J'ai eu assez de temps pour apprendre à le devenir, mais je n'y arrive pas. Je veux être libre. Durant toutes ces années qu'on m'a volées, je n'ai cessé un seul instant de rêver que je redevenais avocat. Pas une seule fois je n'ai songé à devenir juge.

– L'avez-vous dit à votre femme ?

– Pas encore. Elle a horreur du changement.

– Alors attendez d'être prêt, conseilla Maas. Il n'est pas facile, de nos jours, de s'installer comme avocat. Les bureaux libres sont une denrée plus rare encore que le pain.

Walter fut soulagé. Même si ses projets n'avaient rien de concret, même s'ils n'étaient en fait guère plus que des illusions, ne pas en parler à Maas lui avait pesé. Leur conversation lui parut un premier pas très important sur la voie de la liberté – liberté dont il n'avait pas le sentiment, en dépit de tous ses efforts, de jouir en tant que juge. Jamais encore, depuis son arrivée à Francfort, il ne s'était accordé la joie de s'abandonner à ses vrais rêves, et voilà qu'enfin, il pouvait se voir assis dans son propre bureau, lisant des dossiers, rédigeant des actes, dictant des lettres ou conseillant des clients, en homme indépendant n'ayant de compte à rendre qu'à lui-même, en homme ayant enfin atteint son but.

Walter avait l'esprit à ce point occupé par ses rêveries et par sa fuite dans un avenir tout à coup envisageable qu'il n'entrevit d'abord qu'une vague silhouette dans le couloir, devant son bureau. La seule chose qu'il distinguait nettement étaient deux seaux rouillés, posés à côté d'une grande valise ficelée d'une cordelette. Le plus grand était plein de pommes de terre, l'autre d'oignons. Intempestive, l'image d'une assiette emplie à ras bord de pommes de terre sautées bien grasses, nageant dans une sauce brune aux oignons, surgit devant ses yeux, véritable torture pour son nez, mais surtout pour son estomac qui réagit sur-le-champ en se contractant violemment ; abasourdi, il tentait de se défendre contre une furieuse envie de plats fumants, dans une cuisine bien chaude.

Walter se mit alors à se représenter avec trop de précision, trop de plaisir et trop de complaisance les sensations que lui procurerait peut-être un jour la possibilité de se rassasier au point de laisser quelque chose dans son assiette. Il ne se rendit compte que l'homme aux deux seaux s'était levé qu'en s'apercevant de la disparition de cette silhouette trapue, enveloppée dans un manteau gris, qui était restée assise jusque-là sur une chaise du couloir, en face de son bureau. Il lui fallut néanmoins un certain temps encore, obsédé qu'il était par l'image des pommes de terre sautées, pour voir que l'homme s'étirait, relevait la tête et mettait péniblement une jambe devant l'autre, puis, ayant fait trois pas en direction de Walter, s'immobilisait.

Seuls les cheveux gris, étrangement clairs dans l'obscurité du couloir, semblaient encore bouger ; droits et drus comme de jeunes plantes sortant irrésistiblement de terre avant l'heure, ils se dressaient sur une tête que Walter trouva particulièrement forte, anguleuse et – chose tout à fait absurde – familière. Le voile, devant ses yeux, s'épaissit tout d'abord ; puis les images qui traversèrent cet écran frappèrent Walter avec une violence telle qu'il se retrouva projeté de longues années en arrière. À présent, il distinguait très nettement la figure rouge de l'homme et les mains puissantes tendues dans sa direction. Mais ce fut la voix, une voix forte et néanmoins infiniment douce, une voix disparue mais jamais oubliée, qui fit accourir Walter.

– Maître, disait cette voix, vous me reconnaissez ?

Walter vacilla, s'agrippa au manteau gris du visiteur, mais ne tomba pas quand, sous l'effet d'une soudaine lucidité, il sentit comme un feu ardent lui parcourir le corps. L'étoffe grossière lui raclait le visage, absorbant le flot de larmes qu'il n'essayait pas de retenir. Le bonheur dont il était envahi le rendait aveugle et muet, mais il s'entendit pourtant très distinctement pousser un hurlement à crever les tympans, un hurlement arraché à des sens bouleversés :

– Mon Dieu, criait Walter, Greschek ! Josef Greschek de Leobschütz.

L'esprit et le cœur brutalement replongés dans le passé, il n'en vit pas moins toutes les portes s'ouvrir autour de lui et ses collègues, effarés, ne comprenant pas ce qui se passait, accourir dans le couloir ; il sentit leur étonnement, mais pas un instant ses yeux ne se tournèrent vers un autre que celui dont l'image l'avait accompagné si longtemps.

Walter était dans l'incapacité de détacher ses bras du corps de Greschek ; il le poussait le long du couloir, le secouait, lui tapait sur les épaules, empoignait sa tignasse grise, caressait chacune des rides du visage, ne cessait de l'attirer contre le sien. Au bout d'un moment durant lequel il n'entendit que les battements de son cœur et sa respiration haletante, il fut enfin en mesure de reprendre au moins le contrôle de ses mains et il put alors lâcher le manteau gris, courir jusqu'à la porte de son bureau et, empoignant un seau dans chaque main, les heurtant l'un contre l'autre, revenir à toutes jambes auprès de Greschek.

– Greschek de Leobschütz ! hurlait Walter à l'adresse du mur de curiosité et de stupéfaction réprobatrice qui s'élevait devant chaque bureau. Nous habitions autrefois dans le même pays. Regardez-le bien, cet homme : jusqu'au dernier jour, il n'a pas eu peur de se rendre chez un avocat juif. Il est allé jusqu'à m'accompagner à Gênes quand j'ai été obligé d'émigrer et que même les chiens refusaient de moi un morceau de pain.

– Les oignons et les pommes de terre sont pour vous, maître, dit Greschek. Je les ai apportés de Marke. Vous devez savoir que je suis parti pour le Harz. Je vous l'ai écrit quand vous étiez en Afrique. Avez-vous seulement reçu ma lettre ?

– Et comment, Greschek ! Vous ne pouvez pas vous imaginer ce que vous avez déclenché ce jour-là. Nous avons pleuré comme des enfants. En effet, jusque-là, nous ne savions même pas si vous étiez encore en vie.

– Votre dame aussi ? Elle a pleuré elle aussi ?

– Oui, elle aussi a pleuré.

– C'est beau, la façon dont vous racontez ça, sourit Greschek.

– Vous revoir, j'en ai parfois rêvé !

Dans leur joie de se retrouver, les deux hommes étaient incapables d'exprimer leurs pensées. Ils allèrent à pied du tribunal jusqu'à la Höhenstrasse, longeant des ruines et des murs noircis, passant à côté de brouettes, de tramways et d'arbres dénudés dont les silhouettes, dans la fine pluie de ce sombre après-midi, donnaient l'illusion de la douceur. Dès qu'ils s'arrêtaient, les deux amis se regardaient et secouaient la tête de concert. C'était Greschek qui portait les seaux, et il prévenait les tentatives de Walter pour l'aider par un bougonnement, toujours le même :

– Quelqu'un comme vous ne transporte pas des pommes de terre.

– Qu'il me soit donné de vivre encore ça ! ne cessait de répéter Walter.

Resté dans la montée d'escalier, il laissa Greschek attendre seul que s'ouvre la porte de l'appartement. Une assiette tomba des mains de Jettel. Elle entendit en même temps le son creux de la faïence qui se brise et son propre cri suraigu : « Greschek ! » Elle sanglotait et riait en ouvrant les bras, attirant Greschek à elle et dansant avec lui à travers toute la cuisine – comme elle avait jadis dansé à Ol'Joro Orok avec Martin, quand son ami de jeunesse était arrivé d'Afrique du Sud et que, durant deux semaines inoubliables, il avait délivré Walter de ses tourments, de son sentiment d'être abandonné de tous.

Plus tard, bouleversée encore par ces retrouvailles, elle insista pour cuire elle-même les pommes de terre sautées qu'Else avait salées de ses larmes en les épluchant.

– Mon mari ne les aime que comme ma mère les préparait, dit-elle en se penchant sur les oignons coupés en morceaux quand elle commença à sentir des picotements dans ses yeux.

Pour Regina aussi, l'accueil enthousiaste réservé à Greschek ne pouvait manquer de faire surgir de sa mémoire Martin et un premier amour resté longtemps enfoui mais jamais oublié. Comme elle était assise dans la cuisine, il lui était impossible de stopper net son envol vers les jours heureux d'antan : à chaque tranche d'oignon jetée dans le saindoux, les images du passé gagnaient en netteté. Elle revoyait Owuor debout dans la cuisine, son bras à la peau luisante maniant la poêle à frire, elle entendait le son de sa voix quand il chantait, elle sentait son haleine qui creusait de petits ronds dans la fumée.

– Je ne m'étais pas rendu compte, renifla-t-elle, que Greschek existait vraiment.

– Greschek, dit Walter en mordant dans un morceau d'oignon cru, c'est pour moi l'image même de l'Allemand correct.

– Alors, c'est que vous n'avez pas encore rencontré beaucoup de personnes correctes à Francfort, maître, dit Greschek. Je n'ai pas été correct, j'ai seulement été moins incorrect que d'autres.

Il ne faisait pas encore nuit qu'ils étaient déjà à table, Greschek, assis entre Jettel et Walter, un peu gêné, avec des gestes plus cérémonieux encore que d'ordinaire ; il avait mis trois jours pour venir en train, il avait dû très longuement batailler à la frontière interzones pour conserver ses seaux et il était à présent chagriné de ne pas avoir écouté sa Grete qui lui conseillait d'emporter une chemise de rechange.

– C'est que le saindoux était plus important, dit-il en fourrant son couteau dans sa bouche.

– Bon Dieu, Greschek, est-ce que vous vous rendez compte que c'est la première fois que je mange à ma faim depuis que nous sommes à Francfort ?

– Oui, répondit Greschek, il me suffit de vous regarder, tous tant que vous êtes, pour m'en rendre compte. Mlle Regina ne tiendra pas longtemps le coup à ce régime.

Regina n'avait pas fini d'essuyer les mains luisantes de graisse de son frère qu'il les replongeait déjà dans le plat. Pour atteindre la montagne de pommes de terre sautées, il était obligé de se mettre debout sur sa chaise et, riant aux éclats de plaisir, il fouillait à la recherche d'une nouvelle part de butin alors qu'il était encore en train de mâcher.

– Regina, ne le laisse pas manger autant. Ça va le rendre malade. Un enfant de deux ans ne peut pas digérer tout ça.

– Laisse-le faire, Jettel, mon fils n'a pas eu depuis bien longtemps l'occasion de s'abîmer l'estomac. Qui sait quand elle se représentera ?

– Faites-moi confiance, maître. Je vais rester ici quelque temps. Si votre Else lave ma chemise et si votre épouse n'y voit pas d'inconvénient. À une époque comme la nôtre, on ne peut pas laisser seul un homme comme vous.

Ayant oublié combien un estomac plein rendait indolent, Walter ne pensa pas à verrouiller à temps sa tête et sa bouche. Tout en prêtant l'oreille aux bruits de son ventre, dont l'arrondi tout récent lui flattait le regard, il essaya de récapituler en pensée le flot des images évoquées par cette journée. Ce fut un long voyage, un récit qui enfla au point de se transformer en l'un de ces safaris déconcertants, aux charmes desquels – Walter le savait maintenant depuis longtemps – sa fille n'était pas la seule à s'abandonner. Il fit tour à tour étape à Leobschütz, à Gênes et à Ol'Joro Orok et se retrouva ensuite, de manière trop soudaine pour qu'il se méfie, en compagnie de Karl Maas, auprès du poêle, caressant des projets pour un avenir où la faim aurait cessé d'obnubiler l'existence de chacun.

– Voyez-vous, Greschek, dit-il en direction de la tête assoupie dans le fauteuil à fleurs, un jour ou l'autre je m'établirai à nouveau comme avocat et nous traînerons en justice tous ceux qui, à Marke, vous créent des ennuis.

Jettel entendit les propos de son mari alors qu'elle était justement en train de s'abandonner au sentiment étrange que son corps n'avait plus besoin de rien, mais elle ne se donna pas la peine de comprendre le sens des mots. Elle aussi était trop rassasiée, trop lasse surtout, pour flairer le danger et se mettre à redouter des changements.

Plus tard, tandis que Greschek ronflait sur le canapé et qu'Else, dans la cuisine, après avoir rempli d'eau le plat qui avait contenu les pommes de terre, montait son lit de camp en chantonnant, Regina entendit le lit grincer dans la chambre à coucher. Elle sourit d'abord d'un air entendu, comme à l'époque où elle n'avait pas encore de frère et ne désirait rien d'autre au monde que d'en avoir un ; mais, quand elle prit conscience qu'elle prêtait l'oreille à chaque son, tentant, comme lorsqu'elle était enfant, de l'interpréter, elle eut honte d'avoir pensé que ses parents avaient pu oublier l'existence, dans leurs rapports, de moments où ils s'occupaient à autre chose qu'à se disputer.

S'il était d'un naturel flegmatique sur le plan physique, Greschek faisait preuve d'une vivacité d'esprit remarquable quand il s'agissait de prendre l'exacte mesure d'une époque qui exigeait des hommes de sa trempe, et il profitait du moindre instant pour créer à l'intention de ses amis un cadre de vie nouveau qui garantisse leur subsistance. Même à l'époque où, à Leobschütz, il tenait un magasin d'appareils électriques florissant, il prenait davantage plaisir à réaliser des affaires un peu plus louches que d'autres qui, plus conformes aux usages et aux mœurs d'une petite ville, s'avéraient monotones et peu lucratives. La longue et pénible marche à pied pour fuir la haute Silésie et, plus encore, la vie dans le petit village du Harz qui avait dû l'accueillir – et vu en lui de la «racaille orientale» – avaient porté à la perfection son talent d'improvisation et ses dons pour le commerce. Doté d'humour, mais possédant surtout la faculté de jauger les gens, il initia Jettel à des pratiques discrètes dont il savait que «maître Redlich» les désapprouvait.

Jettel, qui s'estimait douée pour les affaires, était enthousiasmée. Greschek louait son expérience de la vie, ce qui la flattait, et, quand il disait que l'honnêteté n'exprimait rien d'autre que la peur de s'affirmer, elle approuvait de tout cœur une idée qu'elle avait si longtemps refoulée. Pour elle, Greschek était avant tout une perle d'homme, mal dégrossi certes et souvent grincheux, mais qui lui manifestait l'admiration qu'elle était habituée à susciter chez les hommes. Dès le premier jour, elle lui avait montré le petit sac rempli de grains de café non torréfiés que Walter avait ramené du Kenya et qu'il réservait pour une grande occasion. Il l'avait pris sans dire un mot, hochant la tête, et était revenu sans parler davantage avec une livre de beurre et une pleine cartouche de cigarettes. Le lendemain, il était parti avec une moitié de la cartouche et rentré à la maison avec un poste de radio.

– Vous n'êtes tout de même plus chez les nègres, maître, à l'écart du monde. Je me souviens encore de votre joie quand je vous ai vendu votre première radio à Leobschütz.

En moins d'une semaine, Greschek s'était procuré un quartier de lard, un petit seau de savon liquide, une demi-livre de café en grains, quatre boîtes de corned-beef des stocks de l'armée américaine et, surtout, deux paires de bas en nylon avec lesquels Jettel virevoltait dans l'appartement, aussi heureuse que s'il s'était agi de diamants.

À la satisfaction générale, Greschek échangea l'amère farine de maïs, détestée de tous mais distribuée parcimonieusement depuis des semaines, contre de la farine blanche, objet de toutes les convoitises ; les dattes obtenues en échange de tickets de viande se transformèrent en deux bananes destinées à Max. Pour Regina, il sortit de son sac à dos deux barres de Herschey's et subit à cette occasion sa première défaite : celle-ci se contenta de lécher le morceau de chocolat avant de le fourrer avec ravissement dans la bouche de son frère.

— Mlle Regina est comme son père, se plaignit Greschek auprès d'Else, dont il avait échangé les boucles d'oreille contre des chaussures, elle est trop bonne pour ce monde-là.

Sans grand espoir, Jettel ressortit même le paquet de thé ramené du Kenya : pendant la traversée, un sachet de savon en poudre s'était déchiré, rendant le thé à jamais imbuvable. Ce fut la première fois que Greschek éclata de rire.

— Vous ne savez donc pas qu'un bon thé a toujours un léger goût de savon ? demanda-t-il.

Tard dans la soirée, alors que Walter, s'attendant tous les jours au pire, pensait déjà qu'il s'était fait arrêter, Greschek revint sans le thé mais avec deux mètres de tissu à fleurs bleues et blanches pour que Jettel puisse se confectionner une robe.

Elle fut ravie et – chose qui n'était encore jamais arrivée – elle embrassa Greschek. Personne ne savait comment il parvenait à se procurer tous ces produits qui opéraient dans leur existence un changement aussi radical. On ne put lui faire dire en quel endroit il se livrait à ses trafics alimentaires, ni comment lui, villageois égaré dans une grande ville, avait réussi à si vite repérer les lieux où se pratiquait le marché noir.

En tout cas, Greschek se garda bien d'avouer, même à Jettel, qu'il profitait de ce périple – avec l'œil exercé de l'électricien qu'il avait été dans sa jeunesse et le regard du ferrailleur qu'il était devenu – pour récupérer des câbles électriques et des tuyaux dans les bâtiments en ruine et même dans les rares immeubles en cours de reconstruction. Il estimait que c'eût été un véritable gaspillage, totalement inopportun au demeurant, de décevoir les très nombreux receleurs qui comptaient ferme sur ses livraisons.

Greschek consacrait ses soirées à un plaisir qui n'était pas pour rien dans sa venue à Francfort : dès que les femmes étaient couchées, les deux hommes conversaient comme jadis, à l'époque où Greschek était l'unique confident de Walter. Mais il ne parlait jamais de Leobschütz autant que Walter l'aurait souhaité. Le travail, les devoirs et, surtout, les conceptions morales d'un juge allemand l'intéressaient davantage que leurs souvenirs de haute Silésie. Il s'enthousiasmait pour ce que Walter lui racontait de Karl Maas, que Greschek avait personnellement rencontré et dont les hautes fonctions lui inspiraient un grand respect – sentiment qui lui était généralement étranger. Au marché noir, il se procura un salami à son intention. Walter était très gêné au moment de remettre le cadeau à son destinataire, mais celui-ci ne le fut pas le moins du monde.

Chaque entretien nocturne renforçait en Walter le sentiment que Greschek était la seule personne qui comprenne son retour en Allemagne. Un soir, Greschek expliqua qu'il avait rendu par deux fois visite au père de Walter, à Sohrau, après l'entrée des Allemands en Pologne, qu'il lui avait apporté des vivres et qu'il l'avait encore aperçu en gare de Katowice au moment de sa fuite, mais qu'il n'avait alors pas osé lui adresser la parole.

– Je ne crois pas en Dieu, maître, dit Greschek, mais il me punira un jour de ma lâcheté.

– Si une personne sur dix avait une conscience aussi pure que la vôtre, Greschek, je me sentirais plus heureux ici, répondit Walter.

Tout en parlant, il se rendit compte qu'il venait de tuer d'une phrase l'espoir qu'il avait entretenu des années durant et que, même avec un Allemand comme Greschek, il ne lui était pas possible de parler de la mort de son père. Abattu, il partit se coucher.

Greschek était là depuis trois semaines déjà, et on commençait à prendre l'habitude, au dîner, de s'asseoir devant des assiettes pleines, quand Regina tomba malade. Ce qui, au début, semblait n'être qu'un fort refroidissement se transforma en un état que Walter qualifia de grippe, Jettel de pneumonie et le docteur Goldschmidt d'effet de la malnutrition.

Au marché noir, Greschek se procura pour elle du lait et du beurre, une poule (pour faire une « bonne soupe », comme celles que « la Mère » préparait à ses six enfants quand ils étaient malades) et, pour lui relever le moral, un bâton de rouge à lèvres qui fit bien moins plaisir à Regina qu'à sa mère. Comme la forte fièvre se maintenait, Greschek revint un jour à la maison avec de la pénicilline et l'annonce qu'il s'agissait d'un médicament miracle, capable de guérir n'importe quelle maladie en l'espace d'une nuit.

Le docteur Goldschmidt refusa d'injecter la pénicilline à Regina – se faisant du même coup de Greschek un ennemi à tout jamais – et il répéta que Regina souffrait de sous-alimentation, évoquant vaguement l'éventualité d'un séjour de trois mois en Suisse, possibilité réservée aux enfants. Regina repoussa cette idée avec horreur. Cela faisait un bon moment déjà qu'elle avait entendu parler, à l'école, des projets charitables du Secours suisse, et elle redoutait que ses parents puissent en avoir vent.

Elle ne souffrait pas autant de sa maladie qu'il le paraissait : débarrassée de ses tâches ménagères et de l'obligation, dictée par son amour-propre, d'atteindre au lycée un objectif qui lui semblait tout aussi inaccessible qu'au premier jour, elle l'avait au contraire accueillie comme l'occasion bienvenue de partir en safari en pleine liberté. Sitôt seule dans l'appartement, bravant la fièvre et sa faiblesse, elle faisait défiler devant ses yeux, avec une joie intense, les images des temps qui n'étaient plus.

Dans la chaleur torride de la mi-journée, elle s'allongeait avec Owuor au bord des champs de lin, sentait la douceur de la peau fumante de son compagnon et goûtait son silence ; elle entendait les battements des tambours et les cris des singes ; elle enfonçait ses pieds nus dans la terre rouge et laissait le temps s'écouler entre ses mains jusqu'au moment où le rire d'Owuor éclatait en un puissant écho venu des arbres, véritable caresse pour les oreilles. Un autre jour, elle grimpait sur le goyavier de Nairobi, se grisait d'odeurs et tirait sa fée du sommeil éternel auquel elle avait été condamnée le jour où, Regina ayant désormais un frère, elle n'avait plus eu besoin d'elle.

Dans la douceur de ces journées partagées entre la veille et le sommeil, flottant entre maladie et guérison, Regina s'aperçut qu'elle avait gardé le pouvoir de trouver refuge dans sa propre magie. Le sens des réalités qu'elle avait développé de manière si précoce restait toutefois aussi acéré qu'une machette fraîchement aiguisée. Elle ressentait avec plus de force que jamais un double besoin : besoin de fuir, et besoin de revenir dans un univers qu'elle n'aimait certes pas, mais qu'elle acceptait comme celui où ses parents et son frère vivaient.

Regina n'avait en tout cas pas l'intention, simplement parce qu'il lui manquait quelques kilos, d'échanger volontairement les désagréments de Francfort – qui, entre-temps, lui étaient devenus totalement familiers – contre un nouveau déracinement dans un pays dont elle savait seulement qu'il renfermait quantité de montagnes et de vaches, et qu'on y trouvait par conséquent du lait et du chocolat en abondance.

Le hasard joua contre elle, mais aussi le moment où eut lieu la discussion sur son état de santé. À peine le docteur Goldschmidt avait-il semé le germe de ce projet que Walter apprit que des familles juives de Zurich souhaitaient accueillir des enfants de la Communauté de Francfort, mais que cette dernière ne savait absolument pas comment exaucer ce vœu charitable. Il n'y avait pas assez d'enfants en son sein pour une telle opération : la plupart d'entre eux, en effet, étaient nés après 1945 et, en raison de leur jeune âge, n'offraient pas un profil adapté aux objectifs philanthropiques des familles d'accueil.

Bien que son père ne lui ait parlé de rien, Regina devinait qu'il se proposait de l'inscrire auprès de la Communauté en vue d'un séjour en Suisse et elle se donnait donc beaucoup de peine pour paraître rétablie, heureuse, pleinement occupée à rattraper enfin le retard qu'elle accusait sur les élèves de sa classe. Mais elle se retrouva très rapidement en mauvaise situation quand on apprit que Greschek devait soudain repartir pour Marke et que, de ce fait, le retour des jours de faim n'était plus qu'une question d'heures. Effectivement, le soir même du départ de Greschek, Walter eut avec elle une conversation.

– M. Allschoff m'a promis de veiller personnellement à ce que tu sois hébergée par une famille bien sous tous rapports, dit-il.

– J'ai déjà une famille bien sous tous rapports, répliqua Regina, furieuse.

– Oui, mais toi, tu n'es pas bien.

– De jour en jour, je sens que je vais mieux. Sans la peur de devoir partir d'ici, je serais guérie depuis longtemps.

– Mon Dieu, Regina, de quoi as-tu peur ? D'avoir une indigestion de chocolat ? Tu avais sept ans quand tu t'es séparée de nous sans gémir, et te voilà quasiment en révolte ouverte pour trois malheureux petits mois.

– C'était pour aller à l'école, pas pour aller en Suisse.

– Tu ne commencerais pas, par hasard, à ressembler à ta mère ? Grand Dieu, surtout pas de changement !

– Tu es injuste. Je ne me suis encore jamais plainte.

– Voilà bien le hic, tu ne te plains jamais. À cet égard, tu es exactement le même pauvre bougre que ton père. Regina, ne me rends pas les choses plus difficiles qu'elles ne sont ! J'ai tout simplement peur pour toi. Et je ne suis pas habitué à devoir lutter aussi contre toi. Je ne t'oblige pas à partir. Je te demande seulement de m'aider à me débarrasser de ce poids.

Cette fois, c'est de manière absolument inopinée que les images qui n'avaient jamais jauni revinrent à Regina. Elle vécut de nouveau en pensée le jour où son père s'était transformé en un guerrier rusé pour conquérir son cœur et où elle avait décidé de le lui donner à tout jamais. Il n'avait pas oublié comment tendre l'arc pour décocher sa flèche.

– C'est bon, *bwana* ! murmura-t-elle, tu as gagné, mais il faut que tu saches que je ne suis pas contente de partir.

– Tu n'es pas obligée d'être contente, *memsahib kidogo*, dit Walter dans un sourire. L'essentiel, c'est que tu grossisses.

5

Entre Bâle et Zurich, assise dans un train aux petits rideaux bien propres, devant des vitres impeccablement nettoyées, Regina pouvait voir sur les collines le jaune éclatant et provocateur des toutes petites fleurs des forsythias et, dans de molles et vertes prairies, des vaches blanches et noires aussi opulentes que dans les vieux livres d'images ; elle pouvait voir aussi des maisonnettes d'une propreté lumineuse, flanquées de minuscules jardins parsemés de narcisses et de primevères où gambadaient de jeunes chiens enivrés par l'arrivée du printemps. Ce spectacle eut raison de son intransigeance ; par bravade, à l'instant de la séparation, elle avait pris la ferme résolution de se refuser à un monde dans lequel elle n'avait pas demandé à entrer, sachant trop bien que le paradis promis la transformerait à nouveau en une enfant livrée sans défense à la solitude du dépaysement.

Mais, en dépit de ses efforts, ses yeux s'étaient obstinés à faire valoir leur ancien droit à se nourrir. De tout temps – depuis les jours engloutis par la monstrueuse Europe avec la voracité d'une hyène se jetant sur une proie inespérée –, Regina avait su qu'à moins de vouloir se fâcher pour toujours avec Mungo, le Dieu noir, il ne fallait jamais entrer en guerre avec ses yeux.

Durant le bref laps de temps où, en gare de Zurich, elle se retrouva seule – sans savoir qui viendrait la chercher ni ce qu'elle devait faire, à part attendre à côté de sa valise et guetter l'inconnue qui, selon son père, viendrait à son secours –, elle n'éprouva aucune inquiétude tant son ébahissement était grand. Les quais étaient aussi propres que les trains qui entraient en gare ou en partaient ; on voyait aux fenêtres des voyageurs au visage étonnamment lisse ; d'autres, au wagon-restaurant, étaient assis sur des sièges recouverts de velours, devant des tables à nappe blanche et face à des assiettes pleines ! Ces gens conversaient paisiblement, comme si apaiser sa faim allait de soi ; certains, même, n'ouvraient la bouche que pour rire. Regina était particulièrement fascinée par le spectacle d'une insouciance dont elle avait oublié l'existence : perçue au travers de vitres dont les reflets rebondissaient à leur tour sur les miroirs des compartiments, elle revenait la frapper comme une véritable boule de feu et de couleurs.

Elle était en train de s'apercevoir que la foule l'entourant sur le quai – hommes aux chaussures de vrai cuir luisantes de propreté, femmes aux bas de nylon chatoyants et aux robes claires et légères caressant les mollets à chaque pas – manifestait la même stupéfiante insouciance, quand une femme vêtue d'une robe de soie bleue, d'une veste assortie et de gants blancs l'attrapa par la manche bouffante de sa robe jaune. Ce simple geste suffit à replacer Regina – qui était à six mois de fêter ses seize ans – dans la situation d'un enfant qui, ravi d'être enfin délivré de l'incertitude, se reprend à croire aux histoires merveilleuses et se persuade à tout jamais qu'un unique contact permet de tirer quelqu'un du sommeil éternel et de le ramener à la vie.

Dans une langue aux sonorités rugueuses qui lui chatouilla les oreilles et lui fit se demander si elle avait déjà eu l'occasion d'en entendre une semblable, la reine rayonnante et tout de bleu vêtue lui déclara :

– Je suis Margret Guggenheim, et toi, tu es certainement notre petite pupille allemande.

Regina ne connaissait pas le mot et se livra à un gros effort de réflexion pour déterminer si les pupilles étaient généralement des géants et si c'était pour cette raison qu'elle paraissait petite aux yeux de la dame. Elle essaya également d'ouvrir la bouche sans paraître aussi stupide qu'elle se sentait l'être et elle fut heureuse de pouvoir remuer la tête et faire signe que oui. Avec une extrême lenteur, tout comme s'il lui avait fallu au préalable évaluer les distances, elle tendit la main droite.

Au bout d'un moment qui lui sembla très long, et durant lequel elle se contenta de suivre le parfum de roses épanouies qu'exhalait la robe bleue, elle monta dans un taxi, le corps toujours figé ; malgré les coussins rembourrés de l'auto, elle demeura aussi raide qu'un arbre desséché ; le trouble qui la paralysait la tenait dans un carcan si serré que chaque inspiration lui coûtait un effort. Elle était incapable d'enregistrer avec précision la moindre image, tout en sachant qu'il lui faudrait malgré tout le faire si elle voulait décrire à ses parents un monde où les voitures avaient des couleurs aussi vives que des fleurs, où les gens ressemblaient à des chevaliers et à des princesses, et où même les chiens, au bout de minces laisses en cuir souple, paraissaient sortir du bain et n'avoir jamais connu la faim. Regina eut beau s'efforcer de comprendre ce qui lui arrivait, de répondre aux questions et de classer en bon ordre, dans sa tête, toutes ces impressions aussi splendides que multiples, elle ne put rien retenir d'autre que le nom de sa bienfaitrice.

Le taxi gravit une côte très raide avant de stopper devant une maison dont les fenêtres étaient masquées par de grands arbres en fleurs et les épaisses haies vertes d'un petit jardin ; la souveraine toute de bleu vêtue et à la voix chantante dit en riant :

– Eh bien, nous y voilà, mon enfant.

Elle donna au chauffeur de magnifiques pièces en argent, toucha à nouveau l'épaule de Regina, empoigna de sa main gantée de blanc la petite valise marron ficelée par une cordelette grossière et poussa Regina dans un hall d'entrée très lumineux, où régnait l'odeur lourde de jacinthes ayant commencé de se faner.

Même au bout de deux heures dans cette maison dont elle ne savait pas si c'était un château ou un simple mirage dû à la surexcitation de ses sens, Regina n'était toujours pas capable de dire autre chose que « oui » ou « non » et, terrifiée à l'idée de commettre de fâcheuses confusions, elle était obligée de se concentrer pour ne répondre ni trop rapidement ni, surtout, trop lentement.

Au cours de la visite des lieux que lui fit faire Mme Guggenheim, elle se sentit aussi perdue qu'un enfant kikuyu foulant pour la première fois un plancher en bois et ayant peur de se blesser. Les vastes pièces, tapissées de papiers peints clairs, garnies de meubles sombres et ornées de rideaux où les fleurs paraissaient chuchoter entre elles, la rendirent plus muette encore. Sans qu'elle puisse en distinguer ni les formes ni les couleurs, les nombreux tableaux accrochés aux murs semblaient prêts à lui sauter aux yeux – aussi agressifs que les démons des obscures nuits d'Afrique qui faisaient la chasse au soleil et ne rendaient jamais leur proie –, tout comme la défiaient de tout leur haut, avec leurs dos de cuir sombre barrés de titres en lettres d'or, les livres disposés en longues rangées dans les armoires vitrées.

Dans une cuisine aux murs carrelés de blanc était assise une femme aux cheveux noirs, avec deux grosses tresses autour de la tête, vêtue d'une robe sombre et d'un tablier à fleurs. Comme elle souriait, Regina vit qu'elle avait des dents très blanches mais, à l'instant où elle s'apprêtait à la remercier pour son accueil, elle vit soudain les meubles tournoyer dans la pièce et un grand réfrigérateur blanc se métamorphoser en deux puissants géants.

Regina se retrouva sur un petit canapé recouvert d'une housse qui ressemblait à de la mousse en forêt, après la première nuit de grande pluie. Autour d'elle, les fenêtres avaient la taille de véritables portes ; le soleil entrait à flots, les feux de sa lumière crue entraînant les tableaux blancs dans une farandole éclatante. Il suffisait qu'un seul et minuscule rayon de soleil vienne éclairer encore un peu plus les tableaux pour que le blanc devienne transparent comme du verre et prenne les teintes d'un arc-en-ciel déclinant.

– Utrillo, dit Mme Guggenheim, as-tu déjà entendu parler de lui ?

Regina fit non de la tête. Elle entendit Mme Guggenheim dire en riant :

– Tu apprendras tout ça chez nous si tu as des yeux pour voir.

Regina fit un gros effort pour rire elle aussi mais, à nouveau, ne réussit pas à desserrer les lèvres. Ses doigts croisés ne voulaient pas non plus se défaire. Avec hésitation, elle prit pourtant le verre que Mme Guggenheim lui présentait, remarquant alors seulement combien elle avait soif et s'étonnant que l'eau, aussi blanche que les tableaux, ait un goût aigre et doux tout à la fois. Comblée, elle vida son verre d'un trait, s'entendit avaler goulûment, voulut s'excuser et poser le verre sur la table, mais elle le garda en l'air, hésitante, parce qu'il lui fallait d'abord réfléchir pour déterminer dans quel ordre il convenait d'agir.

– Pas sur la table, la prévint Mme Guggenheim, qui ferma un bref instant les yeux comme dans l'attente d'une grande douleur.

Elle tendit à Regina un journal avec le même empressement que celle-ci mettait à ce geste, à la maison, quand son frère s'étranglait pour avoir mangé trop vite. Regina s'aperçut trop tard qu'elle commençait elle aussi à s'étrangler et elle se mordit la lèvre inférieure.

— Veux-tu te rafraîchir, mon enfant?

— Oui, murmura Regina.

— Je te montre où est la salle de bains, dit Mme Guggenheim.

Elle conduisit Regina dans une pièce au carrelage très clair, avec un immense lavabo, des robinets argentés et brillants, et des serviettes de toilette vertes à liseré blanc; elle resta là un instant, indécise, puis sortit de la poche de sa jupe bleue une petite tablette de chocolat, la tendit à Regina, lui fit de la tête un signe d'encouragement et referma la porte sans bruit.

Regina n'osait pas toucher les robinets; elle n'arrivait pas non plus à imaginer qu'elle puisse utiliser les serviettes ou le papier doux et blanc qui pendait d'un rouleau argenté accroché à côté de la cuvette des W.-C. Durant un bon moment elle ne fit rien d'autre que fixer la petite fenêtre garnie de minuscules rideaux. Elle hésitait même à se regarder dans la glace. Son désarroi la rendit furieuse et endormit sa prudence.

Avec une brusquerie qui fit grandir encore sa colère, elle déchira le papier d'argent et huma le chocolat. Elle avait l'intention de seulement lécher un coin de la tablette, comme elle l'avait fait avec le chocolat de Greschek, quand elle s'était contentée de le goûter afin de garder le trésor pour Max, mais sa langue et ses dents refusèrent de lui obéir. Elle se rendit compte trop tard qu'il n'y avait plus de chocolat. Bouleversée d'avoir cédé à cette envie irrépressible, au moment précis où elle pensait à la misère des siens, elle se mit à pleurer.

Au bout de quelques minutes, Mme Guggenheim, entendant ses sanglots, ouvrit la porte avec précaution et l'aida à sortir.

— Viens, dit-elle, commence par t'allonger. Tant de choses nouvelles à la fois, c'est trop pour toi.

Sur le lit recouvert d'une couette jaune en soie qui avait la même odeur de jacinthe que le hall d'entrée, une longue chemise de nuit blanche avec des ruchés et de la dentelle était posée à côté d'un petit chien en peluche, noir et brun, avec un ventre bien rond et, au cou, un minuscule tonnelet de bois rouge. La surprise de Regina fut telle qu'elle ne le toucha que prudemment, comme s'il lui fallait d'abord vérifier s'il était vivant ou non. Mais elle n'avait pas encore oublié comment nourrir ses oreilles d'histoires imaginaires.

Ravalant son rire comme elle venait de ravaler ses larmes, elle ne tarda pas à entendre le chien aboyer. Quand elle s'aperçut qu'il savait même cligner de son œil gauche, elle prit soudain conscience qu'elle avait dormi les yeux ouverts depuis son arrivée : ses hôtes attendaient un enfant et voilà que leur tombait du ciel une adolescente ; ils étaient sans doute aussi désorientés qu'elle.

Soulagée et rassérénée, elle quitta sa robe et la chemisette d'enfant qui la serrait. Elle comptait s'allonger un bref instant seulement, le temps de reprendre ses esprits, mais elle s'endormit sur-le-champ et ne fit donc la connaissance de George Guggenheim que le lendemain matin.

Les yeux de ce petit homme rond à la calvitie naissante trahissaient un certain flegme et, dans ses meilleurs moments, l'humour du sceptique. Il était, dans sa ville natale, une personnalité connue : avocat de métier, il siégeait à la présidence de la communauté juive de Zurich, mais il faisait en toute circonstance preuve d'une grande modération. Des gens qui n'auraient jamais entendu parler de lui – ce qui était très rare en Suisse et quasiment impossible à Zurich – auraient tiré de l'humilité qui caractérisait son comportement public et du sens de l'économie que trahissait son train de vie des conclusions erronées : jamais il ne leur serait venu à l'idée que cet homme était à la tête d'une immense fortune. Ses amis, ses collègues, ses clients et ses collaborateurs au sein des nombreuses organisations de bienfaisance qu'il présidait depuis des années, tous l'aimaient pour sa modestie et son style de vie bon enfant ; s'il avait affaire à des gens avec lesquels il pouvait s'entretenir sur une base commune de culture, de tolérance et d'humour, qualités innées chez lui, un courant de sympathie s'établissait d'emblée.

Dépourvu d'expérience en matière d'éducation, connaissant peu d'enfants, il les craignait, hormis ceux qui le contemplaient du haut de leurs cadres, personnages de Cézanne, Renoir ou Picasso. Voilà pourquoi il avait beaucoup hésité avant de céder à sa femme qui, sous le seul effet d'une mode récente parmi les riches familles de la communauté juive de Zurich, souhaitait faire venir un enfant d'Allemagne. George Guggenheim était insensible aux phénomènes de mode – dans le domaine de l'art, bien sûr, mais plus encore en matière de bienfaisance.

Ce matin-là, à la table du petit déjeuner, observant pour la première fois Regina assise en face de lui, pâle, émaciée, avec des yeux profondément enfoncés qui le mettaient mal à l'aise et l'émouvaient, car ils lui rappelaient par trop les tableaux d'Otto Dix, George Guggenheim fut contraint de lutter contre une timidité inhabituelle chez lui. Il voulut se montrer poli et chaleureux, mais la seule chose qui lui vint à l'esprit fut que l'usage était de parler de l'école avec les enfants et, se souvenant de sa propre enfance, il trouva que c'était aussi stupide que banal. Il se demanda ensuite s'il devait questionner l'adolescente effarouchée sur sa famille et sur l'Allemagne, mais le premier sujet lui parut relever d'une curiosité déplacée, et la pudeur mêlée d'appréhension qui caractérisait la Suisse de ces années-là l'empêcha de parler de l'Allemagne.

Quoique fort conscient que Regina avait déjà sur son assiette un petit pain tout tartiné, il lui fit passer le pot de confiture. Elle le regarda d'un air consterné, comme s'il avait dit une incongruité. Quand, de surcroît, quelqu'un ayant sonné à la porte, sa femme se leva de table pour ouvrir au visiteur, il ressentit le silence persistant comme une provocation indigne de lui. George Guggenheim rapprocha sa chaise de la table, toussota avec embarras et demanda d'un ton déterminé qu'il trouva aussi exagéré que ridicule : « Quels sont tes auteurs préférés ? »

Regina ne s'attendait plus que cet homme taciturne lui adresse la parole. Prise au dépourvu, elle laissa tomber son petit pain sur son assiette et hésita avant de répondre : compte tenu de l'expérience faite en cours d'allemand, elle n'était pas certaine qu'il ait jamais entendu parler de Dickens ou de Wordsworth.

Tout en se dépêchant d'avaler ce qu'elle avait dans la bouche, elle tripotait sa robe et, malheureuse, cherchait quel auteur allemand elle pourrait bien citer sans se sentir ridicule de ne rien savoir d'autre de lui que son nom. Ce fut pour elle une planche de salut de se souvenir qu'elle venait justement de lire au lycée *On juge des gens sur la mine* et d'apprendre par cœur, avec beaucoup plus de plaisir encore, la ballade *Les Pieds dans le feu*.

— Gottfried Keller et Conrad Ferdinand Meyer, dit-elle avec soulagement.

— Non, mais je rêve ou quoi ? Nos écrivains suisses ! Je ne m'attendais pas à cette réponse de la part d'une enfant.

— Je ne suis pas une enfant, s'entendit-elle répondre.

Sa peau s'embrasa aussitôt, les muscles de son visage se contractèrent. Son embarras était grand, car il n'était pas dans ses habitudes de se montrer effrontée ou même seulement irréfléchie. Elle n'arrivait surtout pas à s'expliquer ce qui l'avait poussée à laisser libre cours à sa langue dans une circonstance aussi incertaine, aussi inquiétante. Confuse, elle baissait la tête, gardant les yeux fixés sur la tache de confiture rouge dans son assiette. Son oreille enregistra alors des mots prononcés d'une belle voix de basse :

– Formidable ! disait George Guggenheim en riant aux éclats. Sensationnel ! Tu ne peux pas savoir quelle frousse tu m'inspirais ! Dans mes cauchemars, je ne voyais plus que des mains pleines de chocolat en train de barbouiller mes tableaux.

– Vos si jolis tableaux ? s'étonna Regina. C'est à peine si j'ose les regarder.

Cette phrase marqua le début d'une amitié tout en enchantement, amitié qui ne dura que trois mois mais qui fut aussi décisive pour la manière de penser et de sentir de Regina que l'avaient été jadis son arrivée en Afrique et l'épouvantable déchirement du départ. Durant la matinée qui suivit ce petit déjeuner sans paroles, George Guggenheim lui ouvrit sans plus attendre la porte d'un monde qui, sans lui, ne se serait jamais offert à elle avec une intensité pareille. Elle lui en resterait reconnaissante sa vie durant.

Ce fut un attachement spontané envers un guide dont la patience ne le disputait qu'avec la passion qu'il mettait à lui faire partager ce qui lui était le plus précieux. En guise de prélude, le généreux donateur fit à sa protégée un cadeau bien dans le style des offrandes africaines. Il lui confia un secret qu'elle conserva dans son cœur à côté du doux souvenir – consolation de tous les instants – des cruelles mais discrètes plaisanteries qui, par-delà les continents, l'unissaient à son ami Owuor.

– Viens, lui dit George Guggenheim, je vais te faire connaître Zurich. Et tu sais par quoi nous allons commencer ? Je vais te montrer où est né notre Gottfried Keller.

Longeant des maisons proprettes et soigneusement décorées – exact reflet de leurs propriétaires en tous points irréprochables –, admirant au passage des forsythias aux branches surchargées de fleurs et des narcisses aux clochettes blanches frémissantes, dépassant des enfants propres comme des sous neufs sur leurs patins à roulettes, ils descendirent à bonne allure le Restelberg tout empli d'une ivresse printanière. En dépit de sa petite taille, George Guggenheim avançait d'un pas vigoureux et Regina avait de la peine à rester à ses côtés. Tout d'un coup, elle oublia qu'elle n'était plus une enfant et bondit jusqu'au ciel avant de revenir sur terre. Son compagnon aussi, instant de bonheur sans pareil, décolla du sol les deux pieds à la fois.

— Est-ce que tu manges parfois du jambon ? demanda-t-il.

— Jamais.

— Vous mangez donc casher chez vous ?

— Bien sûr que non, répondit Regina en riant, c'est simplement que nous n'avons pas de jambon.

— Nous non plus. Ma femme est issue d'une famille très pieuse et elle tient un ménage casher. N'as-tu pas vu les deux réfrigérateurs de la cuisine ?

— Si, répliqua Regina, hier, quand j'ai eu un malaise et que les meubles se sont mis à tourner autour de moi.

— Tu sais ce que veut dire casher ?

— Pas de viande de porc et jamais de lait en même temps que la viande.

— Exactement. Voilà la raison des deux réfrigérateurs, petite demoiselle futée. Un pour le lait et le beurre, et un autre pour la viande. Et casher signifie bien plus encore. Par exemple, pas de gâteau au fromage blanc au dessert si, avant, tu as mangé de la viande. Pas de sauce à la crème comme ma mère la prépare, pas de gibier, pas de crabe ni de beurre avec la charcuterie, jamais de jambon. Retiens bien ça et ne te laisse pas faire si un homme pieux vient à demander ta main.

Ils se trouvaient devant une boucherie-charcuterie. Regina, à la vue des saucisses, des escalopes et du lard dans la vitrine, entendit son estomac réclamer. Enfin, elle comprenait ce que les contes allemands entendaient par ce fameux pays de cocagne où les arbres portent des saucisses et où volent en tous sens des pigeons tout rôtis.

Songeant à son père, grand amateur de bonne chère dans les temps heureux et si maigre maintenant, elle sentit l'aiguillon acéré de sa mauvaise conscience, mais George Guggenheim ne lui laissa pas le temps d'éprouver du remords. Il la mena jusqu'au comptoir où il salua une vendeuse bien en chair, vêtue d'un tablier blanc. Elle interrogea en riant:

— La petite aussi ?

Il acquiesça de la tête avec impatience et, quelques secondes plus tard, ils se retrouvèrent mordant à belles dents dans un petit pain débordant de jambon bien gras.

– Il ne faut pas en parler à ma femme, chuchota-t-il.

Il faisait irrésistiblement penser au chien en peluche avec le tonnelet autour du cou.

– Jamais, promit Regina.

– As-tu toi aussi des secrets ?

– Oui, dit en pouffant Regina, qui en était déjà à son deuxième petit pain.

Elle se mit alors à parler d'Owuor en Afrique et de son père avec qui elle s'entretenait en swahili quand personne ne pouvait les entendre.

– Pourquoi donc est-il rentré en Allemagne s'il laisse son cœur parler swahili ?

– Parce qu'il voulait reprendre son ancien métier, répondit-elle.

Mais elle s'exprima avec trop de lenteur et ne parvint pas à étouffer un soupir final. Elle eut alors le sentiment d'avoir trahi son père.

– Il devait rentrer, répéta-t-elle.

– Je peux le comprendre, dit George Guggenheim. Mieux même, on doit le comprendre.

Mais Regina se rendit compte qu'il n'avait rien compris. À l'avenir, elle éviterait le plus possible de parler de son père avec lui.

Il lui devint difficile d'écrire à sa famille à partir du jour où elle prit conscience qu'elle préférait de très loin décrire avec un grand luxe de détails les repas chez les Guggenheim ou rapporter à quelle vitesse elle reprenait du poids qu'évoquer ce qui la remuait au plus profond d'elle-même, c'est-à-dire la fascination sans cesse nouvelle qu'elle ressentait en présence des tableaux. Elle savait trop combien son père se méfiait de l'imagination et de toute connaissance détachée de la logique et des perspectives professionnelles. Pour la première fois depuis des années, il lui revint en mémoire un incident survenu à la ferme.

Elle avait essayé de peindre un tableau. Bien que sachant parfaitement qu'elle n'y était pas arrivée, elle avait pris plaisir à choisir les couleurs, à les mélanger, à soumettre le papier à la magie du pinceau. C'est à peine, pourtant, si son père avait accordé un regard à son œuvre, se contentant de grommeler : « Mais tu sais lire, pourquoi te mettre à peindre ? »

Mme Guggenheim lui ayant de surcroît révélé l'authenticité et la valeur matérielle des tableaux en leur possession, elle n'osa désormais plus du tout évoquer Renoir, Cézanne et Utrillo dans ses lettres. Elle était persuadée que son père n'apprécierait pas un homme qui utilisait son argent à acquérir des peintures. Elle ne fit mention de ses nombreuses sorties au théâtre qu'après une représentation du *Général du diable* et elle parla avec une telle abondance de détails de cet «Allemand comme il faut» qu'elle se reprocha de manquer d'honnêteté et de franchise, car elle laissait croire que seul cet aspect avait de l'importance à ses yeux, alors qu'elle n'avait pas un mot pour dire combien l'avaient emballée la langue et l'atmosphère de cette pièce de génie.

Son séjour dans la famille Guggenheim développait chez Regina une grande passion pour le théâtre en même temps qu'une soif de peinture insatiable. À l'approche des représentations, elle était saisie d'une fièvre analogue à celle qu'éveillaient en elle, enfant, les livres de Dickens. *Maison de poupée* d'Ibsen lui apprit qu'on pouvait, une vie durant, se mentir à soi-même quant à sa valeur; et *Egmont*, de Goethe, ce qu'étaient la joie de vivre et la confiance en sa propre personnalité. Elle trouva presque insoutenable *Le Songe d'une nuit d'été*, tant était violente, pour l'ouïe et la vue, l'impression produite par la puissance d'imagination de cette pièce et la beauté de sa langue.

Les Guggenheim l'emmenaient à des vernissages et lui enseignaient la patience en présence d'œuvres qui ne lui plaisaient pas. Le dimanche, ils l'emmenaient visiter des musées, à Berne ou à Bâle, où elle découvrit les tons incandescents de Franz Marc et de Chagall. Utrillo demeura sa passion. Elle ne se lassait pas de se faire expliquer les thèmes de ses tableaux et de se faire raconter sa vie. Elle était devenue véritablement avide de voir et de comprendre.

Un soir, en allant se coucher, Regina constata que George Guggenheim avait fait changer les tableaux de sa chambre. À la place des deux gravures de Picasso sur le long mur face à la fenêtre, il y avait à présent deux paysages d'Utrillo. Assise devant les tableaux, le petit saint-bernard en peluche sur les genoux, elle savait qu'elle venait de recevoir sa première déclaration d'amour et elle devina, non sans tristesse, qu'à l'avenir, pour fuir le monde de la misère, le retour dans les forêts d'Afrique ne serait plus son unique destination.

Ayant remarqué le grand intérêt que Regina portait à l'histoire, George Guggenheim ne souffrit plus que la Suisse se réduise, pour elle, à l'image tronquée d'un paradis habité par des tableaux et des philanthropes, un paradis d'assiettes pleines et de petits pains au jambon mangés en cachette. Il lui parla des Juifs qui fuyaient la mort et que les autorités suisses avaient arrêtés aux frontières et renvoyés en Allemagne où on les assassinait. Avec colère, il évoqua aussi les riches familles juives qui craignaient de voir arriver dans le pays de trop nombreux réfugiés, relatant ses efforts pour s'opposer à cette barbare étroitesse d'esprit des possédants et les maigres résultats qu'il avait obtenus.

— Tu as de la chance d'avoir été trop jeune, durant ton idylle africaine, pour entendre parler des assassinats et de l'extermination des Juifs, dit-il.

Elle lui raconta alors que ses grands-parents et ses deux tantes avaient été assassinés en Allemagne.

— Comment fait-on pour vivre dans cette Allemagne ? interrogea George Guggenheim.

Il la regardait d'un œil dubitatif et scrutateur, mais elle soutint son regard et répondit :

— Ma foi, tout le monde a été contre Hitler ou alors n'a rien su.

— Tu es devenue adulte très jeune.

— Je suis née adulte.

À la mi-juin, George Guggenheim rendit visite à sa mère, à Lugano, et il emmena Regina avec lui. Le soleil, le ciel bleu, le blanc balancement du lac, la tiédeur des soirées, la splendeur de la nature en fleurs et une légèreté de l'air qui enivrait les sens, tout rivalisait pour faire croire au mensonge d'un bonheur durable. À trois, ils faisaient des excursions en voiture dans la montagne, s'allongeaient dans l'herbe, dialoguaient avec les fleurs des champs et les vaches, pique-niquaient au bord du lac. Regina empruntait ses yeux à Renoir afin de traduire en lumière et en ombre une si grande beauté. Ce n'est que le soir, sous un énorme édredon recouvert d'une housse à carreaux rouges et blancs, qu'elle prenait conscience de n'avoir pas pensé à sa famille de toute la journée. Elle croyait devoir expier cet oubli car, dans sa honte, elle ignorait encore tout des bienfaits de la grâce.

Avec la vieille Mme Guggenheim, dont le fils avait hérité, et l'humour, et l'art de donner, Regina allait se promener dans la ville si agréable de fraîcheur, si pleine de coins et de recoins. Elle mangeait des glaces de toutes les teintes, et les limonades colorées qu'elle buvait avec avidité lui procuraient un plaisir qu'elle n'avait encore jamais connu. Elle régalait sa langue de gâteaux, son palais d'épices et son nez de la plénitude des parfums de l'été. Dans une boutique aux murs lambrissés de bois, elle put choisir deux pièces d'étoffe avec des fleurs comme motif, l'une à carreaux bleus et blancs, l'autre d'un rouge foncé. En deux jours, une couturière italienne à la voix chantante lui confectionna deux robes avec un haut très ajusté et dont le bas, balançant à chaque pas, lui descendait jusqu'aux chevilles. Grâce à elles, simple *bambino* à son arrivée dans l'atelier, Regina en ressortit *signorina*, mot qu'elle savoura et qui lui donna le goût de la coquetterie.

«*New look*», tel fut le compliment qu'elle adressa à son image dans le miroir, elle qui n'avait jusque-là jamais accordé d'attention à sa tenue et qui remarquait soudain que son corps, sans le moindre doute possible, trahissait maintenant qu'elle était sortie de l'enfance.

À son retour à Zurich, elle trouva une lettre de sa mère. «Dimanche, il y a eu ici une réforme monétaire, écrivait Jettel, et il a fallu que ce soit précisément le jour de mon anniversaire. La bonne humeur n'y a pas résisté. Mais tu ne peux pas te figurer comme la vie a changé. Nous n'en avons pas cru nos propres yeux, le lundi, en sortant dans la rue. Tout d'un coup, il y avait de la charcuterie chez le boucher et, à côté, des fruits et des légumes chez Mme Heckel. Elle est maintenant aimable et me demande ce que je désire.

«En ville, il y a de tout dans les magasins : des vêtements, des chapeaux, de la layette, des assiettes, des casseroles, des ampoules électriques, du fil à coudre, des meubles, des lampes, tout ce que tu peux imaginer. On peut même acheter des cigarettes et du café. Mais, à présent, c'est l'argent qui manque. L'ancien a perdu toute valeur. On n'a reçu qu'un acompte de 40 marks par personne, pas un pfennig de plus. On ignore comment les choses vont se passer ensuite.

«Pour toi, nous n'avons malheureusement rien touché, bien que nous ayons dit que tu allais bientôt revenir. Ce qui n'empêche pas ton cher père de vouloir abandonner le salaire de juge dont il est assuré pour devenir avocat. Tous les jours que Dieu fait, j'essaie de le persuader de renoncer à cette bêtise irresponsable, mais tu sais toi-même à quel point il est têtu. J'attends avec impatience que tu sois revenue. Peut-être réussiras-tu à lui en parler.»

La réalité avait rattrapé Regina. Elle ne lui tourna pas le dos, acceptant même d'un cœur léger la nostalgie qui s'emparait d'elle quand elle pensait à Francfort. Car elle n'arrêtait pas de se demander avec inquiétude si

Max la reconnaîtrait, s'il avait beaucoup grandi et s'il avait déjà appris à dire beaucoup de choses nouvelles ; elle voyait ses grands yeux noirs et elle sentait même à nouveau l'odeur de sa peau quand on le sortait du bain.

Utrillo et Renoir perdaient déjà de leurs couleurs. Les Guggenheim parlèrent d'un cadeau d'adieu, voulant savoir ce qui pourrait faire plaisir à Regina. Elle les pria de pouvoir garder le petit chien saint-bernard et demanda, pour Max, une tablette de chocolat et un ballon.

Juché, rutilant, sur le filet à bagages du compartiment, ce dernier avait le bleu du lac et le rouge des coquelicots de Lugano. Regina avait mis sa nouvelle robe à carreaux qui lui tombait jusqu'aux chevilles. Mme Guggenheim lui avait donné un grand panier rempli de fruits, de pains, de gâteaux et de chocolat. Regina sut qu'elle ne toucherait à rien et emporterait le tout chez elle. Elle était aussi gênée et gauche qu'à l'arrivée.

– Merci, bredouilla-t-elle, et pas seulement pour les vivres.

Le sifflet du départ retentissait déjà quand George lui tendit un paquet par la fenêtre. Il dit en riant :

– Pour que tu ne nous oublies pas.

Regina vit bien son clin d'œil, mais elle était trop émue pour pouvoir répondre à son dernier signe d'adieu.

Afin de prolonger le plaisir de l'attente, elle n'entreprit d'ouvrir le paquet qu'à l'arrivée du train à Bâle. Elle trouva, dans un carton, un livre sur Utrillo, des photos de tous ses tableaux exposés chez les Guggenheim et puis aussi, soigneusement enveloppé dans une serviette marron clair, un petit pain au jambon. Regina fondit en larmes.

6

Le poêle auprès de la baignoire, derrière le rideau de la chambre, était vieux et d'un emploi très malaisé : vu son mauvais tirage et l'énorme quantité de charbon qu'il consommait, le faire marcher revenait trop cher. On ne l'avait allumé qu'une fois en tout et pour tout, le jour où Regina avait eu une forte grippe. C'était la cuisine qui servait de cabinet de toilette, avec sa grande cuvette à fleurs sur un support en fer. On posait le savon sur le rebord de la fenêtre et les serviettes étaient accrochées derrière la cuisinière. À part Max, qu'on lavait entre le lit et la table, dans un petit tub en zinc où on avait malheureusement de plus en plus de peine à le faire tenir, personne ne pouvait prendre son bain à la maison. Tout le monde était obligé d'aller aux bains publics de la ville.

Lors de ses demi-journées de liberté, le mercredi après-midi, Else se munissait de sa serviette et se rendait dans un établissement du centre-ville dont elle ne rentrait que le soir. Elle ne considérait pas comme perdu tout ce temps consacré à sa toilette, car elle pouvait ainsi nettoyer à la fois son corps et son âme. Pendant la guerre, en effet, l'employée des bains avait été envoyée à Hochkretscham comme auxiliaire agricole. Elle était donc toujours disposée à prêter une oreille bienveillante aux souvenirs d'Else qui avait la nostalgie de son village natal. Très souvent aussi, elle lui donnait des débris de savon à mettre dans ces petits sacs si pratiques qu'on pouvait enfin acheter depuis peu, sans avoir à les échanger contre du savon, produit dont, justement, le besoin se faisait si cruellement sentir.

Le samedi, Walter, Jettel et Regina se rendaient aux bains-douches de la Merianplatz ou de la Hallgartenstrasse. Là, dans un vieil immeuble en briques, on pouvait se laver de la tête aux pieds dans des baignoires tout à fait conformes aux normes d'avant-guerre. Avant son séjour chez les Guggenheim, il ne serait jamais venu à l'idée de Regina que des personnes en bonne santé puissent prendre des bains pareils chez eux.

Depuis la réforme monétaire, les Redlich avaient une prédilection pour les douches plutôt que pour les bains jusque-là en faveur chez eux. Contrairement à Else, ce qui les attirait, ce n'était pas le but, mais le trajet. Pour se rendre à la Merianplatz, on suivait la Bergerstrasse, qui avait guéri de ses blessures avec une rapidité étonnante. Elle constituait le cœur du quartier de Bornheim, que ses habitants de toujours – personnages si enviés pour la richesse de leurs relations locales – appelaient de nouveau affectueusement, comme avant la guerre, leur « *Bernemer Zeil* ». Et elle était bordée de nombreuses petites boutiques, séduisantes messagères d'une prospérité imminente.

Au grand carrefour, depuis quinze jours, l'étalage du magasin de blanc proposait même, perdus au milieu des tissus, du fil à coudre et des aiguilles, ainsi que quelques bas nylon roulés dans des enveloppes merveilleusement transparentes ; quant à la vitrine de l'épicerie fine d'à côté, où, il y a quelques mois encore, ne trônait qu'une photographie jaunie montrant le personnel l'année de la fondation de la maison, elle offrait maintenant aux regards des chalands du café, du chocolat et une bonbonnière qui valait à elle seule le détour.

La quincaillerie ne proposait plus de cuillères en bois, encore moins de casseroles fabriquées avec l'acier de casques, mais des ustensiles de rêve, très chers, en métal flambant neuf. La fantastique mutation en cours était même visible dans l'entreprise de pompes funèbres, sur le trottoir d'en face : un cercueil en chêne massif avait remplacé les cadres sans photo, ornés d'un crêpe noir.

À la vue de pareilles splendeurs et, surtout, à l'idée qu'elles seraient accessibles un jour à la grande masse des « consommateurs normaux », les imaginations naguère endormies s'échauffaient et l'euphorie était en passe d'atteindre des sommets. Depuis la véritable révolution commerciale qui s'était emparée de Francfort, Jettel faisait preuve d'une humeur étonnamment pacifique lors de ces équipées familiales du samedi qui rappelaient les insouciantes excursions d'antan ; c'est à peine si elle se lamentait encore en pensant aux divers objets qu'elle ne possédait toujours pas. Et, lui arrivait-il d'évoquer l'avenir, elle s'abstenait de ses habituelles considérations sur le bonheur enfui et les trésors qu'ils avaient dû abandonner en Afrique.

Le premier samedi du mois d'août 1948 constitua une rupture douloureuse avec ce bel optimisme. Ayant brusquement fait halte entre un magasin de lits dont la vitrine proposait de sensationnels édredons et une laverie qui, depuis peu, n'utilisait plus de savon liquide mais bel et bien de la poudre Persil, Walter annonça que tout était prêt en vue de son installation comme avocat.

Il pensait avoir bien calculé le lieu et l'instant de sa révélation, et il posa en riant la main sur l'épaule de Jettel, comme s'il était en train de lui faire part d'une nouvelle heureuse et longtemps attendue. Mais Regina, n'osant même plus regarder sa mère, ferma les yeux.

Bien davantage qu'avant son séjour à Zurich où elle avait connu la légèreté que procure l'abondance, elle redoutait maintenant les feux rampants susceptibles de dégénérer brusquement en incendies. Ayant toutefois fini par lever les yeux sur sa mère, qui n'avait même pas encore repoussé le bras de Walter, elle perçut tout de suite le virage qui allait s'instaurer dans la vie de la famille. Pétrifiée, elle comprit que sa mère, pareille à un guerrier massaï s'apprêtant à livrer un combat décisif, s'était munie de flèches neuves.

– Je n'ai rien contre, dit Jettel avec calme, ça m'est égal. Mais où comptes-tu t'installer ? Il n'y a pas de bureaux, tu es au courant ?

– Je sais bien. Dans un premier temps, ce sera forcément dans l'appartement. Mme Wedel n'y voit pas d'objection. Je lui en ai déjà parlé. Elle me l'a même conseillé.

– Je ne marche pas dans l'affaire, et quand bien même je devrais moi-même mettre les clients à la porte, les uns après les autres. On n'ouvre pas un cabinet d'avocat dans un trois pièces.

– Il y en a beaucoup, aujourd'hui, qui débutent avec moins que ça.

– Mais ils n'ont pas d'enfant en bas âge à la maison. Max a besoin d'une chambre à lui.

– Jettel, après dix ans d'exil, tu ne peux tout de même pas exiger de conserver à tout prix une chambre d'enfant, alors qu'il s'agit de fonder une existence.

– Une existence, tu en as déjà une, et nous avons tout ce qu'il faut pour vivre.

– Quel dommage que tu ne m'aies jamais dit combien tu es heureuse, Jettel.

– Eh bien, je te le dis aujourd'hui. Je n'ai pas la folie des grandeurs. Je n'ai besoin que d'un peu de sécurité. Et il est absolument inutile de poursuivre cette discussion. Nous ne ferions que nous disputer.

Jamais encore, quelles qu'aient été les circonstances, Jettel n'avait tenté d'éviter un conflit. Peut-être en raison des grandes qualités de caractère et de courage qu'elle s'attribuait, les tempêtes qu'elle était en général la première à déclencher lui apparaissaient même comme les seuls éléments stables de son mariage – constat représentant d'ailleurs un des rares points d'accord entre Walter et elle.

Pour parvenir à ses fins, il avait besoin lui aussi d'une guerre ouverte, de paroles cinglantes et de reproches illogiques, besoin de l'entêtement de Jettel et des efforts de médiation et de conciliation de Regina. Jettel n'en resta pas moins sourde à ses prières comme à ses menaces et il se sentit également abandonné de sa fille quand elle lui dit :

– C'est drôle, toute ma vie j'ai dû faire des prières pour que tu conserves ton travail, et aujourd'hui tu en as un, mais tu n'en veux pas.

Ce fut une longue guerre silencieuse, une guerre éprouvante pour tout le monde ; dans la Höhenstrasse, le rideau de fer dont chacun parlait à l'époque passait entre la cuisine et le salon. Mais Jettel finit par s'apercevoir que sa nouvelle tactique, qui lui pesait beaucoup parce que trop contraire à son naturel volcanique, l'avait transformée en une prisonnière infiniment malheureuse, et c'est elle qui donna le signal tant attendu des négociations de paix.

Tout aussi soudainement qu'elle s'était murée dans le silence, elle se remit à parler avec Walter, à crier, à pleurer, à supplier, à le traiter de père indigne ; elle commença par le menacer de se suicider, puis de demander le divorce et enfin, avec des accents de triomphe, de retourner à Nairobi avec Max et d'y épouser un riche fermier anglais. Elle s'était attendue à tout, sauf à ce que Walter se mette à rire de soulagement et la prenne dans ses bras en disant :

– Dieu soit loué, j'ai retrouvé ma Jettel !

Boudeuse, mais flattée dans le fond, elle céda dans un soupir :

– Fais comme tu l'entends, ouvre ton foutu cabinet ici.

– S'il te faut un seul jour te passer de manger, lui promit Walter, je ne laisserai à personne le soin de faire tes valises.

Il fit aussi une promesse à Mme Wedel dont il pensait, à juste titre, qu'elle avait pris une part décisive dans le revirement tardif de Jettel :

– Dès que je le pourrai, je quitterai votre appartement afin que vous puissiez le réintégrer.

Début octobre, il ouvrait son cabinet et, une heure plus tard, accueillait déjà sa première cliente. Il s'agissait de la fille du marchand de tabac dont la boutique se trouvait au bas de l'immeuble. Elle désirait que son mari, porté disparu pendant la guerre, soit officiellement déclaré décédé, mais ne savait comment s'y prendre. Le soir, Walter posa sur la table de la cuisine ses premiers gains de travailleur indépendant : une livre de lard – denrée qui passait toujours pour la monnaie la plus sûre en cas de crise –, une demi-livre de café en grains et cinq paquets de cigarettes.

Sans vergogne, Jettel laissa libre cours à son enthousiasme et se refusa à toute discussion sur les événements récents ; bien que le lundi fût toujours le jour de l'ersatz, elle fit un vrai café, recommença enfin à fredonner *L'amour est enfant de bohème*, but deux tasses coup sur coup et déclara :

– Si c'est nécessaire, je peux aussi, à l'occasion, te rédiger une lettre. J'ai tout de même travaillé chez le meilleur avocat de Breslau.

– Sans oublier quand même qu'il me traitait de plus grand idiot de tous les temps, dit Walter, rayonnant, comme si Jettel avait eu l'habitude d'apprécier ses plaisanteries.

Max eut tôt fait de retenir le mot nouveau et, s'adressant d'abord à son père, puis à sa mère et enfin au policier peint sur son assiette, de leur lancer un vigoureux : « Idiot ! »

Ses progrès linguistiques, associés à une prise de conscience aiguë du caractère irrésistible de son charme, crûrent au même rythme accéléré que la clientèle, si bien qu'il finit par rendre à Jettel son statut de Cassandre infaillible en matière de catastrophes. Walter avait certes prévu qu'il lui serait difficile de travailler en paix dans un appartement où vivait un enfant de deux ans et demi à la curiosité toujours en éveil, mais il n'avait jamais envisagé que son fils manifesterait un tel enthousiasme pour les étrangers en général et la clientèle paternelle en particulier.

Max se contenta tout d'abord – quoique brièvement – de sacrifier à l'usage traditionnel chez les enfants de son âge, et, montrant ses jouets aux personnes sympathiques, de les attirer dans un univers d'innocence et de candeur. Mais, comblé d'aise par le miel de l'admiration générale, il entreprit – hélas très vite – de tester sur eux son vocabulaire quelque peu atypique. Il accueillait les clients soit d'une question rituelle : «Vous voulez demander le divorce?», soit d'un sobre constat : «Vous ne vous en tirerez pas comme ça!» et, à chaque tentative pour l'éloigner du cœur de l'action, il réagissait par des hurlements soutenus qui finirent par faire exploser l'environnement pourtant modeste que Walter avait imaginé de donner à l'exercice de sa profession. Jettel, pour libérer son appartement, n'aurait pu souhaiter meilleur allié que ce fils si déterminé. Walter abandonna la partie au bout de deux mois.

Au siège du barreau, il avait entendu parler d'un collègue recherchant un associé pour son cabinet, généralement considéré comme bien implanté et entouré d'une flatteuse réputation. Le docteur Friedhelm von Freiersleben, avocat et notaire, habitait Westend, un quartier autrefois renommé, et il reçut Walter dans une ancienne demeure bourgeoise de bel aspect, qui avait supporté la rigueur des temps récents avec autant de bonheur que son locataire principal. Lequel, assis dans un fauteuil en cuir vert foncé, devant un splendide bureau en acajou, et vêtu d'un veston de tweed chiné gris et blanc, déplut instantanément à Walter. Non seulement parce qu'il ressemblait à un colonel anglais, mais surtout parce qu'il avait l'habitude, commune également dans les milieux militaires britanniques, de dire «les vôtres» quand il parlait des Juifs.

Friedhelm von Freiersleben se montra au demeurant fort peu loquace au sujet de sa clientèle. Mais il fut excessivement disert pour évoquer les amis juifs que, à son grand étonnement et à son non moins grand regret, il avait – ne sachant trop comment – perdus de vue. Pensant à son fils et à ses hurlements, se rappelant qu'il avait besoin d'un meuble pour ranger ses dossiers, d'une machine à écrire, d'un téléphone et d'un peu de place pour une secrétaire, Walter fit taire sa fierté, son instinct et son dégoût et accepta l'invitation à venir avec sa femme boire un café le dimanche suivant.

– J'ai toujours eu pour principe de rencontrer l'épouse de mes associés, dit en riant Friedhelm von Freiersleben à Jettel, car une femme en dit plus sur un homme que bien des discours.

Il lui baisa la main, la complimenta – «une vision enchanteresse» –, lui parla du domaine de son père et lui raconta que ses sœurs, dès les années 1930, faisaient venir leur lingerie de Paris ; il l'invita dans sa résidence d'été de Kronberg et, au moment où ils prirent congé, il lui offrit une rose rouge à longue tige, la priant de veiller à ce que son « si excellent époux » prenne sans tarder, dans son propre intérêt, une décision positive.

Convaincu que sa femme avait succombé aux avances d'un homme dont il ne pouvait croire qu'il s'accorderait jamais avec lui sur un quelconque point important, Walter eut des crampes d'estomac sur le chemin du retour. Blanc comme un linge et tremblant de tout son corps, il fut obligé de s'appuyer contre le mur d'un immeuble devant l'Opéra en ruine, assuré qu'il était de ne plus pouvoir se regarder dans une glace sans rougir, dans le cas où il accepterait de s'associer.

Jettel, quant à elle, déclara que Friedhelm von Freiersleben avait le regard méchant, l'haleine mauvaise et qu'elle avait toujours eu une sainte horreur des roses rouges à longue tige. Elle ajouta que son café n'était qu'une infâme lavasse au goût de chicorée, preuve irréfutable que cet homme n'était qu'un imposteur.

– Toutes ces simagrées à propos de sa petite maison de campagne, expliqua-t-elle, non mais ! Il ne faudrait pas me prendre pour une idiote, comme le disait déjà ma mère. Je n'ai jamais entendu parler de Kronberg. Je parie qu'il n'y a pas d'endroit de ce nom. Si tu te mets avec un type comme ça, tu nous précipiteras tous dans le malheur.

Walter l'approuva d'un air si pitoyable qu'elle ne s'accorda même pas le plaisir d'abattre d'autres atouts et que, non dénuée d'un sincère sentiment de compassion, elle lui demanda :

– Pourquoi n'en parles-tu pas avec Maas ? Il est de Francfort. Peut-être qu'il connaît quelqu'un avec qui tu pourrais t'associer.

Ce fut l'une des rares occasions où Walter suivit un conseil de son épouse sans la contredire. Il le fit de surcroît avec reconnaissance et célérité. Karl Maas fut horrifié quand il apprit que Walter avait rendu visite à Friedhelm von Freiersleben ; il lui dit qu'il s'agissait d'un escroc douteux, expliquant qu'il avait été un antisémite passionné, partisan acharné des nazis à l'époque où personne ne les prenait encore au sérieux, mais qu'ils ne l'avaient pas admis dans leur parti à cause d'une arrière-grand-mère suspecte, originaire de l'Est de surcroît. Cela avait suffi pour que, à l'indignation générale, l'enquête des organismes de la dénazification blanchisse Friedhelm von Freiersleben, le déclarant

« non concerné ». Il était au demeurant sans un sou et, selon toute vraisemblance, ne resterait pas longtemps notaire.

– Vous êtes plus chanceux que raisonnable, ajouta Maas. En tout cas, vous n'auriez pas pu m'interroger à un moment plus favorable. Si le proverbe selon lequel chacun trouve chaussure à son pied ne ment pas, j'ai l'homme qu'il vous faut. Un avocat vient justement de s'installer dans la Neue Mainzerstrasse et il est probable qu'il ait bientôt besoin d'un associé. De quelqu'un de trop brave, honnête comme vous. Il s'appelle Fafflok et je suis sûr qu'il vous plaira. Il est originaire de l'Est lui aussi.

Et, de fait, les deux futurs associés avaient la même élocution, la même conception de l'intégrité et du devoir, de la tradition et de la responsabilité, le même humour alliant vigueur des mots et tendresse du cœur, la même retenue dans l'émotion et, si leurs regards venaient à se tourner vers la haute Silésie qu'ils avaient laissée derrière eux, c'étaient les mêmes paysages qu'ils voyaient, les mêmes habitants rudes et cordiaux.

Fritz Fafflok était grand et très mince, mais comme il se tenait les épaules courbées, il paraissait au premier abord plus petit qu'il ne l'était en réalité – une attitude qui, à elle seule, aurait pu résumer son credo dans la vie. En toute chose, il était un homme de modération, dont on ne pouvait soupçonner à première vue ni l'expérience, ni l'intelligence, ni la grande compétence professionnelle. Il avait des yeux qui trahissaient spontanément la bonté. Une certaine gêne, dénuée pourtant de toute gaucherie, dans sa manière de se mouvoir en révélait la modestie. La tolérance n'était pas un mot appartenant à son vocabulaire, mais elle était chez lui un besoin, un élément constitutif de son être. C'était un catholique qui respectait sa religion comme Walter respectait la sienne. Il était originaire de Katowice, connaissait Sohrau, l'École princière de Pless et Leobschütz. Il n'éprouvait aucune gêne à en parler comme du « pays ». Pour dire « samedi », il n'employait pas *Samstag*, mais *Sonnabend*, et, pour indiquer qu'il était trois heures et quart, il n'hésitait pas à dire qu'il était « un quart de quatre ». Sa femme achetait sa saucisse bouillie chez un *Fleischer* et non, comme les Francfortois, chez un *Metzger* et, quand elle désirait du chou frisé, elle ne demandait pas du *Wirsing*, mais du *Welschkohl*.

Lorsqu'ils étaient arrivés à Katowice, les Polonais n'avaient pas chassé Fafflok de chez lui car, après sa blessure à la fin de la guerre, il avait tenté de défendre devant la justice les malheureux que ses compatriotes avaient déportés ou réduits en esclavage. Walter n'avait pas besoin d'en savoir davantage. Karl Maas et Greschek mis à part, Fritz Fafflok était le premier Allemand de Francfort qui n'ait évoqué ni sa résistance intérieure, ni les nombreux amis juifs à qui il était venu en aide. Fafflok, lui, disait : « Je savais tout. »

Lors de leur première rencontre, ils parlèrent gâteau aux graines de pavot et carpes à la sauce brune, ils discutèrent de la mort de Breslau, d'excursions dans les monts des Géants et de l'époque où, en haute Silésie, on ne se souciait pas de l'origine des gens, où, parfois même, on ne savait pas précisément qui était allemand, polonais ou juif. Évoquant les trois doigts qu'il avait perdus à la guerre, Fritz Fafflok dit qu'à l'instant où il avait été blessé, une seule pensée l'avait tourmenté, celle de ne plus pouvoir jouer du violon.

Walter parla d'Owuor, son ami noir de la ferme d'Ol'Joro Orok, racontant comment il lui avait appris à accueillir leurs visiteurs d'un « Trou du cul ! » tonitruant et à chanter *J'ai perdu mon cœur à Heidelberg*. Le sourire aimable de Fafflok se mua en un rire mêlé de larmes, et il pressentit que les yeux humides de Walter, en dépit de tout ce qu'il avait pu dire sur les tourments de l'exil, étaient le signe que la blessure du départ d'Afrique n'était pas refermée.

Sans contrat ni cérémonies, ils décidèrent d'« essayer de travailler ensemble », sachant l'un et l'autre qu'ils étaient en train de sceller davantage qu'une simple association d'avocats. Évoquant sa rencontre avec Friedhelm von Freiersleben et expliquant que celui-ci avait pour principe de toujours « rencontrer l'épouse de ses futurs associés », Walter invita les Fafflok à venir dîner le dimanche suivant.

Sur le chemin du retour, il se rendit soudain compte qu'il avait davantage parlé de ses enfants que de Jettel. Mécontent et troublé, il se demanda comment une femme ayant fui, avec deux enfants, la haute Silésie jusqu'à Francfort, supporterait la nature exigeante de Jettel, ses plaintes perpétuelles, son refus des compromis, son amour de la provocation et aussi son habitude de faire état devant tout un chacun, sans aucune gêne, de leurs conflits conjugaux.

— C'est un si chic type ! expliqua-t-il à sa femme. Je souhaite vivement que tu lui fasses une impression favorable.

— J'achèterai du vrai roquefort français, on en trouve à nouveau depuis quelques jours.

– Jettel, je ne parle pas de ce qu'il y aura à manger.

– Comment le deviner ? En temps normal, tu ne parles que de manger.

Sans qu'il ait eu besoin de dire un mot, Regina fit une nouvelle fois à son père l'offrande de sa tête et de son cœur. Ayant revêtu, en dépit de ses manches bien courtes pour une journée de décembre aussi froide, la robe bordeaux ramenée de Suisse, elle s'exerça, devant la glace, à sourire sans aussitôt trahir une timidité maladive ; ensuite, elle baigna son frère avec beaucoup de soin, lui brossa les cheveux jusqu'à ce qu'il se mette à crier ; elle le calma en lui récitant un poème de Wordsworth et un sonnet de Shakespeare, mais aussi en lui fourrant un morceau de chocolat dans la bouche, puis elle l'enveloppa dans une serviette bleu clair parfaitement assortie à son teint. Enfin, son frère dans les bras, elle fit à son tour son entrée dans le salon, aussi fière qu'Else, un instant plus tôt, lorsque, vêtue d'un tablier neuf et exhibant la première permanente de sa vie, elle avait apporté la soupière sur la table.

Rendu euphorique par les douceurs chuchotées à son oreille et par la saveur du chocolat dans sa bouche, Max, en quête d'admiration, ne laissa à personne le soin de l'applaudir puis, observant un bref temps de silence, perché en position de force sur les hanches de Regina, il cracha, atteignant Mme Fafflok en plein front.

– Vous ne vous en tirerez pas comme ça ! déclara-t-il.

Mme Fafflok s'essuya le visage et dit en riant :

– À son âge, mes enfants aussi ne savaient que cracher.

Renversant par cette simple phrase les barrières dont Jettel s'était entourée, elle s'exposait à devoir subir les histoires que Walter redoutait tant. Tout excitée par l'attention qui lui était portée, Jettel raconta avec force détails que sa mère et tous les étudiants du cours de danse l'adoraient et que son mari avait été obligé, à Nairobi, de promettre qu'elle aurait une bonne.

– Sinon, je n'aurais jamais remis les pieds en Allemagne, expliqua-t-elle.

Après la soupe, Walter endura d'autres tourments quand Jettel, au beau milieu d'une conversation générale sur la difficulté des débuts à Francfort, posa ses couverts sur son assiette et affirma :

– Mon mari est particulièrement empoté dans la vie de tous les jours et, en plus, il est aussi têtu qu'une mule.

– Tous les hommes sont comme ça, l'approuva Mme Fafflok, expliquant que son mari était très lent, terriblement étourdi et perpétuellement en retard. Même à notre mariage, il n'est pas arrivé à l'heure !

Käthe Fafflok était une femme aussi déterminée et droite qu'intelligente et compréhensive. Bien que d'un naturel très différent de celui de son époux et bien que capable, contrairement à lui, de donner son avis même quand on ne le lui demandait pas, elle éprouvait un grand respect pour celui qu'elle appelait son «canaillou» et qu'elle exhortait à ne pas tacher sa cravate. Très disponible et réaliste, elle ne manifestait cependant aucune patience envers les gens qui s'apitoyaient sur eux-mêmes, se révoltaient contre le présent et transfiguraient leur passé.

Käthe Fafflok fit une grande exception en faveur de Jettel. Elle la trouvait belle, attachante et aussi capricieuse que, jeune fille, elle aurait aimé être. Le caractère autoritaire de Jettel ne la dérangeait pas, tant il correspondait à sa propre propension à s'affirmer quelles que soient les circonstances ; elle était avant tout suffisamment tolérante pour interpréter le manque de logique de Jettel comme un effet de sa spontanéité et pour trouver son caractère flegmatique inséparable de la grande confiance en soi qu'elle manifestait. Face aux problèmes d'un couple en difficulté, Käthe Fafflok devait s'avérer l'une des rares personnes encline à accepter de se placer aussi dans l'optique de Jettel ; les marques et les stigmates des années d'exil, si visibles chez les Redlich, lui inspiraient une profonde sympathie, mais elle ressentait surtout de manière très instinctive, au sein de ce couple, la force de liens beaucoup plus solides qu'ils ne paraissaient au premier abord. Le jugement sûr que Jettel se flattait de porter sur autrui – talent qu'il lui fallait sans cesse souligner à l'intention de son mari, mais aussi de Regina – était quelque chose de bien réel : décelant aussitôt la sympathie qu'on lui manifestait, elle n'hésita pas à la transformer en amitié, même s'il s'agissait d'une amitié entre deux femmes différentes à tant d'égards.

Ce fut une soirée pleine d'espoir, de gaieté et d'harmonie. Même Regina réussit à surmonter sa peur des étrangers. Emportée par ses rêves enivrants, elle parla de l'Afrique avec une telle insouciance qu'elle faillit trahir le secret qu'elle partageait avec son père et révéler qu'ils se mettaient tous deux à parler en swahili quand, au même moment, ils entendaient résonner les tambours et crier les singes dans les forêts d'Ol'Joro Orok.

Mais c'est Else qui gratifia les deux familles de leur premier souvenir commun. Alors que, hochant la tête, elle apportait sur une minuscule soucoupe quelques miettes du si précieux roquefort, elle annonça fièrement :

— Madame, ce qui était moisi, je l'ai enlevé.

Le 2 janvier 1949, Fritz Fafflok et Walter Redlich, les deux associés, ouvraient leur cabinet.

7

À voir le petit cercle de curieux s'élargir sans cesse, Regina conclut que les deux Volkswagen arrêtées, portières ouvertes, dans la Höhenstrasse, venaient juste d'entrer en collision. Elle était à dix mètres tout au plus de chez elle et elle n'avait aucunement l'intention de s'arrêter, ne serait-ce qu'en raison du pot à lait plein à ras bords qu'elle portait d'une main et du lourd cartable qu'elle tenait de l'autre. À cet instant, le conducteur d'un des véhicules attira son attention.

Bien que peu physionomiste en temps ordinaire, elle reconnut tout de suite cet homme étonnamment petit, à la chevelure noire ébouriffée et aux incisives en or. Elle l'avait vu à la synagogue à l'occasion des grandes fêtes. À la fin d'un office, il lui avait marché sur les pieds en sortant ; il lui avait d'abord souri, avant de lui tendre solennellement la main et de lui souhaiter une bonne nouvelle année. Il ne lui avait adressé, en hébreu, que les quelques mots appartenant à la tradition de cette fête.

Maintenant qu'elle le voyait devant sa voiture, très énervé, de plus en plus furieux, frappant de la main droite son aile défoncée et cherchant manifestement ses mots, Regina s'aperçut que l'homme parlait un très mauvais allemand. Quelque chose la fit s'immobiliser, et ce n'était pas seulement la solidarité spontanée avec un être humain qui, du seul fait de son handicap linguistique, n'était pas de taille à tenir tête à son adversaire. L'homme, dont l'accent indiquait sans doute possible qu'il était originaire de l'Est, l'émut parce que, petit et craintif comme il l'était, il donnait l'impression d'être à la fois incapable d'apprécier la situation et conscient de cette même incapacité.

Le conducteur du deuxième véhicule, un grand et robuste gaillard vêtu d'une de ces chemises bariolées, ornées de palmiers et d'oiseaux imprimés, qui étaient à la mode à l'époque, avait les poings sur les hanches et braillait. Le petit homme brun regarda plusieurs fois autour de lui, désemparé, leva les deux mains au-dessus de la tête, puis montra à nouveau l'aile de sa voiture en balbutiant nerveusement qu'il allait appeler la police. Il ne dit pas – ce qui frappa Regina d'emblée – «la police», mais «les policiers allemands».

Les fenêtres s'ouvraient dans les immeubles voisins et les gens disposaient des coussins sur les appuis. Si Regina s'était toujours étonnée de cette manière éhontée de faire le badaud, c'était seulement en raison de l'impudeur que révélait une curiosité si ostensiblement affichée. Ce jour-là, au spectacle de ces hommes tenant une cigarette ou un journal à la main et de ces vieilles femmes dont certaines étaient encore armées de leur chiffon à poussière, elle fut gagnée par une irritation qui tourna rapidement au dégoût. À la différence de situations analogues précédentes, elle crut lire cette fois de la méchanceté sur les mines avides de sensationnel. Le brouhaha grandissait.

Dans un premier temps, Regina ne parvint pas à distinguer si les deux protagonistes de l'accident étaient seuls à parler ou si les proches spectateurs donnaient déjà leur opinion. Mais, tout à coup, elle entendit, avec une netteté insupportable, l'homme à la chemise bariolée hurler :

– On aurait dû te gazer, toi aussi.

Dans un premier temps, elle n'en crut pas ses oreilles, mais le répit fut d'une brièveté impitoyable et il finit à l'instant où elle sentit la nausée la saisir à la gorge et le froid gagner ses mains. Elle eut l'impression qu'elle était déchirée par une douleur sans savoir de quelle partie de son corps secoué de tremblements elle provenait. Son premier mouvement fut de poursuivre son chemin tant que ses jambes en avaient la force, mais elle comprit qu'il était déjà trop tard pour fuir : elle était terrassée par la violence du choc, mais aussi par la honte de rester là sans réaction, comme s'il ne s'était rien passé, et de se taire comme si elle n'avait rien entendu.

Regina savait depuis longtemps qu'elle n'avait pas hérité de sa mère le courage de se révolter spontanément contre les vexations et les diffamations, mais jamais elle n'avait ressenti sa peur de la confrontation comme une forme de faiblesse ou, pire encore, de lâcheté. Elle s'était résignée à ne jamais exprimer son opinion à la légère ou sans y avoir été invitée, estimant que cette habitude n'était que la conséquence de son éducation anglaise ; elle en éprouvait même une certaine fierté qui, croyait-elle, la rendait invulnérable. Mais une simple phrase venait de lui ôter son assurance et de briser sa dignité.

En dépit de l'état de surexcitation où elle se trouvait, c'est sans illusions qu'elle leva les yeux en direction de leur appartement. Elle espérait que sa mère serait à la fenêtre. Le besoin d'appeler Jettel et de s'en remettre à elle pour se défendre devint douloureux, lui affolait le cœur et lui brûlait les yeux. Avec terreur, elle sentit qu'elle n'arriverait pas à lutter longtemps contre les larmes ; elle n'avait plus en tête que le désir de se réveiller dans les bras protecteurs de sa mère, comme au sortir d'un mauvais rêve. Elle était sur le point de capituler quand elle vit son père.

Il faisait face à l'homme à la chemise bariolée. Terrorisée et perdue comme elle l'était, il lui parut très petit et très faible ; pourtant, et cela la stupéfia, il parlait d'une voix puissante :

— Répétez un peu ce que vous venez de dire ! criait-il.

— Je le dis à qui veut l'entendre. On est en démocratie, tout de même. Des types comme ça, dans le temps on les gazait.

— Je vais porter plainte contre vous, dit Walter.

Il était à présent d'un calme total. Enfant, Regina l'avait souvent vu ainsi, quand il se savait perdu mais qu'il refusait de céder au désespoir.

L'homme aux larges mains regarda un instant par terre, à ses pieds, comme à la recherche d'un appui, mais il releva vite la tête et, les yeux aux aguets, redressant les épaules, il demanda :

— Qu'est-ce que vous en avez à foutre de ce youpin ? Pourquoi vous vous mêlez de ce qui ne vous regarde pas ?

— Parce que je suis aussi un de ces youpins qu'il aurait fallu gazer. Et je sais aussi comment on fait pour porter plainte contre des porcs de votre espèce. Vous n'avez pas de chance, je suis avocat.

Regina se sentit poussée vers son père avec la même force qu'auparavant vers sa mère. Elle courut vers lui, son pot à lait toujours à la main, et elle s'aperçut à cet instant seulement qu'elle était de nouveau en état de respirer, de voir, de ressentir, et que les badauds, ces masques de haine et d'indifférence, s'étaient volatilisés.

Il ne restait plus que le petit homme aux cheveux noirs et – à quelques pas et des années-lumière de lui – le géant à présent tout ratatiné. Walter, le chapeau repoussé sur la nuque, les lèvres serrées, debout entre les deux, relevait en silence les numéros d'immatriculation. Regina vit des perles de sueur sur son front. Elle laissa tomber son cartable et lui prit la main.

— J'étais là, j'ai tout entendu, chuchota-t-elle.

— Je suis navré, Regina. J'aurais préféré que tu ne voies pas ça. Viens, on ne peut pas rentrer à la maison dans cet état. On va s'asseoir un petit moment sur le banc là-bas, ça vaut mieux. Ce qui s'est passé là ne regarde pas ta mère.

Assis parmi les arbres et les rosiers en fleurs de la large allée, épuisés, anéantis par leur colère, ils furent incapables de parler pendant quelques minutes. Ils n'osaient même pas se regarder.

— Je suis navré, Regina, répéta Walter, j'aurais voulu t'épargner ça. J'ai toujours espéré que tu n'aurais pas à vivre ce genre de choses. Jusqu'ici, tu ne savais pas que cela existait, n'est-ce pas ?

— Si. Il y a longtemps que je le sais. Seulement, d'ordinaire, ça se passe autrement.

— Comment ça, autrement ?

— C'est plus discret, moins odieux.

— Je suis heureux que tu ne sois pas comme ta mère.

— Elle est courageuse. Pas moi.

— Si, tu es courageuse. Mais pas de la même façon.

— Je ne sais pas, qu'est-ce qui t'a fait t'arrêter ?

— J'ai tout de suite vu que cet homme était juif.

— Moi aussi, dit Regina.

Elle sentit le tremblement dans le corps de son père et, malgré son désir de n'en rien faire en un tel moment, elle pensa à leur dernière journée en Afrique, quand, assis tous les deux sur le sol de la cuisine, ils avaient pris congé d'Owuor. Ses oreilles s'ouvrirent toutes grandes, trop vite : « Ton père est un enfant, disait la voix d'Owuor, il faut que tu le protèges. » Bien qu'ayant encore les yeux humides, elle réussit à sourire à nouveau et se sentit capable d'entretenir chez son père les rêves auxquels il ne parvenait pas à renoncer.

— On fait un joli couple, dit Walter, assis là comme deux enfants désobéissants qui n'osent pas rentrer à la maison.

— Et pourtant nous n'avons rien fait. Ce sont les autres.

— Ce sont toujours les autres, les fautifs.

— Autrefois, j'aurais appris une aussi jolie phrase par cœur, dit Regina en soulevant du sol le pot à lait, car il lui était venu à l'esprit que sa mère avait besoin du lait et qu'elle allait lui demander des explications.

Mais son père lui posa la main sur le bras.

— Attends encore un peu. Je voudrais que tu me promettes quelque chose.

— Je te l'ai déjà promis. Je ne dirai rien à maman.

— Il s'agit d'autre chose. Promets-moi de n'épouser qu'un Juif, le moment venu.

— D'où te vient soudain cette idée ?

— Ça ne date pas d'aujourd'hui, Regina. Tu vas avoir dix-huit ans cette année. Il y a longtemps que j'aurais dû t'en parler. Seulement, des jours comme aujourd'hui, je me rends compte que je ne le supporterais pas.

— Tu ne supporterais pas quoi ? demanda Regina, tout en sachant parfaitement de quoi il retournait.

— De penser qu'à l'occasion de je ne sais quelle dispute un homme en vienne à traiter ma fille de sale Juive. Je me demande parfois pourquoi tu ne sors jamais avec un jeune homme.

— À cause de ça, justement, répondit Regina, gênée.

Le dîner, ce soir-là, consista en une salade de pommes de terre aux harengs, à la pomme et aux cornichons, qui accompagnait une saucisse à l'ail achetée chez le nouveau boucher de la Bergerstrasse. En lieu et place de dessert, on se borna à constater une fois de plus que les Francfortois n'avaient décidément aucune idée de ce qu'était une bonne salade de pommes de terre et qu'ils n'entendaient de toute façon rien à la cuisine. Ce jour-là cependant, contrairement aux usages bien établis, Jettel fut obligée d'attirer elle-même l'attention sur ses performances culinaires car, fit-elle remarquer non sans quelque réprobation, Walter était dans la lune et sa fille avait mal à la tête, un mercredi, comme un fait exprès.

Depuis un bon moment déjà, le mercredi était devenu une journée particulière, puisque arrivaient les hebdomadaires illustrés qu'envoyait le club de lecture *Daheim*. Chacun commençait par se plonger dans la lecture de son journal préféré, puis, pour finir, Walter lisait à haute voix le roman-photo à l'eau de rose ; il faisait exprès de mal accentuer certains mots, si bien que Jettel et Regina étaient prises à tout moment d'un fou rire contagieux, car Else, ne s'apercevant pas des intonations moqueuses de Walter, l'écoutait avec recueillement, avant de conclure invariablement : « On se sent si bien ici, tous ensemble, c'est comme chez nous, à la ferme. » Toutefois, en cette fin de journée mouvementée, Regina remarqua pour la première fois que la triste héroïne du roman était une jeune fille qui, pour complaire à son père, un homme de la noblesse, devait choisir contre son cœur et obéir à son devoir.

Et c'est aussi ce soir-là que lui apparut avec plus de netteté encore le sens profond de ces invitations toujours plus fréquentes à la maison de retraite juive. Elles étaient souvent le fait de personnes ayant reçu la visite d'un parent de l'étranger, et même son père ne les connaissait que vaguement. Jusque-là, il avait toujours donné à ces visites des justifications fort compliquées et peu convaincantes, expliquant qu'elles étaient liées à ses nouvelles fonctions au sein de la présidence de la communauté juive. Désormais, au seul étonnement de Jettel, il annonçait sans aucun embarras et sur un ton d'assurance qui excluait toute objection : « Allons-y ! Un mari pour Regina vient de se manifester. »

Plus que de devoir décliner les invitations de ses camarades d'école le dimanche, et ce sans même pourvoir fournir d'excuse, ce qui irritait Regina, c'était d'avoir été aussi naïve avant cette fameuse conversation avec son père.

Pendant des mois, elle n'avait pas remarqué que les étranges après-midi autour d'un café, où elle s'ennuyait autant que son frère de quatre ans, relevaient d'une tradition juive, et elle n'aurait jamais supposé que telles traditions puissent se perpétuer au sein d'une famille libérale comme la sienne. Ni la tolérance de son père, ni les très romantiques conceptions de l'amour et du mariage qui, chaque mercredi, se manifestaient chez sa mère au travers de ses lectures n'empêchaient les deux époux d'exhiber leur fille comme une vache primée sur un marché à bestiaux. Elle en était à la fois stupéfaite, furieuse et désemparée.

Les hommes qu'on lui présentait, presque toujours plus âgés qu'elle, l'auraient même émue s'il lui avait été donné de vivre comme certaines de ses camarades, libre de quitter ses parents indépendamment de toute tradition familiale, libre de sentiment de culpabilité et toute à la sereine insouciance et à l'optimisme que confère l'inexpérience. La plupart de ces prétendants venaient de pays où il était manifestement aussi difficile de contracter des mariages juifs que dans l'Allemagne de l'après-guerre ;

quant aux personnes venues d'Angleterre ou d'Amérique, on avait affaire à des gens privés de contacts sociaux parce que vivant dans des petites villes sans communauté juive.

Ces représentants d'une génération déracinée se ressemblaient de manière terrifiante ; ils étaient en effet tous des rescapés de l'enfer, victimes d'une persécution qui les avait chassés de leur terre natale, tous fermement décidés à redonner vie à leurs espoirs assassinés, à leurs rêves de vigueur, de jeunesse et de famille.

Ils avaient des yeux mélancoliques qui s'accordaient mal avec la manière impudente dont ils faisaient fi des conventions ou des règles de la politesse : dans un mélange de mauvais allemand et d'expressions yiddish, ils parlaient de leur destin tragique, annonçant sans la moindre gêne qu'ils recherchaient une femme capable et travailleuse, et que le plus tôt serait le mieux. Le seul problème était que Regina, dans son innocence, ne s'était pas du tout préparée à l'idée qu'elle deviendrait un jour la proie de chasseurs solitaires.

En un mois, on vit apparaître un négociant du Chili, un fermier de Nouvelle-Zélande, deux représentants de commerce américains et le propriétaire d'une épicerie des environs de Liège. Le négociant du Chili était particulièrement pressé. Il donna un coup de fil dès le dimanche soir, demandant si Regina avait pris sa décision et s'il pouvait réserver une place pour elle sur le bateau.

Dans l'affaire, Regina perdit courage, humour et contenance. Max pleurait avec elle et criait : « Je vais divorcer. » Jettel traitait son mari d'idiot sans cœur. Walter, contraint et forcé, finit par avouer que, pour assurer l'avenir d'une fille à qui il avait transmis ses propres idéaux d'indépendance et de fierté, il ne souhaitait pas recourir à des rites vieux comme l'Ancien Testament. Sur ces entrefaites, il n'accepta plus d'invitations venant de la maison de retraite. Mais il n'en persista pas moins, bougon et obstiné, à parler de la responsabilité qui lui incombait de marier Regina avant qu'elle ait l'occasion de tomber amoureuse d'un homme qui ne soit pas juif.

— Nous ne sommes tout de même plus au Moyen Âge, tentait de le raisonner Regina. Je n'aurais jamais pensé que tu serais un jour si pressé de me voir partir de la maison.

— Mais je ne le suis pas, avoua Walter, je n'arrive même pas à m'imaginer ce que serait la vie sans toi.

– Alors pourquoi toutes ces manigances ?

– Si seulement je le savais. Owuor le disait bien : ma langue est plus rapide que ma tête.

Bien que cette conversation soit provisoirement restée sans conséquences, elle fit du bien à Regina, car Walter avait évoqué Owuor juste au bon moment. Elle avait du même coup pu se souvenir de son enfance et, surtout, se rappeler que son père n'avait jamais été homme à se résigner et à patienter. Elle fit la paix avec lui, car elle prit conscience qu'il souffrait d'un sentiment de culpabilité dont il ne parlait même pas avec elle. Il ne se pardonnait pas d'avoir amené Regina dans un pays où elle n'avait aucune chance de se marier avec un Juif, tout en lui ayant arraché la promesse de ne pas épouser quelqu'un qui ne soit pas juif.

La communauté juive de Francfort n'était pas très nombreuse, si bien que les personnes respectueuses des traditions et par conséquent obligées de recourir à l'entremise matrimoniale eurent tôt fait de flairer où s'offrait une chance de succès. Regina se vit successivement présenter le propriétaire d'un café sur le célèbre boulevard de la Zeil, un veuf débrouillard qui venait d'ouvrir sa deuxième baraque de saucisses, un marchand de ferraille bossu mais qui avait foi en l'avenir et possédait une automobile, enfin le propriétaire d'un magasin de mode dont Jettel était littéralement entichée parce qu'il vendait des vêtements qu'elle ne pourrait s'offrir avant bien longtemps. Le prétendant qui eut les faveurs de Walter était un rabbin de Brême dont il supposait qu'il avait au moins le niveau d'instruction requis pour épouser sa fille. Avec le flegme qui l'habitait désormais, Regina fut sur le point de trahir le secret des petits pains au jambon de George Guggenheim. Mais elle se contenta de dire :

– Alors fais en sorte t'arrêter de fumer, si tu veux fêter sabbat avec mon mari et moi.

Walter rit de bon cœur, comme à une excellente plaisanterie – et Regina acquit la certitude qu'il était las de la comédie qu'il jouait. Ses derniers doutes quant à un éventuel double jeu s'évanouirent lorsqu'elle constata qu'il n'oubliait jamais de tenir son fils de quatre ans au courant des évolutions du marché matrimonial et qu'il racontait à qui voulait l'entendre combien il avait ri quand Max, à la synagogue, avait tiré par la manche un jeune homme plongé dans ses prières, lui demandant : « Est-ce que tu veux épouser ma sœur ? »

Vers la fin de l'année 1950, Regina sentit qu'elle était enfin libérée aussi des menaces extérieures de se voir imposer un mariage et qu'elle n'aurait plus à subir l'humiliante expertise de ses mérites et de la fortune de son père. Même les entremetteurs les plus zélés ne trouvaient plus de candidats. Avec plus de force que jamais, l'ancienne connivence faite d'allusions cachées, d'entente complice, de sentimentalité et d'ironie refleurit alors entre père et fille. Regina arrivait même de nouveau à rire quand Walter lui disait: «Tu vas rester vieille fille et tu t'occuperas du ménage de ton frère.»

Aussi est-ce sans faire appel au reste de méfiance laissé en elle par ces événements somme toute assez récents qu'elle accueillit la déclaration paternelle:

– J'ai fait la connaissance de quelqu'un de Mayence qui a appartenu à la même corporation étudiante que moi et je l'ai invité chez nous vendredi soir.

C'était déjà l'époque où, toujours en quête de contacts susceptibles de lui réchauffer le cœur, il découvrait presque chaque semaine des personnes originaires de Leobschütz, de Sohrau ou de Breslau, quand ce n'étaient pas des camarades de corporation installés à l'étranger qui, de passage à Francfort, annonçaient leur visite.

Il rejeta avec énergie les objections de Jettel selon qui il invitait sans cesse des inconnus, n'occasionnant ainsi pour elle que du travail supplémentaire. Ces hôtes, avec qui il pouvait parcourir, comme s'il n'avait jamais sombré, le monde d'hier toujours présent à son esprit, lui apportaient un certain épanouissement: ils étaient l'unique confirmation que ses rêves avaient été exaucés.

Le docteur Alfred Klopp ne ressemblait pas aux invités habituels, avec lesquels Walter pouvait converser, sa femme ou sa fille beaucoup moins. C'était un homme d'environ quarante-cinq ans, extrêmement avenant, calme, courtois, dont il sautait aux yeux qu'il était satisfait de son sort et qu'il vivait dans l'aisance. Caché par de bons amis, il avait survécu aux persécutions antijuives en Hollande et, après la guerre, il s'était très vite installé comme pédiatre dans sa ville natale de Mayence.

Il raconta qu'il n'avait pas de famille, mais sans dire qu'il voulait en fonder une; il parla de ses patients, des livres qu'il aimait et de la peinture flamande, déclarant que, depuis son séjour en Hollande, elle était pour lui un morceau de patrie. Regina le trouva fascinant et très sympathique. Il fit la conquête de son cœur en s'entretenant avec son frère comme s'il n'était venu que pour lui.

Un peu angoissée, elle déplora en silence l'ironie du sort et, avec une promptitude inhabituelle, s'avoua que si cet homme pensif, dont la profession et la culture l'impressionnaient tant, avait fait son apparition lors d'un de ces horribles après-midi dominicaux de la maison de retraite, elle l'aurait épousé sur-le-champ. Elle n'attendit pas la fin du repas pour remplacer son pull-over gris aux manches rapiécées par un corsage rouge neuf, relever ses cheveux, et se servir du rouge à lèvres ainsi que du fond de teint de Jettel ; elle se surprit à espérer que le docteur Klopp lui accorderait autant d'intérêt qu'à son frère.

Mais, revenant dans la pièce, elle entendit sa mère déclarer :

– Ma Regina est vraiment une fille en or. Une ménagère accomplie et si attentionnée envers son petit frère ! Tout le monde m'envie ma fille. Elle est excellente couturière.

Regina, qui réparait ses ourlets décousus à l'aide d'épingles à nourrice et qui, sur deux continents successivement, avait réduit au désespoir ses professeurs de travaux manuels, comprit immédiatement de quoi il retournait. Elle devint aussi rouge que son corsage et fut heureuse de réussir sans trembler à tendre le plat de légumes au docteur Klopp. Celui-ci était totalement absorbé par son bœuf en daube et il paraissait tout à coup embarrassé et distrait.

Elle tenta de lui sourire, mais, Jettel ayant entrepris d'expliquer que Regina n'hésitait jamais à se relever la nuit quand son frère la réclamait, elle n'eut pas le loisir de lui répondre quand il la questionna sur son séjour en Suisse.

– L'homme qui épousera ma Regina sera un sacré chanceux, dit Jettel, riant avec autant de coquetterie que si elle avait fait partie du gros lot que cet hôte se devait de ne laisser échapper à aucun prix.

Sitôt le repas terminé, le docteur Klopp prit congé, avec une certaine brusquerie et un grand embarras. Il venait de se souvenir qu'il avait encore à rendre visite à une petite patiente et à s'acquitter de « quelques travaux écrits urgents ». Debout devant la porte, ayant déjà enfilé son manteau et mis son chapeau, il fit, de la main, un signe d'adieu à Max.

– Fais une révérence, Regina, dit Walter.

– Tu ne pouvais pas mieux t'y prendre pour lui signifier que j'étais trop jeune pour lui, reprocha-t-elle un peu plus tard à son père avec rage.

Si, au moins pendant la première partie du repas, le docteur Klopp s'était révélé un convive d'un commerce très agréable, il ne donna plus jamais signe de vie. Regina lui garda néanmoins de la reconnaissance. Sans lui, elle aurait mis beaucoup plus de temps à découvrir que son père ne redoutait rien davantage que le moment où il devrait céder sa fille à un autre homme.

— Tu n'as pas la moindre envie que je me marie, lui reprocha-t-elle.

— Par ce qui m'est le plus cher au monde, c'est faux.

— *Bwana*, tu mens comme un singe.

— Oui, mais c'est de ta faute.

— Pourquoi ?

— Tu as volé mon cœur, *memsahib*, soupira Walter en imitant la voix d'Owuor.

8

En tournant la petite manivelle et en passant la main par la vitre ouverte, Max pouvait attraper le vent au sifflement léger et s'en faire un gant de toilette transparent pour se rafraîchir la figure. Il lui suffisait de tourner insensiblement la tête d'un côté, puis de l'autre, pour que les arbres aux troncs épais et ronds deviennent aussi minces que, au bout de cinq jours, le célèbre Pierre l'Ébouriffé qui refusait obstinément de manger sa soupe. Avec leur chapeau vert, ces mêmes arbres s'envolaient dans le ciel bleu pour aller gratter les nuages blancs comme du savon en poudre. Mais, le plus souvent, Max restait sagement assis à côté de son père, le regardant à travers le rideau noir de ses longs cils. Le gigantesque miracle roulait toujours. C'était comme dans les contes auxquels croient les enfants stupides. Mais c'était mille fois mieux – et aussi vrai et aussi doux – qu'au petit déjeuner le grand lac de confiture de fraise sur la tartine.

Max avait été le premier à apprendre que son père était devenu un riche géant, capable de klaxonner d'une main et, de l'autre, de donner au levier de changement de vitesse des ordres que celui-ci devait exécuter sur-le-champ à grand renfort de hurlements. Monté sur un cheval d'or, un géant de cette taille aurait pu sauter par-dessus les maisons et grimper jusqu'au soleil. Il aurait pu, dans un avion en argent pur, s'envoler pour la lune et en revenir, mais il n'avait pas besoin de ce genre de combines, car il était assis dans une grande et magnifique auto avec des garde-boue en tôle rouge foncé et des vitres en verre étincelant.

Le géant aux cheveux très bruns et ondulés, dont les traits étaient identiques à ceux de son père la veille encore, chantait *Les eunuques pleurent, assis dans le harem*, puis *Qui va payer tout ça ?* et enfin *Gaudeamus igitur*. De sa bouche sortaient de petites bulles d'écume. Entre les chansons et de puissants hourras, le roi des géants lâchait le volant et claquait des mains. C'était chaque fois un coup de tonnerre très bref, mais cinglant. Quand il ne chantait pas, ne klaxonnait pas ou ne claquait pas des mains, il criait à en faire trembler les vitres :

– Cette auto nous appartient, à moi et à mon fils chéri.

– Et pas à Regina ? demanda le puissant fils de son père.

– Les femmes n'ont pas d'auto. Mais elles peuvent y monter si elles sont sages.

– Mais alors, pourquoi Regina n'est pas venue avec nous ?

– On n'a pas besoin de bonne femme quand on étrenne une voiture. Ça porterait malheur.

– Qu'est-ce que ça veut dire « étrenner » ?

– C'est ce que nous sommes en train de faire. Nous roulons pour la première fois dans notre propre auto. C'est une affaire d'hommes, un point, c'est tout.

– Juste toi et moi, dit Max avec satisfaction, moi et toi, et la vache tombée du toit.

– La vache du toit, on ne l'emmènera pas. Un avocat n'a que faire de vaches. C'est du passé. C'est uniquement dans ma vie d'avant que je me suis occupé de bœufs.

– Tu as eu une première vie, papa ?

– Je pense bien, mon fils. J'étais une petite souris grise qui avait peur de tous les chats.

– Et maintenant, conclut Max, tu es le chat botté !

– Qu'est-ce que tu racontes ? Je suis avocat et notaire.

– Moi aussi, je serai avocat et notaire. Avec un grand bureau et beaucoup de clients.

– Tu as raison, petit Max, mon fils.

Le carrosse enchanté était une Opel *Olympia* usagée, un modèle d'avant-guerre essoufflé, plus ou moins bien remis de nombreuses blessures. Walter l'avait achetée d'occasion à un client qui, en pleine et vertigineuse ascension sociale, avait voulu changer de monture et avait flairé l'aspiration de Walter à davantage de mobilité. Le tout s'était fait à une allure dont la voiture n'était plus capable depuis des années.

Depuis ce jour mémorable, la vaillante petite Opel dotée de pouvoirs magiques symbolisait le triomphe d'un homme qui, ancien prisonnier d'une ferme en Afrique, rêvait d'un âne et d'une selle quand, tremblant de fièvre, il avait besoin d'un médecin. Le géant chanteur et son fils chéri entre tous firent halte entre Königstein et Kronberg. Assis dans un pré en velours vert, ils mangèrent des pommes de terre et du pain qui étaient en réalité de la pâte d'amandes et du praliné, fumèrent des cigarettes en vrai tabac et en chocolat, et décidèrent que l'auto s'appellerait « Susi Opel ».

Max, qui allait au jardin d'enfants catholique de l'Eichwaldstrasse et qui manifestait un grand intérêt pour les mystérieuses histoires que sœur Ela tirait du fond des poches de sa robe noire, voulut baptiser Susi Opel avec trois gouttes de la liqueur de myrtille dont il avait trouvé une petite bouteille dans la boîte à gants.

– Les juifs ne se font pas baptiser, l'instruisit son père, les autos juives non plus. Tâche de ne pas l'oublier.

– Jamais ! promit Max.

Dans une vie où les miracles étaient à nouveau admis, l'Opel rouge modestement tapie devant la maison se métamorphosait en une héroïne rayonnante. Quand elle prenait les virages et grimpait les côtes en ahanant, elle devenait, pour le père et le fils, une amante incomparable. Pour faire pâlir les mirages de la nouvelle mode féminine – jeunes filles minces et maquillées, vêtues de jupes longues, perchées sur des talons aiguilles claquant à chaque pas –, il suffisait de jeter un seul coup d'œil dans son rétroviseur. Walter prêtait moins l'oreille aux fiers prophètes du miracle économique, qui faisait déjà gonfler les comptes bancaires et pousser les immeubles, qu'au crissement des pneus et au toussotement du moteur. Pour lui, ces derniers célébraient sur tous les tons un rêve auquel il avait si longtemps cru et qui avait à présent pris une forme si visible que Jettel avait cessé de regretter le salaire assuré d'un juge.

La clientèle des avocats Fafflok et Redlich grandissait si vite qu'au tribunal plus personne ou presque ne se risquait à parler d'un ton distrait et condescendant des « deux têtes de mule de l'Est » ; on disait au contraire avec respect, et souvent une pointe d'envie : « Ils ont réussi leur coup. »

Outre son ardeur au travail et son excellence professionnelle, sa ténacité et son sens commercial aiguisé, Fafflok avait apporté dans la corbeille de mariage son ancienne dactylo de Katowice, une femme à la poitrine opulente, la perle des secrétaires. La dot comportait aussi et surtout deux industriels originaires de haute Silésie qui avaient d'énormes besoins en actes notariés. Walter n'eut tout d'abord à offrir que son énergie, sa vivacité d'esprit et sa rapidité d'action, sa passion pour un métier qu'il avait adoré et jamais oublié, mais aussi la frénésie avec laquelle il reprenait possession de ce que ses années d'exil lui avaient dérobé.

Très vite, les clients vinrent aussi consulter Walter en personne : Juifs installés à l'étranger qui espéraient toucher des indemnités pour leurs maisons et leurs commerces confisqués ; d'autres encore qui s'étaient retrouvés à Francfort après avoir perdu dans les camps de concentration leur famille, leur santé et les fondements mêmes de toute existence, mais qui connaissaient encore le mot « justice ».

Les réfugiés de la haute Silésie venaient également en foule. Même les tambours de la forêt d'Ol'Joro Orok n'allaient pas plus vite pour annoncer un conflit entre tribus ou un feu de brousse que les Haut-Silésiens pour répandre avec ravissement la rumeur qu'au 60 de la Mainzerstrasse, dans un bureau d'avocats, se trouvait un homme accueillant dont l'idée du droit n'avait d'égale que sa bonté. Il parlait la même langue et avait le même humour que ceux qui – bien plus tard que lui – avaient perdu leur pays natal, leur foi et leurs biens. N'ayant rien oublié de sa destinée de proscrit spolié, il ne se contentait pas, comme sa charge l'exigeait, de conseiller, il compatissait aussi. Aucune des affaires qui lui étaient soumises ne lui paraissait trop anodine, aucune pour laquelle il refuse de donner le meilleur de lui-même. Cet homme au tempérament volcanique et coléreux dont les yeux trahissaient la générosité, savait surtout combien le fait d'aller en justice et de recouvrer sa dignité est important pour quiconque a été un jour humilié. Quand les indésirables venus de l'Est étaient traités de « canailles de Gitans » et de « fripouilles de réfugiés » et qu'ils étaient accusés de délits infamants et déshonorants, Walter, loin de calculer à part soi que ce genre de litiges ne lui rapporterait que de maigres honoraires, était saisi de la même sainte colère qu'eux.

La nouvelle s'étant répandue que Walter écrivait presque toutes les semaines une lettre pour son ami Greschek de Marke, afin qu'aucune plainte ne reste sans suites, nombreux furent ceux qui eurent à leur tour le courage de se défendre contre les provocations des possédants. Avec l'humilité des exclus, ils arrivaient des petits villages des environs où on les avait exilés pour repartir du cabinet la tête haute.

Bien qu'en cette période d'essor économique cet usage soit passé de mode, Walter acceptait toujours d'être payé en nature, comme il l'avait jadis accepté de la part des paysans du district de Leobschütz. Pour les réfugiés, qui vivaient à la campagne et pouvaient se fournir à bon compte dans les fermes, sacrifier des aliments était moins douloureux que se priver d'argent ; certains avaient d'ailleurs déjà de petits magasins. Walter ressentait comme une contrepartie tout à fait normale de son travail les légumes, les pommes de terre, les oies et les lapins qu'on lui apportait ; ce pouvait être aussi du bois pour fabriquer une table pour le salon, des jouets bon marché en fer-blanc, des coupons de tissu ou des couvertures. La seule chose qui lui importait, c'était qu'on puisse répartir en parts égales entre Fafflok et lui les marchandises qui s'empilaient dans son bureau.

De temps à autre toutefois, avec patience et sans que ce soit toujours de son propre chef, Fafflok attirait l'attention de son associé sur la nécessité de payer le loyer, les assurances, le salaire du personnel de secrétariat – Mme Fischer, l'ex-dactylo de Katowice, s'était vu adjoindre un apprenti – et de subvenir à divers besoins autres que ceux de la cuisine et du ménage. Le jour où Fafflok apporta à sa femme une sixième nappe provenant du même magasin de linge de Friedberg que les précédentes, elle l'engagea vivement à réagir. Premier acte de résistance qui fut suivi de bien d'autres, de plus en plus fréquents.

Encouragée par cette révolte, Jettel finit par se rallier elle aussi à la mutinerie, lasse de voir la même boutique ne cesser de les fournir, sa fille et elle, en tabliers et en corsages qui étaient loin de répondre aux canons, pourtant modestes, de l'époque et qui, par-dessus le marché, étaient taillés dans le même tissu que les nappes. Sur ces entrefaites, le désir d'une voiture étant devenu impérieux, Jettel n'aurait pu choisir meilleur moment pour faire renoncer Walter à son amour du troc.

Susi Opel, au demeurant, permettait d'emprunter des voies nouvelles pour rétablir de forts liens affectifs avec la haute Silésie. Rares étaient les dimanches qui ne voyaient pas Walter s'embarquer dans l'auto avec Jettel, Regina, Else et Max pour – l'espace de quelques heures – retrouver la patrie perdue. Ces escapades dans un passé transfiguré les menaient à Bad Vilbel ou à Kleinkarben, à Friedberg, à Bad Nauheim, dans des villages difficiles à repérer sur une carte, voire dans certaines fermes hébergeant des réfugiés.

À peine la rumeur s'était-elle répandue que « maître Redlich » et les siens étaient a.rivés qu'on organisait à l'improviste de petites fêtes qui tournaient rapidement à la commémoration nostalgique. Il y avait toujours des gâteaux aux graines de pavot, d'autres aux grains de pâte sablée qu'on appelait des *Streuselkuchen*, des montagnes de crème fouettée et du « vrai café » ; jamais ces agapes ne manquaient de « schnaps de derrière les fagots », de concombres aux graines de moutarde et de harengs hachés menu, le *Heringshäckerle* préparé selon les bonnes vieilles recettes de famille. Le jus et la purée qui accompagnaient le rôti ne s'appelaient pas comme à Francfort *Sauce* ou *Kartoffelbrei*, mais *Tunke* et *Stampfkartoffeln*. Les haricots verts étaient servis avec un assaisonnement aigre-doux et des raisins secs, « comme chez maman », et quand « maître Redlich » annonçait sa venue, il y avait même sur la table des pieds de veau cuits au four et de la cervelle, car nul n'ignorait que la raison profonde de ses escapades à la campagne était son goût pour les spécialités du « pays ».

C'était ce que Walter croyait lui aussi. Jettel et Regina, en revanche, n'étaient pas dupes. Elles découvrirent très vite – et elles en furent d'autant plus affectées qu'elles ne s'étaient jusque-là pas fait part de leurs doutes – que ces visites dominicales n'avaient pas pour objet d'apporter un doux réconfort à un estomac toujours mal remis d'avoir perdu une patrie. Ce qu'il venait soigner ici, c'étaient les blessures du cœur.

Seuls les ex-habitants de Leobschütz et, mieux encore, ses amis de jeunesse de Sohrau lui permettaient de s'immerger sans retenue, libre de tout préjugé et de toute inquiétude, dans un monde auquel il était bien obligé de croire, au risque, sinon, de perdre la conviction confortable qu'il avait eu raison de revenir en Allemagne. Quand, avec autant de naturel que si le père et la sœur de Walter s'en étaient allés pour un simple voyage d'agrément et avaient oublié d'envoyer de leurs nouvelles comme promis, les gens de Sohrau lui demandaient ce que les siens étaient devenus, il accueillait la question comme une manifestation de sympathie à l'égard de son destin.

Arrivait-il que ses interlocuteurs, ayant appris de sa bouche l'assassinat de son père et de sa sœur, l'interrogent avec étonnement : « Mais pourquoi?», ajoutant avec autant d'innocence que de stupéfaction: «C'étaient pourtant de si braves gens!», jamais il ne cédait à l'impatience, jamais il ne manifestait de gêne ou de défiance. Les gens de Leobschütz venaient-ils à s'enquérir d'anciens concitoyens juifs, il ne laissait même pas transparaître l'idée qu'il leur était tout de même difficile d'ignorer le sort de ceux qui n'avaient pas émigré à temps. Bien que, au moins depuis son exil en Afrique, il ait méprisé la fuite dans l'illusion et dans les effusions pernicieuses, il perdait tout sens de la réalité dès qu'il se retrouvait en présence de gens évoquant pour lui les images et les sons du pays natal.

Durant ces heures où chaque gorgée de schnaps lui mettait du baume au cœur, Walter ne se demanda pas une fois pourquoi les Haut-Silésiens auraient justement été les seuls à ignorer ce qu'il était advenu de leurs voisins. Jamais il ne douta ni de leur franchise, ni de la sincérité de leurs indignations; jamais ne lui vint l'idée que ses chers «pays et payses», comme tant d'autres dans l'Allemagne d'après-guerre, avaient pu eux aussi avoir un passé qu'ils taisaient. Tant qu'il n'avait pas la preuve du contraire, Walter créditait généreusement chacun d'un passé irréprochable et il n'éprouvait pas le besoin de savoir ce qui était susceptible d'affaiblir sa foi en la bonté des hommes.

Il avait la conviction inébranlable que, pour transmettre à sa fille et à son jeune fils – qui avait déjà l'accent de Francfort – l'image d'une Allemagne convenable, il n'y avait pas de meilleur endroit que ce petit monde geignant et pleurnicheur de gens qui avaient souffert comme lui de l'injustice et du bannissement. Il fut profondément affecté quand Regina lui demanda: «Mais les synagogues de Leobschütz et de Sohrau n'ont donc pas brûlé?», et il entra dans une rage épouvantable quand, au retour d'une excursion dominicale qu'il avait trouvée particulièrement émouvante, Jettel lui dit: «Ce n'est pas du tout le même genre d'histoires que Greschek m'a racontées.»

Mais ce fut Max qui, d'une seule question, dissuada son père de continuer à partir toutes les semaines à la recherche de sa patrie perdue. Étant tombé amoureux à la synagogue – spontanément mais durablement – d'une beauté de son âge, une fillette toute frisée, avec de grands yeux et un visage rond de poupée, il demanda à son père, non sans un certain reproche dans la voix: «Tu ne savais donc pas qu'il y avait des enfants juifs à Francfort?»

Ce fut une des rares circonstances où Walter n'arriva pas à répondre avec franchise à un fils auquel il avait fort tôt fourni des explications très complètes sur la persécution et l'émigration des Juifs.

La ravissante enfant, déjà aussi intelligente que coquette, pleine d'assurance au demeurant, s'appelait Jeanne-Louise; elle fit la conquête de Max grâce à ses chaussettes blanches, à une élégance toute parisienne et à une invitation à venir la voir pour sabbat, accompagnée de la promesse qu'il pourrait manger autant de chocolats fourrés qu'il le voudrait et même caresser son chien. Le père de Jeanne-Louise, francfortois de naissance, exerçait à nouveau, depuis un an, sa profession d'avocat dans sa ville natale et il était en passe de devenir quelqu'un de très riche. Walter n'avoua ni à son fils ni à quelque autre membre de la famille qu'il savait tout cela depuis un bon bout de temps.

Alors qu'il rentrait avec sa femme et sa fille de son exil en France et qu'il regagnait la ville où beaucoup le connaissaient encore d'avant et où son arrivée ne passa pas non plus inaperçue aux yeux de beaucoup d'autres, cet homme avait fait demander à Walter, par l'entremise d'un ami commun, s'il voudrait travailler avec lui. La chose s'était passée six mois après son association avec Fafflok. Walter avait donc décliné l'offre de Schlachanska et il lui avait été immédiatement rapporté que celui-ci avait déclaré: «Cet imbécile venu d'Afrique s'en mordra les doigts. Il a perdu toute chance de mettre du beurre dans ses épinards.»

Vexé, indigné et quelque peu envieux aussi des succès rapides d'un homme qui n'avait pas à lutter pour connaître la victoire, Walter évita tout contact d'ordre privé avec lui, bien qu'il ait siégé au conseil de la communauté juive et qu'il lui ait plu énormément, en tout cas au sein de cette instance. Avec sa moustache, qui donnait plus de douceur encore à son visage rond et lisse, Josef Schlachanska n'attirait pas seulement l'attention par sa corpulence, étonnante dans la mesure temps où la faim sévissait encore peu de temps auparavant. Tout, en lui, était démesurément baroque, ses manières triomphantes comme son physique. Il suscitait l'adhésion à sa personne par une ironie acérée, un grand humour et un équilibre soigneusement calculé entre comique, moquerie et autodérision, sans parler de son énergie et de son tempérament de colosse.

Il possédait au plus haut point le sens des affaires et de la spéculation qui convenait à l'époque, mais que Walter tenait pour peu digne de leur condition commune. Avocat, il avait un don d'acteur prodigieux, qualité que Walter désapprouvait aussi, la jugeant non compatible avec leur profession, mais qui lui permettait de faire fureur, ne serait-ce qu'en raison de sa manière théâtrale et définitive de récuser un juge pour sa partialité. En de telles circonstances, il donnait l'impression d'un guerrier qui n'hésiterait pas à jeter ses cent vingt-cinq kilos dans la bataille pour les droits de ses clients.

En compagnie de Francfortois, Josef Schlachanska parlait la même langue placide et crue, et faisait les mêmes plaisanteries qu'eux, leur donnant aussitôt la certitude qu'il était des leurs. Quant aux Juifs originaires de l'Est, qui le prenaient spontanément pour conseiller, comme s'ils avaient attendu depuis des années qu'il s'installe en tant qu'avocat, il leur épargnait les arguties, les réserves et les subtilités juridiques trop typiquement allemandes à leur goût. Walter n'était capable ni de l'une ni de l'autre attitude.

Toujours prêt à passer des compromis avec la morale séculière et n'en faisant pas mystère, ce qui le rendait d'autant plus sympathique, Josef Schlachanska était par ailleurs un homme pieux. En dépit de tout ce qu'il avait vécu avec sa femme, caché durant deux ans chez un couple de jeunes médecins parisiens, ne se risquant à sortir quelques minutes dans la rue qu'une fois la nuit tombée, il ne doutait pas d'un Dieu qui avait pourtant permis qu'on assassine les siens par millions.

Son père avait été professeur au Philanthropin, la célèbre école juive de Francfort; son frère, directeur d'une école juive de Cologne, avait quitté l'Angleterre où il avait trouvé refuge pour regagner l'Allemagne juste avant le début de la guerre et il avait été déporté en même temps que ses petits protégés. Pourtant, tout comme Walter, Schlachanska s'était rendu compte qu'en sa qualité de juriste il ne pourrait exercer sa profession qu'en Allemagne. Il parlait de retour, mais jamais de patrie.

On mangeait cascher chez les Schlachanska, la fille recevait une éducation strictement religieuse; la famille au grand complet ne manquait pas un office. Quand, à la synagogue, revêtu de son manteau de prières blanc, il chantait de sa chaude voix de basse et que la ferveur illuminait son visage, c'était lui et non le chantre que chacun écoutait et regardait.

Il avait assez de grandeur d'âme pour reconnaître ses torts et, ne niant pas avoir tenu des propos brutaux envers Walter, il s'en excusa avec charme, qualité qui, autant que sa philanthropie, avait le don de subjuguer ceux qui l'approchaient. Une fois la glace rompue entre les deux hommes, il tendit les deux mains à Walter. Rendre à autrui un peu de la surabondance qui lui était nécessaire pour vivre était chez lui un besoin, pratiquer l'hospitalité une passion.

Fin connaisseur des usages locaux, Schlachanska ne se contenta pas très longtemps du logement qui lui avait été attribué dans le modeste quartier de Nordend, au retour de son exil parisien. Il emménagea bientôt dans un appartement de six pièces en enfilade, qui, doté d'une vaste terrasse, donnait sur l'élégante Eysseneckstrasse, sortie quasiment indemne de la guerre. C'était une somptueuse résidence, avec des lampes et des lustres de cristal splendides, des fauteuils en peluche de laine et de lourds meubles aux teintes foncées. Schlachanska avait de la porcelaine française et des tableaux représentant des motifs juifs dans des cadres coûteux ; il employait une bonne, une nurse et faisait preuve en toute chose d'un goût pour le faste qui s'accordait bien avec le caractère imposant de ses apparitions publiques. Dans le registre de l'épate, il ne connaissait ni inhibitions ni limites ; mais, compte tenu de sa générosité, on tolérait sa vanité et ses manières princières tout aussi naturellement que le bon peuple les accepte de la part d'un souverain aimé.

Si, après une première invitation, il réussit à en faire accepter une deuxième par Walter, le plein mérite en revint aux fameux chocolats fourrés que sa fille avait promis à Max et qu'il enfournait sans vergogne dans la gueule baveuse de son setter Seppel, comme s'il n'avait jamais souffert de la faim ou frôlé la mort. Avec sa manière crue de dire les choses et de porter des jugements, attitude qui – au-delà de tout ce qui les opposait – présentait quelque similitude avec le tempérament de Walter, il fit sauter les barrières entre eux avec la rapidité et la détermination d'Alexandre le Grand tranchant le nœud gordien.

Pour Max, Josef Schlachanska était l'incarnation de tout ce qu'il aspirait à devenir un jour : un géant riche, puissant et superbe, propriétaire de la plus spacieuse des voitures de Francfort, une Maybach. Cet ami des enfants, qui savait faire rire comme un clown et changer le monde comme un magicien, puisait sans retenue dans les montagnes de friandises posées sur de grands plats brillants, et il lui suffisait de claquer des mains pour que tout le monde exécute ses ordres. Ce jour-là, un après-midi de sabbat, assis en pyjama rayé dans un fauteuil à oreilles recouvert d'un tissu à fleurs, il obligea un garçon de cinq ans à choisir pour la première fois de sa vie entre deux fidélités. Or l'innocence et la modestie à laquelle son père l'exhortait chaque jour ne tardèrent pas à baisser pavillon. Et si le train électrique manœuvré par le chauffeur portait une part indéniable de responsabilité dans le succès de la tentative de corruption, celle de la Maybach fut écrasante.

Max fit alors valoir avec fermeté ses droits à jouer avec Jeanne-Louise plutôt qu'à se morfondre au milieu d'adultes inconnus échangeant des amabilités et des larmes. Dès lors, pour Walter, Jettel et Regina, les invitations pour le sabbat devinrent une institution aussi établie que l'avaient été, jusque-là, les visites aux Haut-Silésiens. Au début, Jettel fut surtout heureuse de n'avoir plus à faire cuire qu'un seul gâteau au lieu des deux du week-end et à ne plus avoir à s'occuper de rien jusqu'à l'heure du dîner. Elle fut toutefois la première à établir le contact avec Mme Schlachanska et à voir en elle autre chose qu'une femme prétentieuse, sans cesse tourmentée par le désir d'un train de vie plus luxueux encore.

Mina Schlachanska était aussi vaniteuse et imbue d'elle-même que son mari mais, ne possédant ni son charme ni surtout son humour, elle donnait l'impression d'être renfermée et hautaine. S'intéresser à autrui relevait chez elle davantage du devoir religieux que du besoin. Sa tolérance, vertu de toute façon peu développée chez elle, s'était encore étiolée durant les années où avaient plané sur elle la menace de la mort et la crainte quotidienne d'une déportation en Allemagne. Depuis, son indulgence n'allait qu'à l'espèce de volcan dont elle partageait l'existence et qui, avec sa générosité et sa bonne humeur coutumières, lui permettait de profiter sans réserve d'une abondance et d'une richesse nouvelles.

Son élégance innée et sa manière de souligner combien elle avait été à bonne école en France, pour ce qui était du goût et de la mode, étaient une véritable provocation en un temps où ses concitoyens ne se risquaient qu'avec beaucoup d'hésitation à de premiers pas sur le chemin menant de la misère à la normalité. Pour elle, habits miteux et sentiments vils allaient de pair, et elle considérait la pitié condescendante des possédants envers les démunis comme l'expression d'un intérêt sincère pour le destin d'autrui. Sa raison critique n'épargnait personne, sauf elle-même. À ses yeux, l'étiquette, les conventions et la tradition avaient de l'importance, mais l'aisance et la sécurité dont elle avait été si longtemps privée primaient tout.

Elle était d'origine modeste et, toute jeune fille, avait fait connaissance de son mari en Italie; bien que divorcé, elle l'avait épousé aussitôt, soumettant ainsi à rude épreuve ses conceptions de la morale et du mariage, avant de s'enfuir avec lui en France où elle avait été internée au camp de femmes de Gurs quand la Wehrmacht avait envahi le pays. Elle parlait très peu de cette période dont elle avait gardé des blessures inguérissables, préférant encore raconter comment elle avait dû vivre deux longues années cachée avec son mari et comment celui-ci, à la Libération, avait travaillé dans une conserverie de poissons à Paris.

Mina Schlachanska était obsédée par l'idée qu'il lui fallait rattraper ce que la vie lui avait dérobé. La notion de simplicité lui était devenue étrangère, en particulier pour ce qui était de l'éducation de sa fille qu'elle habillait avec une élégance trop voyante et qu'elle ne laissait pas jouer avec des enfants pauvrement vêtus. Elle considérait le luxe comme un droit pour une femme qui n'avait pas souhaité revenir dans le pays de ses persécuteurs.

Walter admirait certes son ardeur au travail, sa discipline de vie, son sens de la dignité, son amour sans réserve pour son mari et le perfectionnisme dont elle faisait preuve dans sa tenue d'un ménage fort dispendieux, mais il ne manifestait pas à son égard la tolérance qu'il inculquait à ses enfants. Il lui tenait en effet trop rigueur d'un matérialisme qui, dans son esprit, rendait les gens durs et envieux.

— Ne raconte donc pas de bêtises, lui disait Jettel. Qui peut savoir ce que je serais devenue s'il m'avait fallu en passer par là où elle est passée?

— Je ne t'aurais pas laissé tomber, Jettel. Et depuis quand existe-t-il au monde un être qui ait traversé de pires épreuves que toi?

— Cette femme est bonne.

— Qu'est-ce qui te fait dire ça?

— Mon sens de la psychologie. Toi, tu en es totalement dépourvu. Ma mère le disait déjà.

Ce qui mettait Walter le plus mal à l'aise, c'était d'imaginer que le style de vie des Schlachanska puisse susciter l'envie de ses enfants et leur inspirer la folie des grandeurs. Il y avait certes belle lurette que Max avait cessé de s'enticher des chaussettes blanches et des souliers vernis de Jeanne-Louise, limitant son admiration à sa chambre d'enfant, à ses jouets coûteux, à la Maybach de son père et au chauffeur qui portait la serviette de son patron jusqu'à la voiture.

Regina, en revanche, eut tôt fait de soulager son père de la crainte qu'elle puisse se laisser aveugler par les apparences et que cela lui nuise durablement. Josef Schlachanska l'ayant un après-midi dévisagée d'un air pensif avant de déclarer: «Une fille comme ça ne devrait pas passer son bac en Allemagne, il faudrait l'envoyer en Angleterre ou en Israël pour qu'elle puisse y trouver un mari», elle considéra désormais tout ce qu'il disait et faisait avec le regard sceptique et méfiant qui lui était habituel. Elle fut d'ailleurs la seule personne à qui Walter confia: «Tu sais, ton père ne sera jamais aussi riche que Schlachanska. Mais, en revanche, il jouit d'un très bon sommeil.»

Aussi vit-elle dans ses réactions quasi incompréhensibles d'amour-propre à l'antienne favorite de Schlachanska: «On ne loge pas dans un appartement réquisitionné, et encore moins s'il est dans la Höhenstrasse» un tour du destin particulièrement ironique.

9

– Jettel, par tout ce qui m'est le plus sacré, crois-moi. J'ai fait sept semestres de droit et j'ai passé mon doctorat. On n'a pas besoin d'un chapeau neuf pour aller chez le notaire.

– Ne fais donc pas sans arrêt le malin. Je travaillais déjà chez un notaire alors que tu vivais encore aux crochets de ton père.

– Pourquoi, alors, tout ce cirque ?

– Je croyais qu'aujourd'hui j'allais devenir propriétaire.

– La maison sera mise à ton nom, c'est tout. C'est la manière habituelle de procéder quand on exerce une profession libérale. Par ailleurs, tu te retrouveras en bien meilleure posture quand tu m'auras enterré.

– Mais c'est toi-même qui as dit qu'il s'agissait d'un grand jour.

– Le plus grand jour de notre vie depuis notre départ forcé de Leobschütz, Jettel. La naissance de notre fils mise à part, bien sûr.

– Tu vois bien ! Crois-tu que Mme Schlachanska, un jour pareil, se promènerait avec un vieux chapeau ?

– Mme Schlachanska mettrait un chapeau neuf même pour faire un serment déclaratoire d'insolvabilité. Mais nous devons à présent être un peu plus regardants pour ce qui est de l'argent. Il vaudrait mieux que tu m'écoutes, moi, plutôt que Mme Schlachanska.

– Si on n'a même pas de quoi se payer un chapeau, tu n'iras pas loin dans tes projets de reconstruction.

– *Nos* projets de reconstruction, Jettel.

Le chapeau était bleu clair, avec une voilette blanche à pois minuscules sous laquelle la peau de Jettel luisait du même doux éclat que son vieux corsage, œuvre du couturier indien de Nairobi. Walter ayant qualifié le chapeau d'«effroyablement beau» et ayant éclaté de rire malgré son courroux, il s'en fallut d'un cheveu que Jettel ne l'accompagne pas chez le notaire. La réconciliation rapide qu'exigeaient les circonstances n'eut pas lieu avant la salle d'attente de Friedrich, avocat que Walter connaissait depuis l'époque de Breslau, quand ils préparaient ensemble leur examen chez le «colleur» Wendriner. Mais le collègue de Walter mit une flamme dans les yeux de Jettel et la rendit quasiment euphorique, lorsque, loin de se contenter de lui baiser la main, il accompagna son bonjour de ce compliment:

– Quel chapeau ravissant, chère madame. Une véritable idylle printanière. Comme il est merveilleux que nos femmes n'aient pas oublié l'art de nous entraîner dans l'empire des rêves!

– J'avais très tôt constaté, Friedrich, que vous étiez aussi bon poète que juriste, se souvint Walter, et si vous continuez à tourner la tête de ma femme, j'ai bien peur qu'elle ne me laisse pas mettre les pieds chez elle.

Dans les moments où il s'abandonnait à ses états d'âme, Walter avait le sentiment que l'entrée d'un nouveau propriétaire juif dans la maison de la Rothschildallee, large avenue plantée d'érables, était un juste retour des choses, voire une réparation providentielle.

Son aversion pour l'excès d'imagination – qui, à l'âge qui était maintenant le sien, lui apparaissait comme un danger – le préserva cependant de tout parallèle incongru et l'empêcha d'accorder une importance démesurée à cette coïncidence.

Depuis la fenêtre de son salon, Walter avait souvent contemplé ce bâtiment endommagé par la guerre, car il était informé du sort tragique de ses propriétaires; il avait appris qu'il était à vendre au moment même où, enfin décidé à honorer la promesse jadis faite à Mme Wedel, il se mettait à la recherche d'un autre logement.

De la rue, on accédait à cette maison de rapport, bâtie au tournant du siècle, par un portail en fer forgé; la bâtisse, dotée de hautes fenêtres et de balcons massifs qui, bien que criblés d'éclats de bombes, témoignaient encore de la fierté bourgeoise et de la confiance en soi d'une génération, avait en revanche perdu son toit et son étage supérieur. Dans la langue de l'époque, les deux étages encore habités étaient qualifiés de «bien juif abandonné». À la fin de la guerre, le terrain et l'immeuble avaient été confiés à la Jewish Restitution Successor Organisation, qui veillait à ce que la nouvelle République fédérale n'empoche pas les intérêts des crimes commis par l'ancienne Allemagne.

Walter travaillait, en tant que conseiller et notaire, pour cette organisation et, grâce à sa patience et à son opiniâtreté, grâce aussi à l'intervention énergique de Josef Schlachanska, il avait réussi à la convaincre de lui céder à un très bon prix cette maison qui avait appartenu à un couple juif, les Isenberg, assassinés à Auschwitz sans laisser de descendance.

Sitôt après l'emménagement des Redlich chez elle, Mme Wedel avait informé Walter du sort des Isenberg, ajoutant que l'immeuble du numéro 9 avait été la première victime des bombardements dans la Rothschildallee et que les gens, en sous-main, se disaient que c'était une punition de Dieu.

Dès qu'il s'était ébruité que Walter allait acheter la maison, tant de voisins l'avaient abordé, désireux de lui parler du sort des Isenberg, «ces gens vraiment très comme il faut et qui n'y étaient pour rien», que même lui, qui hésitait si longtemps avant de condamner quiconque, commença à entrevoir que la déportation des citoyens juifs de Francfort n'avait pas pu passer aussi inaperçue qu'on le prétendait généralement après la guerre.

– Je suis curieuse de savoir combien vont maintenant venir me raconter qu'ils ont terriblement souffert quand on a arrêté les Isenberg, remarqua Jettel ce jour-là.

Walter approuva d'un signe de tête. Même s'il n'avait pas été d'accord avec elle, il ne l'aurait pas contredite. Dès le début de l'après-midi de cette journée si importante pour eux, il avait perdu toute énergie et toute envie d'entrer en conflit avec sa femme. Dans le cabinet de maître Friedrich, il avait fallu les efforts conjugués de Friedrich, de Fafflok et de Walter pour la décider à accomplir les indispensables formalités légales. En effet, ayant appris que Walter n'allait pas acheter l'immeuble comptant et que cela n'était de toute façon pas l'usage, elle s'était saisie avec fureur de son sac à main avant de déclarer au trio de juristes interloqués :

– De toute mon existence, je n'ai jamais fait de dettes et ce n'est pas aujourd'hui que je vais commencer.

– Sans toi, Jettel, nous serions tous en prison pour dettes, répondit Walter.

Un perroquet bleu au grand bec cria par deux fois «Hélas!», tandis qu'un singe minuscule mangeait une banane, démontrant à sa manière combien la vie avait changé: trois ans auparavant, il ne serait venu à l'idée de personne qu'il puisse un jour y avoir assez de bananes à Francfort pour en donner à des singes.

Walter et Jettel étaient assis au café Wipra, sur le boulevard Liebfrauenberg, et, une fois de plus en ce lieu précis, se retrouvaient d'accord sur un point important pour l'un comme pour l'autre: il n'y avait que là qu'on pouvait manger du vrai gâteau aux graines de pavot; le propriétaire de l'établissement et sa femme étaient des Silésiens et, contrairement aux Francfortois, ils étaient partisans d'une double mouture pour les graines qu'ils faisaient de surcroît ramollir dans du lait avant cuisson. Avec ses plantes vertes en fleurs – certaines étant même des plantes tropicales –, ses oiseaux, ses singes et de nombreux autres animaux qui semblaient se trouver si bien en cage qu'ils inspiraient aux consommateurs incrédules des idées de vacances et des envies d'exotisme, le café Wipra était particulièrement apprécié des enfants; Walter et Jettel s'y rendaient assez souvent en couple. En ce jour à marquer d'une pierre blanche, Walter avait eu envie non seulement de gâteaux aux graines de pavot, mais aussi de ces fameuses bombes de Liegnitz, si difficiles à digérer; Jettel, elle, avait ressenti le besoin d'exhiber son chapeau neuf dans un établissement où rares étaient les femmes à se risquer tête nue.

Jettel dégusta deux portions de crème fouettée avec son gâteau; pour finir, Walter se commanda un double cognac et, pour sa femme, une liqueur aux œufs qui la mit de si bonne humeur qu'elle essaya de fumer une des cigarettes de Walter. Tous deux se souvinrent au même instant qu'elle en avait fumé une pour la dernière fois lors d'une excursion qui les avait menés de Leobschütz à Jägerndorf et qu'elle avait alors déjà toussé aussi fort.

Les temps de disette n'étaient pas encore assez reculés pour qu'on ressente comme un fardeau un estomac trop chargé. Manger plus qu'à sa faim émoussait les aspérités de l'existence. Le sentiment de plénitude conférait de la douceur à Jettel et rendait Walter songeur. À peine eurent-ils le temps de faire un détour par Leobschütz qu'ils se retrouvèrent en Afrique.

La faute en revint à Walter qui, s'étant trop longtemps plongé dans la contemplation du singe enfermé dans une cage devant la petite table en marbre à laquelle ils étaient assis, se retrouva vulnérable. Il pensa d'abord à la ferme d'Ol'Joro Orok, puis se rappela comment l'Indien Daji Jiwan avait construit la maison en rondins de cèdre fraîchement coupés. Son nez n'enregistra tout d'abord que l'odeur du bois, mais il l'entraîna bien plus loin, jusque devant le feu brûlant dans la cheminée ; Owuor était en train de le nourrir en soufflant dessus, avant de se relever très lentement et de regarder autour de lui d'un air satisfait. Quand l'image eut enfin perdu ses couleurs, Owuor se mit à chanter *J'ai perdu mon cœur à Heidelberg*. Sa voix portait jusqu'aux huttes au bord de la rivière. Walter sentit sa nuque se raidir et le cognac lui brûler la gorge.

– C'est drôle, soupira-t-il. À la ferme, je savais au moins de quoi j'étais inquiet.

Il prit peur à l'idée qu'il allait s'attirer une réponse de Jettel et que la petite guerre qui s'ensuivrait obligatoirement gâcherait cette belle journée. Pourtant, à sa grande stupéfaction, elle lui prit la main et la serra.

– Sur nos vieux jours, nous finirons par former un couple d'amoureux, dit-il en riant, et, tout compte fait, ton chapeau me plaît bien.

Les semaines suivantes, Jettel continua à lui apparaître sous un jour nouveau qui le comblait d'aise. Sous le prétexte maintes fois invoqué qu'il « s'agissait après tout de sa maison », vêtue dès le petit matin comme si elle avait rendez-vous avec le maire, elle fit de la rénovation du 9 de la Rothschildallee son affaire personnelle. Portant un chapeau et les gants en dentelle blanche sans lesquels une dame ne saurait se montrer dans la rue, elle foulait les gravats du chantier avec la combativité et l'assurance d'une amazone, armée de l'ancienne coquetterie qui avait à ce point subjugué tous les jeunes hommes du cours de danse qu'ils n'avaient plus d'yeux que pour elle dans la salle de bal.

Avec ses revendications, ses suggestions et ses flots de larmes inopinés, elle mettait l'architecte en rage. Elle l'apaisait tout aussi rapidement en usant de séduction, en l'approvisionnant de gâteau aux cerises et en lui racontant des histoires fascinantes sur son expérience de maître d'ouvrage à Ol'Joro Orok. Elle allait chercher les artisans jusque dans leurs ateliers, les désarmant par son tempérament exubérant. Elle les ensorcelait d'un sourire innocent, les gagnait à sa cause en alternant plaintes, promesses de goûter à ses prouesses culinaires, appels imaginatifs au sens de l'honneur traditionnel dans le bâtiment. C'était d'ailleurs là une tâche absolument nécessaire, car Walter, une fois de plus, avait succombé aux charmes des usages qui prévalaient avant la réforme monétaire : il avait confié les travaux à des menuisiers, des plombiers, des peintres, des fumistes, des électriciens et des couvreurs qui ne lui avaient pas réglé ses honoraires d'avocat et la perspective de devoir travailler pour s'acquitter de leurs dettes les mettait de fort mauvaise humeur ; seules les apparitions aussi nombreuses que déroutantes de Jettel chez eux parvenaient à leur faire mettre le pied sur le chantier.

La maison, de trois étages à l'origine, en comptait désormais quatre. On aménagea dans l'étage supérieur deux petits appartements. L'un était réservé à Greschek qui, chaque semaine, écrivait depuis Marke qu'il ne supporterait pas un jour de plus sa vie de réfugié et de proscrit dans un village où il était sans cesse exposé à des soupçons révoltants, quand ce n'était pas à des voies de fait, et qu'il n'avait pas d'autre souhait que de reprendre son ancien métier.

– Greschek n'a pas travaillé de toute sa vie, disait Walter, il a toujours fait travailler les autres pour son propre compte. Mais il faut qu'il arrive à quitter ce maudit village. Il y meurt à petit feu. Nous allons lui offrir le poste de concierge. Il n'aura pas de loyer à payer et Grete fera le peu de travail qu'il y aura à faire.

Le seul fait de penser à l'ardeur au travail et à l'efficacité de Grete donna un nouvel élan à Jettel. Elle avait déjà songé avec quelque inquiétude qu'un appartement de cinq pièces serait trop grand pour une seule bonne, surtout pour Else qui ignorait tout des sophistications qu'imposait à une famille désireuse de tenir son rang l'essor impétueux d'une miraculeuse prospérité. À l'idée de pouvoir bientôt compter sur l'infatigable Grete Greschek, sans parler de sa fidélité et de son dévouement, il lui sembla qu'allaient revenir les temps heureux où, à la ferme, il y avait pour chaque tâche un homme aux bras vigoureux.

Durant ces journées où l'avenir gagnait en importance sur le passé, seules les pensées de Regina suivaient un cours inverse. Quand, l'après-midi, on l'envoyait sur le chantier avec des gâteaux, des sandwiches et une bouteille Thermos de café et qu'elle voyait s'élever le toit, elle constatait avec quelle troublante clarté le flot des images continuait à bouillir en elle. Sans cesse, elle revoyait en pensée l'époque de la ferme, les jours heureux où elle avait vu s'édifier sa chère maison d'Ol'Joro

Orok. Juste avant que le toit ait été recouvert, elle avait escaladé une dernière fois la mince poutre qui menait jusqu'au faîte.

Ainsi appuyée aux murs encore rugueux de la maison de Francfort, elle retrouvait ses neuf ans et son ivresse heureuse d'enfant entourée d'êtres rieurs et pacifiques, d'odeurs et de sons enchanteurs ; elle voyait luire la neige sur le lointain Mount Kenya, elle sentait la fraîcheur de la terre rouge après le début des grandes pluies et elle entendait les tambours qui parlaient de la maison neuve du nouveau *bwana*. Pire encore : elle entendait sa propre voix rouler depuis la montagne jusqu'à la vallée quand, de joie, elle s'était écriée : « Il n'y a rien de plus beau qu'Ol'Joro Orok. » Et elle savait que rien, depuis, n'avait changé pour elle et que sa nostalgie ne se laisserait jamais endormir.

– Maintenant, lui dit Walter en contemplant le petit jardin, devant la maison, avec le lilas qui avait résisté aux bombes, maintenant tu as une maison paternelle.

Regina revit en pensée l'album photo, avec sa couverture de toile grise usagée, qui était parti pour l'Afrique et en était revenu, elle revit la petite photo jaunie de l'hôtel des Redlich à Sohrau, sous laquelle on pouvait lire, écrit à l'encre de chine blanche : « Ma maison paternelle ». Elle regarda son père, réussit à ne pas faire non de la tête et, au contraire, à lui sourire comme lors des jours sans début et sans fin où elle seule disposait du baume magique qui guérissait ses blessures.

Regina, elle, connaissait le lien unissant les êtres à leur maison natale, transformée de la sorte en cage dont il devenait impossible de s'échapper ; mais ce père qu'elle aimait au point de ne pas lui confier une seule de ses pensées intimes, une seule de ses angoisses, de peur de le blesser, ce père, lui, ne savait rien de sa fille. Cela non plus n'avait pas changé depuis le temps où, à la lisière du grand champ de lin aux fleurs bleues évoquant le bonheur éternel, Owuor lui avait chuchoté : « Le *bwana* a oublié d'emmener avec lui son cœur en safari. »

Quelques jours avant le déménagement, on vit arriver à Francfort Grete Greschek, petite silhouette nerveuse, aux cheveux blonds mêlés de gris et noués derrière la tête en un mince chignon ; le visage, aussi rouge que les mains, était tout illuminé par la joie des retrouvailles et l'impatience de se mettre au travail. À la fin du premier repas pris en commun, elle sortit de sa vieille valise en carton gris une planche à laver qu'elle appelait sa « récureuse », une grande boîte de saindoux –

«du vrai, avec des rillons, comme je l'ai toujours fait pour maître Redlich» – et une blouse bleue sans manches. Jettel ayant entrepris de desservir, elle lui enleva les assiettes des mains en disant: «Ce n'est pas un travail pour vous.» Elle n'avait rien oublié depuis cette triste année 1938 où «ces messieurs dames avaient été obligés de décamper».

Lors de chacun des déménagements, à Leobschütz, Grete avait été la consolatrice, sachant mettre la main à la pâte, celle qui, sans connaître le mot, avait personnellement ressenti la douleur de la séparation éprouvée par ces êtres auxquels l'attachaient des liens aussi intimes et authentiques qu'à ses frères et sœurs. Elle se rappelait à quoi ressemblaient la cuisine de la Lindenstrasse, les rideaux de la Hohenzollernplatz et le parterre de pensées de l'Asternweg. Elle se souvenait que Walter avait faim quand il s'énervait et que Jettel, quand elle avait à faire face à des impératifs ou des soucis inhabituels, se mettait à pleurer en invoquant sa mère qui, elle, avait vite compris que sa fille était dotée d'une sensibilité exacerbée.

La Grete de Greschek – comme elle continuait à se nommer quand elle parlait de l'époque de Leobschütz où, pour tout salaire, elle acceptait d'être nourrie et logée – croyait mordicus aux vertus apaisantes de la soupe bien chaude. Dès que Walter et Jettel entamaient un de leurs conflits dont on ne savait ni comment ils commençaient ni quand ils finiraient, elle posait la casserole sur le feu et se mettait à couper du pain. Et, criant: «Nous pouvons souper», elle servait le potage sans plus attendre. Pour Grete, les pantoufles étaient des «chaussons» et elle les préparait dès que Walter sonnait à la porte d'entrée de l'immeuble en sifflant l'air de la Lorelei. Lorsque, ne cessant de courir entre les cartons et les caisses, Max la gênait dans ses travaux d'emballage de la verrerie et de la vaisselle, elle plongeait la main dans la poche de son tablier, en ressortait une pièce de monnaie et lui disait: «Tiens, voilà un sou», puis elle l'envoyait au kiosque de l'allée s'acheter une tête de nègre.

Else ayant brisé dans sa grosse main un verre à liqueur, elle la traita d'«espèce de gourde» et, un jour, elle employa le même terme à l'intention de Regina, car la modestie, chez les gens qu'elle aimait, était à ses yeux un trop lourd handicap dans la vie. Le soir, elle parlait de Greschek, dont elle prétendait qu'il voulait encore rester quelques mois à Marke pour régler des affaires importantes. Grete se refusa obstinément à s'installer toute seule dans la loge. Une fois le déménagement achevé, elle voulut à tout prix dormir dans la cuisine, sur un lit de camp. Tout en préparant le café du petit déjeuner, elle parlait à Max de sa chèvre Lemmy, à laquelle elle était tellement attachée que les larmes lui montaient aux yeux dès qu'elle racontait comment l'animal se mettait à sauter à travers tout le jardin en entendant le coq chanter – coq que, au demeurant, elle paraissait aimer tout autant que la chèvre. À Francfort, Grete trouvait que les œufs n'étaient pas frais et que les gens étaient effrontés.

Regina fut la première à se douter que les Greschek n'avaient pas l'intention de venir habiter à Francfort, mais elle eut beau se creuser la tête, elle ne trouva pas les mots voulus pour mettre ses parents en garde contre leurs illusions et leur besoin de faire tourner la roue du temps en sens inverse.

On acheta des lits, des tables, des chaises, une crédence vitrée, des rayonnages pour les livres, des buffets et une cuisinière, un canapé, des fauteuils, une armoire à corniche et une coiffeuse à triple miroir – la même que celle de Mme Schlachanska. On fut obligé de faire toutes ces acquisitions, parce que Mme Wedel était rentrée en possession de son appartement, mais aussi de son mobilier. Selon les confidences faites par la marchande de légumes à Regina, elle avait également touché de l'argent pour rénover les lieux. Walter soutint que ce n'était pas vrai, que la marchande de légumes n'était qu'une vieille pipelette et se refusa désormais à manger des radis.

Grete passa au vinaigre les meubles, tous achetés d'occasion, et elle frotta si fort et si longtemps le linoléum, armée d'un balai-brosse et de savon liquide, qu'on finit par avoir l'impression qu'il avait été foulé par des générations entières. Elle cira le parquet jusqu'à en faire une patinoire, elle battit tous les jours dans la cour le tapis mité qu'un client avait donné à Walter en guise d'honoraires et elle plaça dans le jardin d'hiver les trois caoutchoucs qui avaient été livrés le jour de l'inauguration de l'immeuble et qui, désormais, lui servaient à accrocher ses chiffons à poussière après usage.

Une peau de serpent, souvenir d'une journée inoubliable au bord du lac Naivasha, s'étirait le long d'un mur badigeonné d'un jaune lumineux. Au-dessous, sur une étagère en cette matière plastique blanche – symbole de plus en plus répandu des temps nouveaux – trônait une troupe de guerriers massaïs armés de flèches minuscules et de boucliers en véritable cuir de buffle. Au milieu des personnages sculptés, qui portaient tous autour du cou de fins anneaux de métal, une femme kikuyu sans cheveux, taillée dans un bois clair, se tenait assise sur un tabouret pour donner le sein à son enfant.

Jettel avait échangé ces figurines chez un marchand indien d'Ol'Joro Orok contre deux assiettes du service à fruits ; Walter était entré dans une rage folle et il avait jeté les quatre assiettes restantes contre le mur. Et pourtant, maintenant, tous deux parlaient avec admiration et tendresse de leur «coin africain» et, le matin, ils lançaient aux éléphants en bois un vigoureux «*Jambo, tembo*».

Dans la Höhenstrasse, trois fois par semaine, une voiture de l'entreprise Eis Günther livrait deux blocs de glace pour la glacière. Dans la Rothschildallee, il y avait désormais un réfrigérateur contre la fenêtre, un «véritable frigo électrique de chez Bosch», comme n'omettait jamais de préciser Jettel. Et c'est devant cette merveille blanche que Walter et Jettel mirent un terme à la plus longue guerre de leur mariage, guerre qui remontait au jour où Jettel, malgré les conseils de son mari l'adjurant dans chacune de ses lettres d'amener de Breslau un réfrigérateur, était arrivée à la ferme avec une robe du soir.

— Tu as toujours cru tout savoir bien mieux que les autres, dit Walter en enfonçant avec satisfaction un couteau dans un morceau de beurre durci par le froid. Ç'a été la grande tragédie de notre exil.

— Ma robe était magnifique. Tu peux dire ce que tu veux. Je n'en trouverai jamais une aussi belle à Francfort.

Le premier samedi après l'emménagement, Walter ouvrit la bouteille de vin qui avait, elle aussi, fait le voyage en Afrique et qui en était revenue. Son père lui en avait donné deux, à son départ en exil, en prévision de jours heureux, mais une seule occasion s'était présentée.

— Est-ce que tu te souviens quand nous avons bu l'autre ? demanda Walter.

— Quand le bébé est mort-né, dit Regina.

— C'est ce que vous appelez un jour heureux ? s'étonna Max.

— Oui, car ta mère n'est pas morte.

— Formidable, dit Max en laissant tomber un glaçon dans son verre.

Depuis le déménagement, il diluait sa poudre effervescente avec de l'eau glacée et il rêvait d'avoir un réfrigérateur dans la Maybach avec laquelle il se rendrait au tribunal quand il serait avocat.

L'harmonie de cet instant ayant endormi sa vigilance, Regina laissa sa tête vagabonder à son gré et elle se rappela la fée qui logeait dans un verre à liqueur coloré, partageant avec elle des joies que ses parents ne soupçonnaient pas. Plus que le vin, le souvenir du sortilège auquel elle avait si souvent eu recours lui fit chaud au cœur ; mais sa bonne humeur, qui n'avait pas les qualités d'endurance de sa fée, ne dura pas. Tout d'un coup, elle se surprit à plaindre Max : celui-ci ne connaissait pas comme elle la misère et l'angoisse qui développent la capacité à résister aux épreuves, et il ignorait tout des pouvoirs d'une imagination capable de dépasser les simples désirs matériels. Elle se leva pour aller chercher un verre à l'intention de Grete et, en passant à côté de lui, elle lui toucha la tête.

— Attention, mes glaçons, protesta Max.

Grete vida son verre d'un trait, farfouilla dans la poche de son tablier, en sortit une lettre et annonça :

— Il faudra bientôt que je reparte. Greschek a écrit. Il a besoin de moi.

— Pour faire vos bagages ? demanda Walter.

— Mais non, dit Grete en riant, pour faire le ménage. Il ne s'en sort pas tout seul.

— Mais vous allez venir à Francfort, objecta Walter, vous savez bien que Greschek veut s'en aller de Marke. Dans chacune de ses lettres, il explique combien il y est malheureux.

— Ne croyez pas ça, maître. Il ne faut jamais croire Greschek. Il parle, il parle, mais c'est tout. Il ne pourrait pas vivre à Francfort. Ici, tout est trop grand, trop sale et trop bruyant. Les gens de la ville ne lui plaisent pas, c'est sûr. Il a besoin de se sentir libre.

— Et vous, Grete ?

— Ma chèvre m'attend, maître, mais je viendrai chaque fois que madame aura besoin de moi.

— Ç'aurait été si bien, soupira Walter. Je vous ramènerai chez vous en voiture et j'en toucherai encore deux mots à votre Josef.

Deux semaines plus tard, un samedi, Walter, Jettel, Grete et Max s'embarquèrent dans l'auto à destination de Marke, et Else partit chez sa sœur à Stuttgart ; Regina, qui s'était foulé le pied mais n'avait dit à personne qu'elle n'en souffrait plus, resta seule à la maison. Tandis que, agitant un mouchoir dans chaque main comme elle le faisait enfant quand elle devait quitter la ferme, elle regardait la voiture s'éloigner, elle vit en pensée les deux bœufs noirs d'Ol'Joro Orok. Le soir, une fois délivrés de leur joug, ils paraissaient toujours plus vigoureux et plus jeunes qu'au début de la journée. Elle eut honte de sa joie, mais le soulagement persista.

Libérée de toute contrainte, y compris celle de garder un sérieux qui lui pesait, Regina eut l'impression d'avoir devant elle un week-end long et précieux, et elle décida de le passer comme si elle avait été une jeune femme semblable aux autres. Elle avait trop rarement l'occasion de rendre visite à son amie Puck sans devoir y emmener son frère.

Puck habitait chez une vieille tante sourde et elle disposait de toutes les libertés qui étaient refusées à Regina ; non tenue, en dehors de l'école, à un comportement de petite bourgeoise prude, elle jouissait d'une expérience de la vie que Regina lui enviait et, qualité qu'elle admirait fort sans toutefois en être jalouse, elle possédait le charme incomparable de ceux qui sont nés vainqueurs. En ce week-end libre de toute obligation, Regina ressentit comme rarement auparavant la force de ses désirs : goûter à la gaieté et à la joie de vivre qu'elle rencontrerait chez Puck ; prendre part, comme le permettaient désormais les temps nouveaux, à des conversations légères à propos de vêtements, de coiffures et de cinéma ; partager enfin de petits secrets entre amies, comme il était naturel de le faire entre jeunes filles du même âge.

Elle passa un long moment devant le placard qui lui était réservé dans le couloir. Sur la porte, l'architecte avait écrit au crayon : «Chambre de la fille». Elle sortit d'abord un corsage blanc qui serait assorti à sa jupe bleue, puis un jaune qui correspondait mieux à sa bonne humeur ; ensuite, dans la salle de bains qui gardait l'odeur de la lessive de Grete, elle essaya le fond de teint et le rouge à lèvres de Jettel. Elle sourit à son image dans la glace et éclata de rire à l'idée que certaines de ses camarades de classe, qui pouvaient rentrer à la maison aussi tard qu'elles le désiraient, n'avaient en revanche pas le droit de se maquiller et ne s'y risquaient qu'une fois sorties du domicile parental. Chez elle, c'était exactement l'inverse. Elle aurait pu se peinturlurer le visage comme les vamps des films américains sans que son père ne s'en émeuve ; il lui offrait des cigarettes et était tout heureux quand elle buvait un alcool avec lui ; il se montrait tolérant en paroles et en pensée, mais il était chagriné, irrité et déprimé dès qu'elle envisageait de sortir. Généralement, elle renonçait à tout projet avant même d'en parler.

Elle venait de fermer à clé l'appartement quand quelqu'un sonna à la porte de l'immeuble. Comme elle ne pouvait actionner l'ouverture électrique que de l'intérieur et qu'elle avait déjà rangé son trousseau de clés dans son sac, elle descendit en courant dans la cour. Elle vit un homme en uniforme bleu devant la boîte à lettres et pensa un bref instant avoir affaire à un policier. Il lui fallut un peu de temps avant de s'apercevoir que l'homme lui tendait un télégramme. Elle avait les mains toutes froides en le prenant, mais elle parvint à ravaler la première vague de peur et suivit même l'employé des yeux quand il sortit de la cour.

Une lame lui transperça la poitrine, lui paralysant du même coup le corps et la tête. Certaine que ses parents et Max avaient eu un accident, elle n'osait pas ouvrir le télégramme. Elle remonta à toute allure jusqu'au troisième étage avant de trouver la force de déchirer l'enveloppe jaune.

Pareilles à des flèches fraîchement aiguisées, les lettres la déchirèrent et le sel âcre d'une douleur dont elle avait oublié qu'elle était encore en elle lui brûla la gorge. Les jours disparus depuis si longtemps, rapaces impitoyables, l'assaillirent et la malmenèrent. Mais elle ouvrit enfin les yeux et reprit sa respiration, et un sentiment de triomphe, étouffant tout autre sensation, la fit hurler comme une hyène.

« Arrive samedi, 18 heures, à Francfort, Martin Barret », disait le télégramme.

10

– Mon Dieu, Jettel, comme tu es restée jeune, soupira Martin en serrant Regina si fort contre son corps qu'elle comprit immédiatement de quoi il retournait.

Le temps, voleur impénitent, n'avait pourtant pas réussi à le dépouiller et lui avait laissé son regard trop rapide. Déjà, quand elle était encore une enfant et que Martin était un roi, il l'avait confondue avec sa mère.

Ses cheveux étaient eux aussi sortis vainqueurs du combat contre la malédiction du changement. Ils avaient toujours la couleur des épis de blé d'Afrique qui ont vu le soleil trop tôt. Les yeux de cet homme ayant jadis franchi d'un pas de géant l'abîme entre passé et présent brillaient du bleu soutenu qui était déjà le leur au début de cette histoire troublante et sans fin. Même dans l'obscurité d'un corridor allemand sentant l'encaustique et le vinaigre, la lueur qui les illumina soudain rappelait celle du pelage des diks-diks dormant dans la chaleur de midi à Ol'Joro Orok.

Regina et lui s'étaient rencontrés pour la première fois lors de l'apparition de Martin à Nakuru, quand il l'avait délivrée de la véritable prison qu'était son école et que, la ramenant chez elle en voiture, il lui avait fait, sous un arbre, l'offrande magique d'une révélation précoce. À l'époque, il portait un uniforme kaki tout froissé, celui d'un *sergeant* britannique ; il portait aussi une couronne, mais Regina avait été la seule à la voir.

Pour l'heure, affublé d'une chemise blanche empesée, d'un blazer bleu orné d'un écusson et de boutons dorés, d'une cravate aux rayures jaunes et blanches, et d'un duffle-coat clair, il était déguisé en riche commerçant effectuant un voyage d'affaires en Europe et tombant du ciel pour embrasser ses amis de jeunesse. Il n'avait toutefois pas pris le temps de s'habituer à son nouveau costume. Ses mains trahissaient la forte emprise du monde d'où il débarquait. La légère pression des lèvres de l'homme sur sa peau dissipa toute espèce de doute chez Regina : elle n'avait rien oublié de sa si troublante ivresse enfantine, bien que, depuis des années, elle l'ait aussi soigneusement enfouie qu'un chien enterre son os.

– Je ne suis pas Jettel, finit-elle par dire quand le rire, en elle, ne chatouilla plus que le palais, je suis Regina.

– Ce n'est pas possible. On ne me la fait pas. Regina est une enfant.

– Une enfant sans parents. Ils sont partis en voyage aujourd'hui et ne reviendront que demain soir.

Un sifflement, aussi aigu qu'un coup de vent égaré entre deux arbres trop rapprochés, frappa l'oreille de Regina, et c'est ensuite seulement qu'elle entendit Martin lui dire :

– J'ai jadis très bien connu quelqu'un qui s'appelait Jeannot la Chance. Existe-t-il encore ?

– Oui, mais il s'appelle à présent Martin et il expédie ses télégrammes à la dernière minute.

– C'est là que tu peux constater combien la chance est avec ce Martin. Est-il interdit d'entrer ? Ou bien est-ce qu'on t'a mise en garde contre les hommes ?

– Uniquement contre ceux que je ne connais pas, répondit Regina en le laissant passer.

Au moment où il accrocha son duffle-coat au portemanteau, elle aperçut son visage dans la glace et elle remarqua aussi qu'il se dépêchait d'avaler les mots que ses lèvres avaient déjà formés, tout en se frottant avec deux doigts l'arête du nez. Elle se souvint qu'il avait déjà ce geste dans sa première vie, quand il était embarrassé et qu'il avait besoin d'un peu de temps pour réfléchir. À l'époque, c'était sa mère qui lui avait révélé ce petit secret ; à présent Regina pouvait le vérifier de ses propres yeux.

– Tu dois avoir faim, murmura-t-elle, aussi fébrile que les mains de Martin, parce qu'elle venait de s'apercevoir qu'elle parlait avec la voix de Jettel. Tu ne veux pas que je te prépare quelque chose à manger ?

– Mon Dieu, on continue donc ici à s'adresser de cette façon aux gens qu'on n'a pas vus depuis des années ?

– Je crois, oui. D'où arrives-tu, au fait ?

– D'Afrique du Sud. Ça fait deux ans que j'habite à Pretoria. Mais, dis-moi, tu n'es pas au courant ? J'écris pourtant régulièrement à ton père.

– Non, je n'étais pas au courant.

– De quoi ? De ce que j'ai quitté Le Cap pour Pretoria ou de ce que je vous écris une fois par mois ?

– Des deux, avoua Regina.

– Sacré Walter, dit Martin, il est bien toujours le même. Et le meilleur de nous deux quand il est amoureux. Je crois qu'il ne m'a jamais tout à fait pardonné que ta mère m'ait fait perdre la raison avant même de l'avoir acquise.

– Il y a autre chose qu'il ne t'a pas pardonné, c'est de m'avoir promis, à la ferme, de revenir quand je serais devenue une femme. Et, malheureusement, je n'ai jamais oublié ta promesse.

– Pourquoi « malheureusement » ? Je suis revenu à temps, non ?

Et lui qui, du temps où il s'appelait encore Batschinsky, avait partagé avec Walter et Jettel la jeunesse, l'espérance et – malgré son amour pour Jettel, dont Walter n'ignorait rien – l'amitié, lui qui ensuite avait connu comme eux le destin des exilés, se passa une nouvelle fois les doigts sur le nez. Il s'aperçut que sa peau devenait moite et qu'il était en train de se comporter comme ces hommes vieillissants qu'il méprisait quand, évitant de se regarder dans la glace et évitant surtout de prendre en compte l'âge de la proie choisie, ils se disposaient à partir en chasse.

Comme s'il avait dû enregistrer très précisément dans son esprit leurs couleurs et leurs formes, il contempla longuement les fauteuils recouverts d'un velours côtelé marron, puis le large canapé avec, entre des coussins d'un velours rouge foncé, un ours en peluche aux yeux de verre inégaux et un livre d'images ; il était à deux doigts de poser les nombreuses questions qui lui seraient sûrement venues à l'esprit sans effort s'il était tombé sur Walter et Jettel, mais ses pensées s'étaient affranchies de toute logique et de toute concentration. Cela lui parut d'autant plus absurde qu'il avait perdu l'habitude d'échapper à l'étreinte rassurante de la réalité.

Au même moment, l'idée lui vint qu'il aurait cinquante ans dans trois mois, jour pour jour, et que, dans sa jeunesse, il avait été très impressionné par l'histoire d'un homme dont l'image dans la glace vieillissait alors qu'il demeurait jeune et d'une beauté rayonnante. Un très bref instant, il s'abandonna à l'illusion de pouvoir lire dans les yeux de Regina qu'un destin identique lui avait été réservé, mais il ne céda pas à la tentation de la regarder et, bien au contraire, il consulta sa montre.

Il entendit son tic-tac et vit l'aiguille dorée capter la lumière puis, aussitôt, perdre tout éclat. Avec une netteté qui l'irrita autant que son mutisme précédent, il se rappela qu'une fois déjà le flot d'images et de désirs imprudemment évoqués l'avait jeté sur des rivages équivoques. Il revit un arbre puissant dans l'obscure forêt africaine et un morceau de peau claire, à l'instant où Regina, encore inconsciente du guet-apens qu'elle lui tendait, avait déboutonné son corsage. À l'idée que l'innocence n'avait qu'un temps, il redevint l'homme qui avait compris très tôt que c'étaient toujours les circonstances et non la morale qui imposaient de renoncer.

– Viens, dit-il en s'efforçant de paraître plus gai qu'il n'était, je t'emmène manger quelque part. Un vieux schnoque et une jeune fille n'ont rien à faire ensemble sous un même toit. Surtout quand la belle et innocente enfant est la fille du meilleur ami du premier.

Martin ne comprit combien sa proposition avait été judicieuse et opportune qu'une fois arrivé dans le restaurant du Frankfurter Hof, hôtel où il était descendu parce que l'employé de l'agence de voyage le lui avait recommandé comme le meilleur de la ville. Trois petites phrases avaient suffi à le délivrer de la tentation avant qu'elle n'étende vers lui ses tentacules et à métamorphoser à nouveau Regina en l'enfant qu'il s'était attendu à rencontrer.

Il n'était pas douteux que les clients, venus de l'étranger pour la plupart, se sentaient dépaysés dans cette atmosphère de bon vieux confort bourgeois et luxueux – confort tout à fait récent à vrai dire – et qu'ils étaient très impressionnés par le faste et l'élégance ambiants, contraste saisissant avec la vie quotidienne du dehors. Regina jetait autour d'elle des regards furtifs, comme si elle avait honte de sa curiosité ; c'est à peine si elle se risquait à chuchoter, et elle suivait du regard les plats et les plateaux qui passaient à proximité jusqu'à ce qu'ils disparaissent de sa vue.

Dans sa très ample robe noire à manches étroites, fermée jusqu'au cou par de minuscules boutons et ornée d'un col en dentelle blanche qui rappelait à Martin la nappe que sa mère mettait sur la table les jours de visite, Regina ressemblait aux jeunes filles – endimanchées, riant sous cape avec pruderie – qu'il rencontrait du temps où il était étudiant. Contrarié, Martin se dit qu'elle allait commander une limonade et, à coup sûr, plutôt que des hors-d'œuvre, une portion supplémentaire de glace à la fraise – surmontée, bien entendu, de ces montagnes de crème dont, depuis l'époque de Breslau, il gardait un souvenir aussi vivace que des filles de bonne famille qui confondaient parfum à la lavande et sensualité et qu'un homme n'avait le droit de toucher qu'en les faisant danser.

Martin tenta d'échapper au maquis des détails engloutis qui encombraient sa mémoire. Examinant la carte sans désir particulier, il passa commande d'une voix si tranchante qu'il en fut contrarié : « Un Martini, mais sec ! » Le garçon demanda : « Pour mademoiselle votre fille aussi ? », ce qui l'irrita fort, mais moins que de l'avoir été par un type portant des verres de lunette si épais.

Ayant avalé une première gorgée, il rappela le serveur d'un geste de la main qui ne laissait aucun doute sur son identité d'Africain du Sud habitué à commander.

– J'avais dit sec, protesta Martin en faisant tourner l'olive dans son verre.

Regina se mit effectivement à rire sous cape, la main devant la bouche. Il la regarda d'un air renfrogné et défit le premier bouton de sa chemise, sous sa cravate.

– Tu vois, dit-elle en riant, rien n'a changé. Toute ta vie, tu t'es pris de bec avec les serveurs.

– D'où tu tiens ça ?

– Je le savais avant même de te connaître. Il ne passait pas un jour à la ferme sans que revienne la phrase : « Martin ne se serait pas laissé faire, lui. »

– Qui disait ça ?

– Maman.

– S'il y a un point sur lequel je te crois, c'est bien celui-là. Je n'ai jamais envié ton père. Qu'est-ce qui te ferait envie ?

– Tout. Je veux dire que je prendrai ce que tu choisiras.

– Es-tu toujours si facile à contenter ? demanda Martin avec un sourire.

– Pour ce qui est de manger, oui. Nous avons eu si longtemps le ventre vide qu'aujourd'hui encore nous sommes chaque jour heureux de manger à notre faim.

– Je n'aurais jamais eu le courage de rentrer si tôt en Allemagne comme ton père. A-t-il au moins trouvé ici le bonheur ? Et toi aussi ?

– Ça fait deux questions à la fois.

– Et les réponses sont différentes ?

– Oui.

Martin commanda les hors-d'œuvre à volonté, qui étaient servis sur un chariot, de la soupe de tortue, avec laquelle il exigea du cognac au lieu de sherry, des steaks dans le filet, dont il pensait *a priori* qu'un cuisinier allemand les ferait trop cuire, et un vin du Cap qui ne figurait pas sur la carte et que le garçon ne connaissait même pas. On alla chercher le directeur de l'établissement pour qu'il confirme les dires de son employé. Martin discuta pied à pied avec lui, à l'extrême limite de la politesse, voulant savoir pourquoi un hôtel qui lui avait été recommandé à Pretoria ne servait pas de vin sud-africain. S'étant finalement résigné, il demanda :

– Que peut-on donc boire ici ?

– Peut-être un petit verre de champagne pour accompagner les hors-d'œuvre, proposa le directeur, très nerveux.

– Va pour une bouteille de champagne, décida Martin, mais frappé à point.

Après son premier verre, il comprit soudain qu'il avait perdu l'habitude du vin mousseux et que Regina, elle, ne l'avait jamais eue. Il avait des aigreurs d'estomac, et elle des taches rondes et rouges sur la figure. Apparemment, ces taches la dérangeaient moins que lui son estomac. Elle lui tendit le verre qu'elle venait de boire d'un trait, et elle dévora son assiette de hors-d'œuvre à une vitesse qui le stupéfia. Le mouvement rapide et régulier de ses mâchoires rappela à Martin le hamster qu'un camarade de classe lui avait offert et qu'il n'avait pas eu le droit de garder. Il s'étonna de constater qu'il était toujours aussi indigné d'une pareille interdiction quarante-quatre ans plus tard ; puis l'idée lui vint soudain que l'alcool était en train de lui brouiller beaucoup plus vite la cervelle qu'à Pretoria où, au cours des nombreuses occasions de boire en compagnie qui s'offraient à lui, il lui suffisait d'apporter la bonne humeur de celui qui a vécu plus d'aventures que le commun des mortels et qui passe pour expert en bons mots. À grand-peine, il réussit à maîtriser ses pensées avant qu'elles viennent le submerger d'une avalanche de nostalgie chagrine : il ne s'agissait après tout que de futilités. Le garçon était en train de préparer à l'intention de Regina un nouvel assortiment d'entrées. Elle avait surmonté sa timidité et, encouragée par les flatteries du serveur, elle désignait du doigt divers plats argentés, remplis de spécialités qu'elle voyait pour la première fois de sa vie.

Le garçon lui donnait du « mademoiselle » gros comme le bras ; la mauvaise humeur, sur le visage de Martin, tourna à l'ironie, mais aucun des deux ne le remarqua. Généralement, il appréciait les femmes dotées d'un robuste appétit et il voulut sourire à Regina, mais il se rappela soudain combien lui déplaisait l'habitude qu'avait sa première épouse, au bout de quelques bouchées seulement, de renvoyer son assiette en cuisine.

Étant enfin parvenu à s'extirper du souvenir de ce qui avait été la dernière de ses erreurs de jeunesse, il s'étonna pourtant du temps qu'il lui fallut pour déterminer à quand elle remontait. Au même instant, il constata qu'il n'avait plus d'aigreurs d'estomac et qu'en outre il s'était trompé : Regina n'était pas une enfant et moins encore une fille de bonne famille gloussant à tout propos, mais une jeune femme qui, incontestablement, le troublait plus qu'il ne l'aurait souhaité. Trois des petits boutons de sa robe étaient défaits. Le col en dentelle faisait comme un voile ténu autour de son cou menu, et il lui parut incarner une légèreté à laquelle il aspirait depuis longtemps.

Martin ressentit le besoin de la protéger, sentiment nouveau pour lui, et il se retrouva en train d'imaginer des situations qui lui parurent d'une niaiserie juvénile. Enfin, très brusquement, il se surprit à se dire qu'il faisait beaucoup moins que son âge et que sa conception de la vie n'avait pas trop souffert des années où était passée tant de son énergie. Il posa la main sur l'épaule de Regina et constata avec satisfaction que ce simple contact suffisait à l'émouvoir. Pour la première fois, il se demanda ce que Regina, somme toute, savait de lui.

Il ne pensait plus que rarement, et d'ailleurs sans aucun regret, au fait qu'il avait fait des études de droit, mais que, par la faute des nazis, il avait à peine pu exercer sa profession. Son engagement dans l'armée britannique lui avait permis de se faire naturaliser peu après son arrivée comme émigré en Afrique du Sud. Après la guerre, lors de tentatives pour ouvrir un garage puis créer une entreprise textile, il avait certes d'abord subi des échecs économiques très sévères, mais il était ensuite entré au bon moment dans une maison d'exportation, dont – au bon moment de nouveau – il était devenu l'unique propriétaire. La reprise des affaires avec l'Europe, et surtout avec l'Allemagne, avait fait de lui un homme fortuné. Dans ses accès de sentimentalité, comme celui qu'il était présentement en train de vivre, il regrettait vaguement l'attitude des Allemands envers le travail, leur efficacité, leur culture, mais il savait aussi qu'il avait trop longtemps vécu en Afrique pour envisager sérieusement de revenir au pays. Grâce à l'Afrique, il avait conquis la liberté de ne compter que les heures, et plus les jours.

– Qu'est-ce que tu fais? entendit-il Regina lui demander.

– Ce qu'on fait généralement dans le commerce en gros. En ce moment, j'échange des oranges contre des machines.

– Je parlais de ta main.

Il vint aussitôt à l'esprit de Regina qu'une fois déjà, sous l'arbre d'Ol'Joro Orok, elle avait demandé à Martin ce qu'il faisait. À l'époque aussi, elle parlait de sa main et il avait répondu à côté de la question. Sans embarras aucun, elle évoqua à haute voix la rencontre d'alors et, refusant elle-même de fuir, elle ne permit pas non plus à ses yeux de se dérober. Mais l'effet magique et rassurant de ce vieux stratagème – faire semblant de parler de quelqu'un d'autre, d'une enfant qu'elle aurait rencontrée fortuitement – fut de courte durée. À sa place s'installa la certitude que, cette fois, Martin ne s'éloignerait pas d'elle et ne l'abandonnerait pas avec, en tête, de simples images restées à l'état d'ébauches.

Tel un jeune Massaï n'ayant encore que trop rarement tendu son arc, il était parti à la chasse en oubliant, dans son ivresse, de protéger son propre corps. Martin n'avait eu aucun soupçon des dangers auxquels il s'exposait; en revanche, il venait de prendre l'exacte mesure du regard de Regina.

– Et tu ne t'es vraiment pas aperçu que je te prenais pour un roi et que j'étais tombée amoureuse de toi?

– Et toi, tu poses tout le temps des questions aussi terriblement directes?

– Non. Jamais. Juste quand les verres et les assiettes dansent la sarabande tout autour de moi et que tous les serveurs ressemblent à des pingouins, répondit Regina.

Elle avait la gorge sèche, mais sa voix ne tremblait pas lorsqu'elle ajouta :

– Et que le roi est enfin venu honorer une ancienne promesse.

– Juste Ciel ! Tu as trop bu. Quel foutu imbécile j'ai été de te laisser tomber ! Mais j'espère que tu ne te sens pas mal et que tu ne vas pas tourner de l'œil ? Les vieux messieurs n'aiment pas les complications.

– Jamais je ne me suis sentie aussi bien, et tu n'es pas un vieux monsieur.

– J'ai deux ans de plus que ton père, sauf erreur de ma part.

– Trente ans de plus que moi, mais tu n'es pas mon père.

– Bon Dieu, Regina, est-ce que tu te rends compte de ce que tu dis là ?

– Oui.

Martin repoussa son assiette contre le petit vase de fleurs et il regarda attentivement les morceaux roses et jaunes du gâteau à la glace, dont il n'avait mangé qu'une moitié, disparaître dans la crème au chocolat. Il lui parut important de trouver un sens au jeu des couleurs qui s'entremêlaient, mais, n'ayant jamais été très enclin aux considérations abstraites, il ne découvrit pas de clé lui permettant de déchiffrer le symbole qu'il avait arbitrairement choisi. La seule chose dont il était certain, c'est qu'il lui fallait se défendre, s'il voulait se mettre à l'abri des illusions et ne pas devoir s'avouer trop tard que personne n'avait le droit de commettre deux fois la même erreur.

Il comprit qu'il devait au moins retirer la main de l'épaule de Regina, ce qu'il parvint à faire, et même si rapidement et avec tant de facilité que ses lèvres s'apprêtaient déjà à dire quelque chose qui lui paraissait convenir parfaitement à la situation. Mais seul son corps s'était préparé à la fuite, si bien que Martin ne put empêcher la vanité et la mélancolie de se livrer dans sa tête un combat furieux.

Il avait déjà parcouru la moitié du chemin qu'il se refusait encore à emprunter, lorsque le fardeau des souvenirs s'abattit sur ses épaules. Il revit Jettel dans sa robe de bal, ses cheveux noirs, son rire, ses manières aguichantes, sa coquetterie provocante, presque ridicule à force d'impertinence, tandis que lui, parce que Walter était tombé amoureux d'elle avant lui et qu'il était son meilleur ami, se défendait contre son désir renaissant. Mais voilà qu'il ne se rappelait plus si, la seconde fois aussi, à Ol'Joro Orok, il avait subi avec succès ou non l'épreuve qu'il s'était lui-même imposée.

Les images de la nostalgie et de ce qu'il avait vécu ultérieurement s'entremêlèrent trop vite pour qu'il réussisse à dominer ses émotions. Martin ne s'aperçut qu'il avait parlé tout haut qu'en voyant Regina dire non de la tête, mais il fut incapable de se rappeler ce qui lui était passé par l'esprit au moment de son plus grand trouble. Ses tempes se mirent à battre plus fort encore.

— Est-ce ta mère qui t'a appris à faire perdre contenance aux hommes ?

— Non, c'est Owuor.

— Tu veux dire ce drôle de boy qui était dans votre ferme ?

— Ce n'était pas un boy. Et il n'avait rien de drôle non plus. Owuor était l'ami de papa et il était le géant qui me tenait dans ses bras quand je m'envolais pour les nuages. Il me prêtait ses yeux. Il m'a également enseigné à entendre les choses qui ne sont pas dites par la bouche.

— Comment ton grand magicien s'y est-il pris ? Que t'a-t-il raconté ?

— Il faut que tu ouvres tes oreilles toutes grandes, *memsahib kidogo*, dit Regina en riant. Et c'est ce que j'ai fait aujourd'hui. J'ai écouté avec beaucoup d'attention. Tu as parlé de Jeannot la Chance quand tu as vu que j'étais seule. Tu as dit que tu ne voulais pas rester seul avec moi. Alors, j'ai su que tu avais peur de moi. Ta peur m'a donné du courage.

— C'est de moi que j'avais peur, espèce d'enfant africaine dépravée.

— Owuor disait toujours que la peur, c'est la peur, et que celui qui a peur est pris en chasse. Et qu'il est fait prisonnier.

— Ton Owuor était quelqu'un d'intelligent. Il t'a certainement aussi conseillé de ne pas oublier ta brosse à dents quand un homme t'invitait à manger.

— Non, il disait simplement : emmène toujours ta tête et ton cœur en safari. Mais j'ai quand même pris ma brosse à dents.

Regina était déjà au lit quand Martin sortit de la salle de bains ; il portait de nouveau la couronne qu'elle était seule à voir. Elle avait de nouveau onze ans et elle entendait de nouveau les singes crier dans la forêt.

Mais elle fut cette fois assez avisée pour penser à temps au pouvoir magique du sage dieu Mungo, seul capable de tuer un désir en germe avant qu'il donne naissance à cette plante mortelle qui vous brûlait les entrailles.

Pourtant, quand elle toucha le corps de Martin et lui le sien, quand elle sentit son haleine contre son oreille, sa main sur sa bouche, et qu'elle étouffa le cri qui était encore prisonnier de sa gorge, elle comprit qu'elle s'était risquée trop près d'un feu que ni Mungo ni le temps n'éteindraient jamais.

Elle avait emmené son cœur en safari, mais pas sa tête. Beaucoup plus tard, au cours de l'éternité qui sépare le désir de l'apaisement, Owuor envoya en direction de la montagne le rire de celui qui sait : lui seul était intelligent. Mais sa petite *memsahib,* après s'être d'elle-même offerte au chasseur, reposait entre les bras d'un roi endormi.

— Je m'étais toujours figuré, cria Martin, le lendemain matin, depuis la salle de bains, qu'une femme voulait au moins savoir, avant de le séduire, si un homme était marié. Les femmes allemandes posaient toujours cette question. Je m'en souviens parfaitement.

— Je ne suis pas une femme allemande, répondit en riant Regina, qui était encore au lit, tout étourdie de la brièveté du bonheur et de la violence de l'étonnement.

— Tu es une sorcière africaine. Je m'en étais déjà aperçu, dit Martin, mais je ne m'en suis pas souvenu à temps.

Il s'assit devant la glace en pensant, comme la veille, à l'homme qui restait jeune, tandis que son image vieillissait.

— Bien sûr que tu es marié. Pourquoi le demander ? Tous les hommes de ton âge sont mariés.

— Pas moi. Je suis divorcé depuis des années. Pour la deuxième fois. Je ne sais pas pourquoi, mais il est important pour moi que tu le saches.

— Pour moi aussi.

— Pourquoi ?

— Comme ça, sans plus. Ce n'est pas la peine de paniquer tout de suite.

— Tu me promets une chose, Regina ? demanda Martin en regardant son image dans la glace. Tu me promets de ne pas être triste quand je devrai repartir ?

— Tu me l'as déjà demandé un jour.

— Tu me le promets ?

– Oui, mais pas pour toi. Ni pour moi. Comment pourrais-je expliquer ma tristesse sans parler de cette nuit ? Il m'est impossible de faire du mal à mon père. Il m'aime si fort qu'il ne m'accordera jamais à un homme. Et à toi encore moins qu'à un autre. Il ne t'a même pas encore pardonné la couverture noire sous laquelle vous étiez couchés, ma mère et toi.

– Est-ce encore là un tour de magie de ta part ? D'où as-tu tiré cette histoire de couverture noire ?

– Du plus loin que je me souvienne, jamais ils n'ont pu se mettre d'accord sur le point de savoir si cette couverture était vraiment noire.

– À cette époque, dit Martin, ton père voyait vraiment des fantômes partout.

Martin réussit même à rire, l'après-midi, quand, au retour de la visite aux Greschek, dans le Harz, Walter le trouva assis dans le salon et, après les embrassades et les effusions, lui demanda de but en blanc :

– Dis-moi, j'espère que tu n'as pas fait de mal à ma fille ?

11

Tôt le matin, en ce deuxième mardi d'avril 1952, Max prit sur sa tête sa perruche Kasuko, sans même que l'oiseau d'un bleu couleur d'encre ait eu le temps de dire « *Jambo* » et de déployer ses ailes. Il déposa son ami sur le rebord de son assiette et, d'une simple phrase qu'un garçon de six ans était enfin en droit d'utiliser lui aussi : « Il faut maintenant passer aux choses sérieuses », l'instruisit d'un avenir qui s'annonçait aussi radieux que la présente journée. Après le petit déjeuner qui, compte tenu du caractère extraordinaire de la situation, lui sembla fâcheusement retarder les grands événements qui se préparaient, Max grimpa sur le tabouret de la salle de bains pour se regarder dans une glace, sans être importuné par des recommandations en total décalage avec son nouveau statut.

Bien que n'ayant pu encore déceler sur son visage, dans les proportions espérées, les changements qu'il s'attendait à y découvrir, il sourit à son image, absolument certain d'être parvenu à un tournant crucial de son existence. Il ne lui restait plus qu'un chemin bref et sans surprise à parcourir, avant de devenir un avocat et notaire aussi riche et célèbre – c'était là le plus important – que Josef Schlachanska en personne : un chauffeur, alors, le conduirait au tribunal dans une Maybach plus spacieuse encore que celle de son idole.

Il était vêtu, pour la circonstance, d'une chemise blanche à manches longues, avec un col étroit auquel il n'était malheureusement pas encore habitué, d'une cravate assortie au rouge vif du gros cornet de friandises traditionnel en ce jour de rentrée scolaire, et de la casquette à visière ronde qu'il convoitait depuis si longtemps : elle seule avait le pouvoir de métamorphoser un petit de la maternelle, emmitouflé dans un habit de laine bleu roi et tout juste autorisé à aller seul chez le laitier ou au terrain de jeux, en un écolier chez qui les qualités d'autonomie étaient non seulement souhaitées mais aussi requises. Surtout, s'étant placé comme d'ordinaire entre la porte et le lavabo, Max put constater que son tout premier pantalon long, en tissu doux et gris, agrémenté d'une ceinture en cuir noir, l'avait d'ores et déjà délivré à tout jamais d'une terrible honte : devoir porter ces exécrables mi-bas marron qui pendouillaient, fixés à une espèce de porte-jarretelles tout juste bon pour une fille. Quelque chose de plus important et de plus irréversible s'était encore produit : la veille, son père avait interdit à sa mère de continuer à appeler son fils « Maxi », « mon petit cœur », ou encore « mon faisan doré », de l'embrasser dans la rue sans raison sérieuse, de lui couper sa viande ou de lui écraser ses pommes de terre à table, de lui lacer ses chaussures et de lui boutonner son manteau quand il était en retard.

Max se voyait ainsi confirmer par son père qu'il était désormais un homme qui n'avait plus le droit de pleurer pour s'être cogné le genou ou disputé avec d'autres enfants afin de régler des conflits de propriété ou de préséance, mais aussi un homme qu'on n'était plus autorisé à humilier à travers certains ordres – par exemple porter les assiettes de la salle à manger à la cuisine, suspendre son manteau au portemanteau – ou, de manière plus générale, à travers des tâches déshonorantes relevant de l'univers féminin.

Si Max avait été jusque-là un enfant qui appelait à l'aide sa mère ou sa sœur, ou les deux à la fois, quand il tombait dans la rue ou qu'il n'arrivait pas, dans le bac à sable, à défendre tout seul son jouet ou sa réputation, s'il avait dû toujours se contenter de contempler les images des livres et des journaux, c'est en revanche armé d'une ferme détermination qu'il prit place à un pupitre du premier rang, après s'être séparé de Jettel et de Regina dans une salle sentant fort le savon de Marseille, le vinaigre et la craie. Trois heures plus tard, il ressortait de la salle de classe en compagnie d'un blondinet à la raie soignée, à la culotte de cuir très courte et grise, qui serrait le poing droit de manière fort convaincante. Il avait un an de plus que Max, mais, heureusement, il n'était guère plus grand que lui, pas assez en tout cas pour ébranler sérieusement la confiance en soi de ce dernier. Jettel attendait à la sortie de l'école, parmi les autres parents tout aussi émus qu'elle, dames endimanchées ou messieurs en complet sombre. Du plus loin qu'il la vit, Max lui cria, assez fort pour être entendu de chacun des spectateurs, qu'elle s'était trompée une nouvelle fois et que, contrairement à ce qu'elle avait supposé le matin même, il n'avait pas été obligé d'apprendre les lettres de l'alphabet, mais qu'il savait déjà lire et écrire plusieurs choses : « Des tas, des tas de choses », déclara-t-il.

Dès le premier jour de la rentrée scolaire, sans avoir à perdre quoi que ce soit de la haute idée qu'il avait de lui-même, Max parvint à surmonter l'humiliation de s'être entendu dire : « Le nouveau, tête de veau ! » par des élèves plus âgés qui lui avaient en outre fait tomber sa casquette par terre. En effet, il savait non seulement écrire son nom et aussi son adresse, mais aussi ces deux phrases : « Je vais à l'école Lersner. Mon maître s'appelle M. Blaschka. » C'était un premier succès de la « méthode globale » dont de nombreux parents affirmèrent dès le premier jour qu'elle exigeait trop des enfants et qu'elle était typique de la regrettable propension d'une démocratie à se livrer aux expérimentations sur le dos de créatures innocentes et sans défense.

De retour de l'école, Max se tenait assis à la table de la cuisine et, ayant su très tôt quels succès pouvait valoir à quelqu'un son esprit d'initiative, il jouissait à l'avance de l'effet de surprise qu'il s'apprêtait à susciter. Pendant ce temps, sa mère vidait soigneusement son cartable pour constater, fort mécontente, qu'il n'avait pas mangé la banane pourtant payée si cher et qu'il lui manquait déjà un cahier et un crayon.

Max ne condescendit pas à fournir les explications qu'on attend généralement de celui qui a égaré son bien ; il était heureux à l'idée que, outre sa mère, Else, son père et sa sœur pourraient tous ensemble se convaincre qu'il n'était pas un élève comme tant d'autres et que lui ne s'était pas contenté de recopier les jolies petites cartes jaunes déposées le matin, sur les pupitres, par l'instituteur, M. Blaschka : ayant vite compris quelle force et quel potentiel recelait le mot écrit, Max en avait aussitôt fait usage.

Dans le cartable, en effet, on ne lisait plus seulement, comme ce matin encore, son nom écrit à l'encre bleue par sa mère, mais l'inscription « Dr Max Redlich ». Cela faisait plusieurs semaines que, après un examen répété de la petite plaque dorée apposée à la porte de l'appartement, il s'était exercé à tracer les deux lettres décisives ainsi que le petit point, non moins important, qu'il avait rajoutés à l'inscription de

142

son cartable à l'aide d'un épais crayon noir. Il ressentait à présent comme une récompense à la hauteur de ses capacités le fait que ses parents allaient découvrir son idée géniale avant le déjeuner. Se délectant à l'avance de la douceur des compliments, il se passa la langue sur les lèvres, comme il avait l'habitude de le faire dans les trop rares circonstances où sa mère, au terme de laborieuses négociations, faisait sortir comme par enchantement du réfrigérateur une deuxième portion de glace à la vanille.

L'excitation et, plus encore, l'attente des inévitables louanges le rendirent sourd à tout bruit ne le concernant pas directement. Ses yeux étaient incapables de se concentrer sur le détail des événements qui se déroulaient dans la cuisine. Aussi ne remarqua-t-il pas que les voix tout empreintes de la gaieté qui convenait à une circonstance aussi solennelle s'étaient subitement tues. Il ne s'aperçut pas davantage que son père avait changé de couleur. C'est trop tard qu'il entendit l'exclamation de sa mère, suivie du reproche formulé sur un ton plaintif: «Mais ce n'est pas vrai! Ce garnement a déjà barbouillé son cartable neuf!» Puis, quasi instantanément, ce fut la gifle administrée par son père, une gifle pas vraiment douloureuse, mais qui, totalement inattendue et inhabituelle, lui infligea une humiliation cuisante.

Le contact entre père et fils ne fut rétabli qu'après le flan à la framboise qui, exceptionnellement, eut un goût amer. Max obtint cinquante pfennigs que Walter qualifia de «*pretium doloris*» et auxquels il attribua une plus grande valeur encore en reconnaissant à son fils un crédit de gifle pour le jour où il se mettrait sciemment en tort. La poignée de mains de réconciliation, telle qu'elle est de règle entre hommes, fut suivie d'un cours en bonne et due forme sur le caractère illégal de l'usurpation de titres universitaires.

La gifle ne fut pas le seul souvenir durable que Max garda de son premier jour d'école. Ce qui l'impressionna beaucoup plus que le brutal accès de colère de son père ou ses leçons de droit, ce fut la troublante découverte que richesse et performance intellectuelle ne se situaient pas sur le même plan et que Josef Schlachanska, en dépit de sa Maybach, de son chauffeur et de ses imposantes apparitions publiques n'avait, contrairement à son père, pas le titre de docteur.

Une semaine plus tard, Max eut l'occasion de savourer aussi les avantages offerts par l'aisance matérielle paternelle. Comme il n'existait pas encore de manuels scolaires conçus en fonction de la méthode globale, M. Blaschka distribuait ses propres textes, écrits à la main, sur des feuilles volantes. Ayant pour la première fois vu son fils faire ses devoirs à la maison, Walter proposa à l'instituteur au nom si agréablement silésien de reproduire ses manuscrits sur la nouvelle photocopieuse de l'étude Fafflok et Redlich. Max ressentit l'événement comme une distinction personnelle et pardonna spontanément à son père de ne pas l'envoyer à l'école muni, comme tant d'autres enfants de sa classe, soit d'une bouteille d'eau-de-vie, soit de fleurs, soit même d'une bonbonnière, cadeaux censés valoir au généreux donateur les faveurs du maître. Bénéficiant d'un pareil statut, Max ne pouvait que rentrer chaque jour de l'école d'excellente humeur, jouissant pleinement des compliments répétés de ses parents qui s'émerveillaient de le voir se faire des amis beaucoup plus rapidement que sa sœur.

Aussi fut-il d'autant plus surprenant, un midi, trois mois jour pour jour après la rentrée scolaire, de voir arriver à la maison le prodige du cours préparatoire dans un tel état d'abattement muet qu'il en oublia de sortir la perruche de sa cage. Pâle, les yeux rougis, il repoussa avec un léger soupir et un hochement de tête les œufs brouillés aux épinards dont il avait pourtant exprimé le souhait le matin même. Il fallut que les questions répétées, mais demeurées sans réponse, de sa mère débouchent sur l'hypothèse d'une maladie, et que cette dernière se transforme à son tour en une menace très sérieuse de prise de température, pour amener Max à considérer que le moment était venu de rompre son silence. Il courait sinon le risque de terminer prématurément la journée, le cou enveloppé d'un de ces horribles cataplasmes qui, pour sa mère, étaient l'unique remède propre à prévenir tous les maux, à la notable exception des foulures.

— Est-ce que c'est vrai, demanda-t-il, qu'on a fait brûler tous les Juifs dans un énorme four ?

— Qui est-ce qui t'a dit ça ?

— C'est Klaus Jeschke.

— Tu n'avais encore jamais parlé de celui-là.

— C'est le plus grand de la classe, parce qu'il a déjà redoublé deux fois, répondit Max en regardant sa mère d'un air renfrogné.

Il remarqua qu'il avait la peau brûlante comme s'il était effectivement très fiévreux et il sentit à nouveau son cœur s'affoler aussi fort que tout à l'heure, quand les mots l'avaient blessé, pareils à un ballon venant le frapper avec violence en pleine tête. Alors, se décidant finalement à parler, il trouva tout à coup très important de raconter – aussi rapidement que possible et sans laisser place aux questions qui auraient imposé à sa langue de fâcheux détours – l'histoire qui le taraudait depuis la récréation. Elle le remplissait d'une honte qu'il n'avait jusqu'ici ressentie que dans les moments où il avait mauvaise conscience et où il était incapable de se défendre sans s'empêtrer dans un tissu de mensonges toujours plus compliqués. Furieux, il enfonça sa fourchette dans la bouillie jaune que ses œufs brouillés avaient formée en se refroidissant.

– Il a dit que tous les Juifs puaient et que c'était pour ça que Hitler les avait brûlés. Ensuite, il m'a flanqué par terre en disant qu'il faudrait des Hitler dans le monde entier. C'est vrai que tous les Juifs puent ?

– Ton père…, entreprit de dire Jettel, avant de s'apercevoir qu'elle parlait d'une voix suraiguë et de ravaler sa colère.

En effet, en cet instant où l'indignation était sa seule force, elle comprit que, dans l'intérêt de son fils, il valait mieux éteindre le feu qui la brûlait. Elle se tut jusqu'à ce que ses poings fermés se soient assez ouverts et décontractés pour qu'elle parvienne à remettre le thermomètre dans son étui. Se rendant compte qu'elle ne devait pas faire naître en Max le sentiment qu'il s'était passé quelque chose d'extraordinaire, elle réprima le besoin de prendre son fils dans ses bras, besoin qui lui causait une véritable douleur physique. Elle constata avec étonnement combien il lui était aisé d'aimer et de mentir.

– Tu sais, dit-elle, ce Klaus Jeschke n'est qu'un garçon complètement stupide, qui ne sait même pas ce qu'il dit.

– Mais moi, je sais toujours ce que je dis, insista Max.

– Tout le monde n'est pas aussi intelligent que toi. Il y a beaucoup d'enfants qui se contentent de répéter comme des perroquets ce qu'ils entendent dire par leurs parents. Il a dit ça comme ça, sans réfléchir, sans penser à mal. Il ne sait même pas ce que ça signifie.

– Et ça signifie quoi ?

– Nous t'avons souvent parlé de Hitler, répondit Jettel en se forçant à regarder Max. Tu sais bien que c'était quelqu'un de très méchant. Tu sais aussi que nous avons été obligés de partir en Afrique et que, sinon, on nous aurait tous tués.

– Dans un four ? demanda Max. On nous aurait tous brûlés comme la sorcière de Hänsel et Gretel ? Regina aussi ?

– Oui, répondit Jettel.

Et elle ajouta, au bout d'un petit moment durant lequel Max la regarda avec impatience, mais aussi avec une curiosité qu'elle ne sut interpréter :

– À ta place, j'arrêterais tout simplement de jouer avec ce Klaus Jeschke. Comme ça, il ne pourrait plus te dire des choses aussi méchantes et tu n'aurais plus besoin de te mettre en colère.

Max se prit la tête entre les mains et renifla.

– Je n'ai jamais joué avec lui. Pas avec un type comme ça, tout de même. Il pue. Quand Klaus-les-Oignons entre dans la classe, tout le monde se bouche le nez.

– Ce soir, tu raconteras toute cette histoire à ton père, soupira Jettel. Je suis curieuse de savoir ce qu'il en dira.

Mais Walter avait une réunion à la Communauté et il rentra si tard que Max était déjà couché et qu'il ne fut pas autorisé à se relever. C'est ainsi qu'il manqua l'occasion de vérifier si, apprenant sa première rencontre avec une hostilité qui lui avait à ce point paralysé la langue et les poings qu'il ne parvenait pas à l'oublier, son père serait aussi embarrassé que sa mère l'avait été.

Il était toutefois resté assez éveillé pour entendre que Klaus Jeschke était à l'origine, dans la chambre à coucher de ses parents, de l'un de ces furieux combats qui reprenaient presque toujours le lendemain matin, à la table du petit déjeuner – un combat muet, certes, mais qui ne pouvait échapper à la vigilance d'un garçon très tôt exercé à capter les échanges de regards entre ses parents.

Tandis que Max laissait fondre sur sa langue son dernier biscuit sec, attendant avec plaisir le moment où le goût du chocolat se mêlerait à celui du dentifrice, les premiers bruits d'une bataille dont il avait trop l'habitude pour s'en effrayer encore se firent entendre. C'est sa mère qui cria la première :

– Ta maudite Allemagne ! (Avant d'ajouter, presque aussitôt :) Et il a fallu à tout prix que tu reviennes dans le pays des assassins !

Son père, furibond, hurla en retour :

– Tu n'es tout de même pas assez bête pour prendre au sérieux les bavardages d'un sale petit morveux ? Est-ce que tu crois vraiment que

Regina, dans son si distingué pensionnat anglais, n'a jamais eu affaire à l'antisémitisme ?

Avant de s'endormir, Max prit la résolution de retenir ce dernier mot, qu'il entendait pour la première fois dans son délicieux état de somnolence, et de questionner son père à son sujet, tout comme il lui demanderait quelle taille avaient donc ces fours dans lesquels on brûlait les gens. Mais, le lendemain matin, il oublia de poser ses deux questions parce qu'il avait passé trop de temps à chercher son plumier et son sac pour les affaires de gymnastique ; l'occasion ne s'en représenta que plus tard, à l'hôpital Bethanien, sur le boulevard Prüfling, au cours d'une de ces conversations sérieuses, entre père et fils, qui donnaient à Max la certitude exaltante que seuls les hommes étaient capables de résoudre les grands problèmes de l'existence. Il ne fut, à vrai dire, plus question de Klaus Jeschke.

Ce mercredi-là – qui apporta à Walter le premier signal d'alerte, lui signifiant que le temps de l'espoir était révolu –, il y avait, au déjeuner, de la choucroute et la saucisse bouillie qu'il aimait tant ; avant la grande dispute, Jettel avait fait un détour jusque chez le boucher de la Bergerstrasse et, à son grand regret, il lui fut ensuite impossible d'adapter le menu à une atmosphère domestique remplie de tensions. Walter ne mangea qu'une saucisse, n'en suça pas la peau et ne réclama même pas la moutarde qu'Else avait oublié de mettre sur la table ; il laissa également sur son assiette la plus grande partie de la choucroute.

Pendant ce repas silencieux, comme l'exigeaient les circonstances, Jettel s'était donné toutes les peines du monde pour ne pas tourner les yeux vers son époux, craignant de lui faire croire, par un regard malencontreux, qu'elle était déjà disposée à se réconcilier. Constatant que, comme Max la veille, Walter repoussait son assiette en direction du plat de pommes de terre, elle pensa qu'il venait ainsi de donner le signal de la reprise des hostilités. Toutefois, en même temps qu'elle formulait dans sa tête la phrase qui brûlait en elle, elle leva les yeux et s'aperçut qu'il avait le front couvert de gouttes de sueur, les lèvres noires et le visage d'une pâleur inhabituelle.

– Qu'est-ce qu'il t'arrive ? demanda-t-elle.

– Rien, répondit-il, ce n'est pas la peine de te faire du souci. Nous pouvons tranquillement continuer à nous disputer.

Il avait une voix étrange et faible, la respiration oppressée et bruyante, et, quand il posa les deux bras sur la table, laissant ensuite s'affaisser son buste, il poussa un léger gémissement, les lèvres serrées.

– Pour l'amour du ciel, mais tu n'es pas bien ! Aurais-tu par hasard encore une fois mangé quelque chose en route ? Faut-il que j'appelle le docteur Goldschmidt ?

– Laisse tomber, Jettel, nous ne pouvons pas nous payer le médecin avant d'avoir assez économisé pour envoyer Regina à l'école.

Soulagée, Jettel crut un bref instant qu'il allait mieux et qu'il venait de se livrer à une de ses plaisanteries favorites sur le thème de l'exil, cette période terrible où l'argent manquait au point que, même en cas de maladie susceptible d'être mortelle, il était impossible d'envisager une assistance médicale. Mais les images qu'il avait fait surgir par cette simple petite phrase avaient éveillé en Jettel un instinct aiguisé par les situations périlleuses affrontées à la ferme. Submergée de terreur et de tendresse à la fois, elle comprit que Walter avait effectivement confondu les temps et les lieux. Lisant l'angoisse dans ses yeux et remarquant le papillotement des paupières, elle l'aida à se lever de table en lui murmurant : «Ça va aller mieux», puis elle le mena jusqu'au fauteuil à oreilles du salon. Elle courut alors au téléphone.

Une demi-heure plus tard, Walter était à l'hôpital. Le premier jour, les médecins diagnostiquèrent une crise cardiaque ; le deuxième, parlant d'acétone, un sévère diabète ; et le troisième, le professeur recommanda d'arracher les dents de la mâchoire supérieure qui avaient des abcès. Quand, le quatrième jour, Max put enfin rendre visite à son père, les dents étaient dans le lavabo et Walter ricanait dans son lit.

– Ton papa, dit-il en repoussant vers la fenêtre le bassin hygiénique vide, ton papa a mordu une infirmière jusqu'au sang et, pour sa punition, devra manger du porridge le restant de ses jours.

– Maman a dit que tu ne pourrais plus jamais manger de chocolat.

– Ce sont des commérages, répondit Walter en riant. Tu sais bien comment sont les femmes : cheveux longs et idées courtes. Regarde plutôt mes dents.

– Regina dit qu'il faut glisser sa dent sous l'oreiller et faire un vœu. La nuit, une fée vient alors prendre la dent.

– Ne te laisse pas mettre en tête de pareilles bêtises par Regina. Tu es un homme.

Max était en train d'admirer la septième dent arrachée, lorsque Clementine, la surveillante, entra dans la chambre avec un plat de bouillie et de compote de pommes – les infirmières, en effet, n'osaient pas apporter le repas à Walter, classé parmi les patients particulièrement difficiles à vivre – et en fut chassée incontinent par cette apostrophe furibonde :

– Le professeur peut se la manger lui-même, sa tambouille !

– Tu as le droit de faire ça ? interrogea Max, très impressionné.

– Mon fils, expliqua Walter, sache bien que si tu crois à la maladie dont les médecins veulent te persuader, tu es perdu. Si, en Afrique, j'avais eu de quoi payer le médecin, je serais déjà mort aujourd'hui.

À part la malaria qu'il avait contractée peu après son arrivée au Kenya et la fièvre hématurique qui l'avait terrassé à l'armée, Walter n'avait jamais été gravement malade. À la ferme, dès le début, il avait pris la résolution de vaincre la maladie à force de volonté et en refusant de céder à la peur ; durant cette période d'isolement et de désespoir, il était devenu aussi fataliste que les habitants des huttes qui, pour ce qui était de la vie et de la mort, s'en remettaient au Dieu noir Mungo sans se révolter contre le destin et ne percevaient donc pas les signaux et les avertissements émanant de leur corps.

Bien que, juste avant son hospitalisation, il ait ressenti une peur panique de la mort qu'il n'avait toujours pas oubliée, il n'était ni disposé ni apte – en raison de tout ce qu'il avait vécu en Afrique et qui l'avait marqué à jamais – à prendre au sérieux et à considérer comme une maladie un effondrement contre lequel les médecins n'avaient rien d'autre à lui proposer que de se ménager et de suivre un régime alimentaire. Il se fit amener des dossiers de l'étude et, assis à la petite table ronde de sa chambre d'hôpital, il se mit à rédiger à la main des lettres et des mémoires juridiques ; il insista pour que Fafflok passe le voir tous les jours et il se refusa à ce qu'on le préserve de la moindre contrariété professionnelle ou de tout motif d'agitation.

En dépit du souhait du médecin de voir le cercle des visiteurs limité aux membres de la famille, Walter, quatre jours après son entrée à l'hôpital, appela au téléphone ses amis de haute Silésie. Ils arrivèrent aussitôt en nombre. Assis sur son lit, ils déballaient leurs problèmes et bénéficiaient d'une consultation juridique gratuite. Walter, lui, dégustait avec avidité la rude saveur sans apprêt de sa langue maternelle et dévorait les saucisses bien grasses et les plantureux gâteaux qu'ils lui avaient apportés.

Comme par le passé, quand il était en bonne santé, il se disputait avec Jettel qui ramenait à la maison les chocolats fourrés avant qu'il ait eu le loisir d'ouvrir la boîte. Il se moquait d'elle quand elle lisait les prescriptions diététiques que lui donnait le professeur, prétendant que, sa vie durant, elle avait guetté l'occasion de lui chiper son chocolat. Il racontait sans arrêt aux infirmières et aux médecins qu'il avait trop longtemps souffert de la faim pour se laisser priver par eux de la seule joie de l'existence restant à un homme de son âge.

Si Jettel, Regina et Max se retrouvaient ensemble dans sa chambre, c'était avec une force d'imagination qui le stupéfiait lui-même qu'il décrivait la cérémonie solennelle de ses funérailles, la foule des parents et amis éplorés, et le désir de certains d'entre eux – Jettel étant bien entendu du nombre – de se précipiter dans la tombe. Vêtu d'une chemise de nuit blanche, nouée d'une écharpe rouge en souvenir du costume qu'Owuor revêtait pour les repas de fête en l'honneur d'hôtes importants ou dans des circonstances particulières, il écrivait les discours funèbres qui seraient prononcés par Karl Maas, maintenant président du tribunal d'instance, par les représentants du barreau, par le président de la communauté juive, par Schlachanska en habit et haut-de-forme et par un orateur de l'organisation des réfugiés de haute Silésie.

À Jettel, il promit un chapeau noir tout neuf, avec un grand voile, et à son fils qu'il pourrait porter, lors des funérailles, la montre de gousset en or de son grand-père. Il l'assura aussi qu'il serait assis au premier rang et qu'il n'aurait plus à aller à l'école, puisqu'il devrait subvenir aux besoins de sa mère, incapable de gagner sa vie, et de sa sœur, trop timide. Jettel était furieuse, Regina atterrée et Max enthousiaste.

C'est durant la journée seulement qu'il arrivait à s'abriter derrière de telles fuites délibérées hors de la réalité, derrière les provocations à l'adresse des médecins, l'humour mélancolique ou macabre, et la transgression permanente des frontières séparant l'ironie du refoulement de la peur. La nuit, ruminant de sombres pensées durant ses insomnies, il se sentait vieux, et il était tourmenté par l'idée qu'il n'aurait plus le temps de laisser la maison de la Rothschildallee libre de dette à Jettel et à ses enfants.

Il avait cru que l'angoisse du lendemain propre au temps de l'exil ne serait déjà plus, après le vigoureux essor de la reconstruction, que le souvenir d'une époque heureusement révolue ; mais, tel un monstre hurlant, elle réapparaissait, se jetant sur lui toutes griffes dehors. Lui, de son côté, repartait pour Ol'Joro Orok, afin de s'asseoir au bord du champ de lin, en compagnie de Kimani, l'ami méditatif qui connaissait si bien la nature humaine. Dans ses rêves éveillés aux couleurs éclatantes, il ne cessait d'entendre son compagnon des jours enfuis : «Personne ne meurt, *bwana*, tant qu'il ne dit pas : "je veux mourir".»

Avant d'éteindre la lumière, Walter mettait bas le déguisement du clown qui trompe son monde en simulant la gaieté. Alors, il ne voyait plus que le visage de Kimani, ses yeux de sage et ses dents blanches qui luisaient dans le soleil de la mi-journée. Il s'endormait, troublé, mais réconforté.

Regina lui apportait tous les jours le journal avant d'aller au lycée ; un matin, elle trouva son père les mains jointes sur le ventre, les yeux fermés.

— *Na taka kufua*, dit-il à voix basse.

— Il ne faut pas que tu dises ça, s'écria-t-elle en croisant les doigts, horrifiée. On ne plaisante pas avec ce genre de choses. Ça porte malheur.

— Pourquoi ? Kimani l'a bien dit quand nous avons quitté la ferme et que, le lendemain, on l'a retrouvé mort dans la forêt. Il a dit : «*Na taka kufua*.» Je le sais parfaitement, bien que je n'aie pas été là, auprès de lui.

— Lui a voulu mourir, mais toi, non.

— Je suis un vieil homme, Regina. Mon heure est venue.

— Tu n'as pas encore cinquante ans.

— Je suis beaucoup plus âgé que ça. Hitler m'a volé tant d'années.

— Et, à présent, c'est toi qui es en train de te les voler. Tu ne veux pas voir grandir ton fils ?

— Si, répondit-il, mais Dieu ne m'en laissera pas le temps.

— Comment peux-tu parler de Dieu et ne pas lui faire confiance ? Tout ce que tu m'as enseigné quand j'étais enfant, ça n'était donc que des histoires auxquelles tu ne croyais pas toi-même ?

— Tu as raison, *memsahib kidogo*. J'étais simplement parti en safari.

— Mais tu as une nouvelle fois oublié d'emmener ta tête. Quand nous l'avons quitté, Owuor m'a dit que tu étais un enfant et que je devrais te protéger. Ne me rends pas les choses aussi difficiles !

– Est-ce que tu as, toi aussi, cessé de me comprendre ? Je veux vous rendre les choses aisées quand l'heure sera venue. J'aimerais que vous assistiez à mon enterrement en riant, parce que tout se sera passé comme je l'avais prédit.

Avant même de prendre conscience qu'un premier grain de sel lui grattait la gorge, Regina comprit que l'ancienne histoire, jamais oubliée, était en train de se répéter. Rien n'avait changé depuis les jours disparus. Son père était toujours le rusé dieu Amour de la tribu des Massaïs ; il était toujours le guerrier qui, pour conquérir son cœur, visait soigneusement avant de décocher sa flèche. Et elle était de nouveau une enfant, en passe de devenir une femme, certes, mais toujours incapable de se défendre contre la flamme d'un amour possessif qu'il avait allumée en elle.

Regina se revit sous le goyavier de Nairobi, écoutant son père parler du retour en Allemagne. Il lui avait alors demandé, sûr de soi et de sa décision, de l'accompagner pendant son safari sans retour et elle le lui avait promis.

Elle n'hésita qu'un bref instant, se croyant incapable de porter ce nouveau fardeau. Puis elle enleva le journal du lit et prit Walter dans ses bras. Elle sentit, sur ses lèvres, les larmes de son père, elle entendit battre leurs deux cœurs et elle sut qu'elle était prête à parcourir avec lui le chemin dont ni lui ni elle ne voulaient.

– Fais en sorte que ce soit un long safari, *bwana*, dit-elle avec effort, nous avons tout notre temps.

– Il sera aussi long que possible, *memsahib kidogo*. Je te le promets. Et maintenant, sors enfin les délicieux chocolats fourrés de Mme Schlachanska que ta mère a cachés hier dans l'armoire.

12

Le matin même de sa dernière journée au lycée Schiller, moment qu'elle avait attendu avec l'impatience que seules peuvent provoquer une aversion longtemps accumulée et l'impossibilité de parler à quelqu'un de ses misères, une double surprise attendait Regina : elle aurait à subir une épreuve orale en anglais et en allemand pour le baccalauréat. Loin de se répandre en lamentations comme la plupart de ses camarades qui dissimulaient leur manque de confiance en elles sous de complaisantes manifestations de modestie, elle eut aussitôt la certitude qu'elle réussirait son examen, bien qu'elle ait rendu une copie blanche à l'épreuve écrite de mathématiques et qu'elle n'ait également pas obtenu mieux qu'un 5 en biologie.

Bien sûr, la professeur d'anglais n'avait jamais pardonné à Regina son entrée si remarquée dans le système scolaire allemand – la jeune fille arrivant d'Afrique et balbutiant l'allemand l'avait en effet tutoyée, l'exposant aux rires de la classe –, mais la vanité était beaucoup plus développée en elle que l'imagination, qualité dont elle aurait eu besoin pour éprouver un peu de sympathie envers une enfant venant d'un autre monde et paralysée par la peur. Et c'est bien par vanité qu'elle n'avait pu résister à la tentation de proposer pour Regina la note globale de 2[1], en dépit de ses connaissances linguistiques – si désagréablement supérieures à celles du reste de la classe – et de ses excellents résultats dans

---

1. En Allemagne, la meilleure note est 1, la moins bonne 6. Le baccalauréat est un mélange de notation continue et d'épreuves orales permettant éventuellement d'améliorer sa note *(NdT)*.

cette matière. Il devenait donc nécessaire de vérifier, au cours d'un examen oral, si ce 2 ne pouvait se transformer en 1. Cela permettait aussi de présenter aux membres du corps enseignant présent, et surtout au représentant du ministère de la Hesse à la sévérité bien connue, une élève témoignant des qualités pédagogiques hors du commun de sa professeur. Car, en définitive, cette difficile enfant venue d'Afrique parlait anglais sans accent, connaissait la littérature anglaise bien au-delà de ce qu'on avait pu en lire en cours et récitait le monologue d'Hamlet comme si c'était elle qui l'avait écrit.

De son côté, Regina n'avait jamais pardonné à cette professeur son manque de tolérance envers une élève qui, contrainte au mutisme, se retrouvait à quinze ans devant l'abîme d'une culture inconnue la condamnant à tout jamais à la médiocrité, dans le meilleur des cas. Elle avait encore moins d'indulgence pour la manière dont une simple incompréhension naïve s'était transformée, au fil du temps, en une aversion très consciente qui n'avait pu se traduire en mauvaises notes, vu l'excellence de l'élève, excellence uniquement due, d'ailleurs, au fait qu'elle avait passé de nombreuses années d'exil en pays anglophone. Toutefois, ayant besoin que soit certifié par l'institution scolaire qu'elle était bien entrée dans l'âge adulte, Regina résista à la tentation de goûter, ne serait-ce que timidement, aux délices de la vengeance ; à regret, elle ne céda pas au talent d'imitation des voix et des mimiques qu'Owuor avait si tôt et si bien développé chez elle. Elle priva donc le très distingué aréopage du privilège d'entendre une élève parler anglais avec le même mauvais accent que sa professeur.

Le professeur d'allemand, en revanche, avait d'emblée fasciné Regina. Il l'avait encouragée et poussée en avant et il était le seul dont elle se séparerait avec le sentiment que la rencontre avait été profitable et qu'elle aurait des effets durables. Elle continuait à lui reconnaître sans réserve les qualités d'humanité et de désintéressement dont il avait fait preuve à son égard le premier jour de sa scolarité allemande. Pourtant, quand, lors de l'épreuve orale, il ne lui posa pas une seule question sur la deuxième partie de Faust – contrairement à toute attente, vu le temps consacré à l'étude de Goethe les deux années précédant l'examen – et qu'il l'invita aussitôt à parler de l'auteur qu'elle avait librement choisi, elle commença à soupçonner que ce philanthrope tant admiré pouvait avoir lui aussi des raisons particulières de placer au centre de l'attention une élève dont le parcours scolaire n'avait pas été spécialement rectiligne.

Tandis que toutes les autres candidates, dans le choix des auteurs et des œuvres à étudier sans aide ni orientation pédagogiques, s'étaient limitées à Rudolf Binding, Manfred Hausmann et, à la rigueur, à Hermann Hesse, Regina avait opté pour Stefan Zweig. Or, évoquant au cours de l'épreuve l'incapacité de l'écrivain en exil à oublier sa langue maternelle et ses origines, et à trouver un nouvel enracinement, elle s'aperçut avec ébahissement, et non sans un certain malaise, que trois ou quatre professeurs s'essuyaient les yeux et que, par-dessus le marché, il s'agissait de gens dont elle n'aurait jamais imaginé que les questions de patrie perdue puissent leur arracher des larmes. Regina fut en particulier frappée par l'émotion qui envahit la professeur de français, dont on s'accordait à dire qu'elle avait de grandes capacités pédagogiques et un esprit ouvert sur le monde. Cette femme n'avait en fait jamais réussi à comprendre pourquoi une enfant formée dans une école anglaise parlait le français avec un accent aussi épouvantable, et elle se bouchait les oreilles de manière théâtrale dès que Regina s'apprêtait à ouvrir la bouche.

La professeur de biologie, qui avait mal interprété l'aversion de Regina pour l'étude détaillée des lois de l'hérédité, y voyant le résultat d'un manque de zèle et d'une certaine malveillance à son endroit, souffrit si visiblement quand elle entendit parler du suicide de Stefan Zweig qu'il s'en fallut d'un cheveu que Regina – si son séjour au lycée Schiller n'avait encore renforcé chez elle un scepticisme déjà bien ancré – ne lui pardonne le 5 qu'elle avait inscrit dans son livret, sans compter un certain nombre de vexations dont elle était seule à percevoir la réalité pourtant évidente.

Si elle obtint à l'épreuve d'allemand le 2 qui lui était nécessaire, elle fut néanmoins affectée à l'idée qu'elle n'avait peut-être été qu'actrice dans une pièce habilement mise en scène, permettant aux pédagogues de manifester une tolérance dont elle n'avait rien perçu durant toutes ces années. La manière dont elle vécut ce dernier jour de lycée explique que Regina ait pu, sans ressentir la mélancolie habituelle chez les jeunes gens arrivant à la croisée des chemins de l'existence, quitter une communauté dont elle ne s'était jamais sentie membre à part entière, en dépit de l'amabilité de nombreuses camarades et de l'amitié manifestée par quelques très rares autres.

Elle se surprit même à frissonner quand, se retrouvant dans la Gagernstrasse, ne sachant où diriger ses pas, songeuse mais pas émue pour un sou, elle contempla les murs gris de l'école dont les pierres avaient été retirées des décombres, à la main, par des élèves zélées que des pédagogues éloquents avaient su gagner à la cause de la reconstruction. Ce frisson fit grandir son besoin de ne partager cette journée de joie et de libération qu'avec ses parents et, surtout, de ne la savourer que dans une atmosphère où elle serait à l'abri d'allusions cachées et de l'obligation de dissiper des malentendus, contrainte épuisante à la longue.

Rompant avec les habitudes de son existence scolaire, qui l'autorisaient à flâner un peu et à repousser d'autant ses fastidieuses tâches ménagères, Regina rentra chez elle en courant d'une seule traite, sans même prendre le plaisir de jeter un œil aux vieilles maisons des deux rives du Main qu'on avait reconstruites ; elle franchit, toujours courant, la passerelle de fer, rattrapa hors d'haleine, à la Konstabler Wache, le tram en direction de Bornheim et, parvenue à sa station, remonta la Höhenstrasse à toute allure, pareille à un enfant exubérant impatient de recevoir une récompense méritée.

C'était une douce journée de mars, au fort avant-goût de printemps. Dans le minuscule jardinet, devant la maison du 9 de la Rothschildallee, les premiers crocus étaient en fleur, jaunes, blancs et violets, assiégés par des mésanges ; le lilas, que Walter aimait et soignait avec tendresse et qui symbolisait pour lui, tous les ans en mai, le renouveau de la nature dont il n'avait cessé de rêver en Afrique, bourgeonnait déjà. Sur les bords du parterre rond, on pouvait voir se teinter d'un premier vert les robustes tiges des roses qui provenaient des graines recueillies à Sohrau et qu'Owuor avait ensuite transportées, de Rongaï à Ol'Joro Orok, dans une petite enveloppe blanche.

Regina ne s'autorisa qu'une brève rencontre avec Owuor entre les rosiers touffus de son pays, mais cet instant fut assez long pour qu'elle perçoive le parfum de sa peau et sente l'étreinte de ses bras tandis qu'il la levait vers le soleil en lui disant qu'elle était aussi intelligente que lui. Elle avait encore à l'oreille le souffle de son haleine quand elle sonna à la porte de la maison. Dans la cage d'escalier, elle comprit, grâce aux odeurs, que ses parents l'avaient attendue pour déjeuner.

– As-tu échoué, ma fille ? lui cria son père, depuis le troisième étage, d'une voix qui aurait été parfaitement appropriée pour réveiller l'écho des montagnes qu'elle aimait tant. Ça ne fait rien, ça arrive dans les meilleures familles.

– Pas chez nous, répondit Regina, tournée vers le haut de l'escalier. J'ai réussi.

Elle étreignit ses parents ensemble, serrant leurs corps l'un contre l'autre, exactement comme, enfant, elle le faisait lorsqu'elle revenait de l'école à la ferme et n'arrivait pas à décider à qui elle voulait en premier témoigner son amour. Les larmes que ses condisciples avaient versées lui vinrent enfin, à elle aussi, quand sa mère lui dit :

– Il y a des boulettes de Königsberg. Je te les préparais chaque fois que tu revenais de ton pensionnat.

– Et tu disais chaque fois : « On ne trouve pas de câpres dans ce pays de singes. » Et alors, je te demandais ce que c'était, les câpres.

– Mais regarde enfin dans ton assiette, dit Max avec impatience.

Avec l'argent qu'il avait quémandé d'elle la veille au soir, il avait acheté à sa sœur une médaille dorée attachée à un ruban et il lui avait fait un dessin avec une auto rouge, un soleil bleu, deux petits bonhommes verts et une inscription : « Regina a le baque. Maintenant, tu seras biento plus avec nous. »

Elle le prit sur ses genoux et le serra contre elle jusqu'à ce que leurs rires soient à l'unisson. Elle lui demanda alors :

– Comment ça, je ne serai plus avec toi ? Juste parce que je n'irai plus au lycée ?

– Parce que tu dois partir en Angleterre.

– Qu'est-ce que j'irais faire en Angleterre ?

– Te marier, expliqua Max.

– Qui est-ce qui t'a encore mis une idée pareille en tête ?

– M. Schlachanska. Il a dit à papa qu'en Angleterre il y a beaucoup de maris pour toi. J'ai très bien entendu.

– Ça recommence ? demanda-t-elle en s'efforçant en vain de garder le même air qu'une minute auparavant. À quel jeu on joue ici ?

– Ce n'est rien, la tranquillisa Walter. Ton frère a une nouvelle fois démontré qu'il n'est pas encore capable de fournir un témoignage correct. De toute l'histoire, la seule chose exacte, c'est que, pour fêter cette journée, nous allons boire le café avec les Schlachanska à Gravenbruch.

– Tiens, tiens ! dit Regina en cherchant à lire sur le visage de son père des indices de mauvaise foi, mais il soutint son regard sans détourner les yeux le moins du monde.

Elle piqua alors une pomme de terre dans son assiette, et la sauce aux câpres que Jettel avait particulièrement bien réussie l'aida à ravaler sa mauvaise humeur.

La maison forestière de Gravenbruch était un but d'excursion très apprécié que Walter ne proposait qu'en des circonstances rares ; il ne l'avait plus fait depuis sa maladie, s'étant mis à considérer toute dépense non indispensable comme un manque d'esprit de responsabilité envers sa famille. Le gâteau de Gravenbruch était plus cher que dans les cafés du centre-ville ; on ne servait le café que dans des cafetières de deux tasses par personne et, à force de jouer au grand air, les enfants étaient pris d'une soif ruineuse.

Les mères, en grande toilette – tenue qui jurait de manière extravagante avec la rusticité de l'environnement – ne se contentaient pas de laisser les enfants commander des boissons supplémentaires. Elles avaient aussi tendance à succomber aux stratégies de persuasion d'un personnel très bien formé et à dignement terminer ces après-midi si joyeux en s'offrant, à des prix parfaitement prohibitifs, une liqueur aux œufs ou de la liqueur d'or de Dantzig.

Mme Schlachanska, ce jour-là, portait une nouvelle coiffure, un chapeau blanc à larges bords, décoré d'une énorme rose en tulle bleu foncé, et un tailleur bleu en soie, à petits points, qu'elle avait acheté lors de son dernier voyage à Paris. Jeanne-Louise arborait, elle, une robe à ruchés en taffetas jaune citron, les socquettes blanches dont Max était toujours amoureux comme au premier jour de sa rencontre fatidique avec la beauté féminine, et des souliers vernis blancs aux boucles gracieuses. Jettel, de son côté, était vêtue d'une robe noire avec un chapeau rose à voilette et des gants assortis, tandis que Regina avait gardé le corsage blanc, fermé par un ruban noué, et le tailleur bleu qu'elle avait mis pour passer l'oral de son baccalauréat.

Walter avait acheté ce tailleur bleu, à prix d'ami, chez le fabricant de tissus que Regina avait refusé d'épouser quelques années auparavant et qui était entre-temps devenu client du cabinet Fafflok et Redlich, avait épousé une Sud-Américaine et était père de deux filles. Les hommes avaient mis moins de recherche dans leur toilette.

Josef Schlachanska avait réussi à loger son embonpoint dans un maillot de tennis blanc, Walter portait un pantalon kaki de l'armée britannique, pour lequel il s'était pris d'amour depuis son arrivée à Francfort, et Max un pull à rayures horizontales rouges et blanches, avec la culotte de cuir grise qui lui était trop courte depuis l'été précédent. Ce dernier vêtement provoquait chez Mme Schlachanska des froncements de sourcil savamment dosés ; son sens très développé du style lui faisait trouver le compagnon de jeu de sa fille trop américain pour ce qui était du haut du corps, et trop allemand pour ce qui était du bas.

Jeanne-Louise était également d'humeur très enjouée. Avec ses sept ans, elle avait déjà suffisamment appris de sa mère pour accorder une attention très critique aux détails de l'apparence, mais, en même temps, son éducation était encore trop imparfaite pour qu'elle respecte avec la discipline nécessaire les règles de correction que pouvait concevoir sa mère. Après le café, ayant fait sur sa robe une petite tache de crème qui lui avait aussitôt valu une réprimande, elle se mit à jouer au gendarme et au voleur avec Max et pataugea dans une flaque avec ses souliers vernis ; là-dessus, elle employa un mot très grossier qu'elle avait appris de Max, un petit quart d'heure plus tôt.

Débarrassé des enfants, trop curieux et toujours enclins à s'exprimer sur des problèmes dont le sens profond leur échappait – penchant auquel les parents laissaient toujours libre cours –, Josef Schlachanska, après avoir avalé une troisième part de brioche de Francfort et un deuxième cognac, en vint au sujet qui l'avait amené à proposer cette excursion. Il parla brièvement de son propre baccalauréat, effleura sa vie agitée d'étudiant et demanda à brûle-pourpoint :

– Eh bien, Regina, que comptes-tu faire maintenant ?

– Je n'y ai pas encore vraiment réfléchi.

– Tu n'as tout de même pas l'intention de rester en Allemagne ?

– Si, j'en ai bien l'intention, répliqua-t-elle, ayant cette fois parfaitement saisi, sans même avoir à regarder Walter, qu'un filet se resserrait autour d'elle.

Mais Josef Schlachanska n'était pas homme à se laisser remettre à sa place par le ton cavalier d'une jeune fille en colère. Il lui adressa un sourire enjôleur, plein de candeur et de gentillesse, un de ces sourires auxquels une femme avait de la peine à résister.

– J'ai proposé à ton père de t'envoyer un an en Angleterre. Il faut bien qu'une jeunesse comme toi sorte un peu d'ici et fasse la connaissance d'autres personnes.

– Celles que je connais me suffisent, dit Regina sans se donner le temps de reprendre son souffle. (Puis, laissant libre cours à une colère accumulée et subitement réveillée :) D'ailleurs, ce n'est pas de personnes en général que vous parlez, mais d'un mari à trouver. Je ne suis tout de même pas allée des années à l'école pour me laisser marier à un homme que je ne connais pas et qui, à part le fait que le hasard l'a fait naître juif, n'a rien à offrir.

Pleine d'impatience, prête à affronter la tempête qu'elle venait de déchaîner, fixant avec embarras ses mains dont elle pressentait qu'elles avaient la même couleur que son visage, elle se laissa envahir par le désarroi et la fureur, se sentant trahie et humiliée. Pourtant, jetant un œil sur Walter, elle surprit dans son regard l'ancienne et familière panique qui l'émouvait infiniment.

Une vague de tendresse vint lui réchauffer l'âme et elle comprit que rien n'avait changé depuis l'époque des premiers prétendants. Rien n'effrayait davantage son père que l'idée d'avoir à se séparer de sa fille. La seule chose, c'est qu'il n'avait pas eu le courage d'avouer la vérité à Schlachanska. Regina épongea lentement la sueur de son front. Il lui fallut se concentrer pour ne pas cligner de l'œil en demandant à son père d'une voix qu'elle fut la seule à entendre trembler :

– Est-ce qu'on ne pourrait pas discuter de mon avenir demain ? Je ne voudrais pas qu'on me gâche une si belle journée.

– *Kessu*, dit Walter avec toute l'innocence d'Owuor dans le regard, tandis qu'il serrait très tendrement, sous la table, la main de Regina. *Kessu*, expliqua-t-il à Josef Schlachanska, est un mot merveilleux. Il signifie demain, bientôt, un jour quelconque ou jamais. Parfois, dans ce pays, le *kessu* me manque.

– Ah ! Redlich, votre maudite Afrique ne vous a pas arrangé. Si vous y étiez resté, vous auriez fini par marier Regina à un nègre.

– Est-ce que Regina a le droit d'épouser un nègre s'il est juif ? demanda Max.

Puis, quand il vit que son père riait comme il lui arrivait rarement de le faire, il comprit qu'il avait dit quelque chose de particulièrement futé, et il en profita pour lécher dans un verre un fond de liqueur d'or. Il fut le seul, un peu plus tard, à garder un souvenir impérissable du jour où fut fêtée la réussite de Regina à l'oral du bac.

La petite Opel, usée par les années et par le tempérament de Walter, était garée à côté de la puissante Maybach des Schlachanska, sur un pré qui, en début d'après-midi, était encore sec, mais qu'une petite ondée avait étonnamment vite détrempé. Walter, avec sa famille, était presque déjà arrivé à la route quand il s'aperçut, dans son rétroviseur, que la Maybach s'était enlisée et qu'à chaque coup d'accélérateur elle s'enfonçait un peu plus dans la terre. Écarlate, jurant comme un charretier, Schlachanska lançait son corps vers l'avant, en direction du pare-brise, chaque fois qu'il remettait les gaz, comme s'il avait voulu faire avancer son véhicule à l'aide de ses cent kilos. Mais la Maybach ne bougeait pas d'un pouce.

Walter descendit de voiture en sifflotant, claqua sa portière, demanda à Mme Schlachanska et à Jeanne-Louise de sortir de l'auto, ce qu'elles firent d'ailleurs sans opposer la résistance attendue, et il entreprit de pousser le colosse d'acier.

— Arrête, espèce de fou, lui cria Jettel, alarmée, après être descendue de l'Opel avec Max. Quelqu'un qui a le cœur malade ne pousse pas une auto.

— Alors, donne-moi un coup de main.

Tous se mirent à l'ouvrage – Walter en ahanant, Max en poussant des cris d'encouragement, Mme Schlachanska perchée sur ses souliers à talons hauts, Jettel avec son chapeau rose qui n'arrêtait pas de glisser et Regina dans la robe si fragile de son jour de gloire. Avant d'être parvenus à l'épuisement total, ils durent s'avouer que leurs efforts restaient vains.

— Venez, mon ami, je vais vous ramener chez vous, à condition que vous sachiez encore vous introduire dans une petite voiture.

Le siège du passager n'offrait pas un espace suffisant pour le ventre de Josef Schlachanska qui, poussant de toutes ses forces, gémissant, fut obligé de se reculer – et se retrouva coincé, le nez contre la lunette arrière. Ses jambes, chaussées de coûteux mocassins en daim récemment mis à la mode, pendaient en dehors de la voiture.

— Comme l'ours Brun, exulta Max.

— Ferme-la un peu ! le gronda son père.

Walter dut se mettre à démonter le siège du passager pour réussir à faire asseoir Schlachanska sur la banquette arrière. Au bout d'une heure, il démarra en chantant à gorge déployée *Kwenda Safari*, les vitres baissées à fond.

Mme Schlachanska, furieuse d'avoir taché sa robe en soie, et Jettel, dont la voilette était de travers, se partagèrent le siège élimé de l'Opel. On l'avait déposé sur le pré, au milieu des pâquerettes et à côté d'un mouton à la tête noire. Le vent, printanier et chaud d'abord, se fit de plus en plus violent. Jeanne-Marie, muette, s'était réfugiée sur les genoux de sa mère. Ignorant les remontrances de Jettel et de sa sœur, Max ne pouvait s'empêcher de danser la gigue autour du quatuor féminin frigorifié, braillant à intervalles réguliers :

— Mon père est le meilleur conducteur du monde.

Quand Walter revint récupérer son siège et sa famille, accompagné de Rumbler, le chauffeur, réquisitionné durant son jour de congé et visiblement animé d'une bonne dose de malin plaisir, la mère et la fille Schlachanska refusèrent d'attendre que la Maybach soit dégagée de sa position ignominieuse. Avec une humilité inaccoutumée, elles s'entassèrent dans l'Opel.

Toujours sous le coup de la victoire d'un David qu'il avait sous-estimé par rapport à un Goliath si longtemps admiré, Max promit le soir même à son père :

— Ça, je ne suis pas près de l'oublier !

La conversation prévue entre père et fille n'eut lieu que deux jours plus tard. Regina était gênée, ce qui l'irritait fort, et elle le devint plus encore quand il lui apparut que son père l'était aussi.

— Je ne suis pas quelqu'un de riche, dit-il d'un ton solennel qu'il se reprocha aussitôt, le trouvant exagéré et ridicule, mais j'ai assez d'argent pour te payer des études. Tu peux étudier ce qui te plaît. Qu'est-ce que tu as envisagé ?

Regina se demanda avec angoisse si son père ne se doutait vraiment pas que, sitôt entrée au lycée Schiller, elle avait renoncé à l'idée de poursuivre des études, en tout cas pas dans une université allemande. Elle se sentait oppressée par l'obligation de se montrer reconnaissante d'une pareille offre, alors qu'elle risquait d'en décevoir l'auteur par son aveu : si elle tentait d'imaginer l'avenir, elle n'éprouvait que l'aspiration – toujours plus forte au fil des années où ses convictions allaient s'affirmant – à rester dans un monde à sa mesure, parmi des êtres partageant des sentiments analogues aux siens. Mais il lui vint à temps à l'esprit qu'il lui serait néanmoins aisé de faire plaisir à son père en lui donnant la réponse qu'il attendait certainement depuis des années. Prenant conscience de sa négligence, elle sourit avec remords en constatant que, cette fois, c'était elle qui avait si longtemps empêché ses yeux de voir et sa bouche de parler.

– Le droit, dit-elle avec soulagement.

– Mais tu ne parles pas sérieusement, Regina ! Il n'y a que les filles laides qui font des études de droit. De vrais bas-bleus, qui jamais ne se trouveront de mari.

– Ça ferait toujours un souci de moins, répliqua-t-elle, en se demandant si un bon mot ou une plaisanterie ne lui avait pas échappé dans la réponse paternelle. Mais je ne suis pas particulièrement fixée sur le droit. C'était juste une idée comme ça, parce que je m'intéresse à tout ce que tu racontes sur ton métier. À vrai dire, dit-elle en ne savourant que très brièvement son soulagement et en prenant enfin son courage à deux mains pour avouer la vérité, à vrai dire, je n'ai pas tellement envie de faire des études. Je vais sur mes vingt et un ans, et je vis à tes crochets depuis suffisamment longtemps.

– Arrête de dire des bêtises ! Je te répète que je peux me payer le luxe d'envoyer ma fille à l'université. C'est simplement le droit qui ne me plaît pas particulièrement. Et pas seulement parce que tu es une jolie fille. J'ai fait l'expérience de ce que représentent les études dans cette matière. Tu ne pourras exercer ton métier nulle part en dehors de l'Allemagne. Un juriste est prisonnier à vie.

Déconcertée, Regina se demanda quel effort sur lui-même cet aveu avait coûté à son père. Elle savait qu'il ne fallait pas qu'elle le regarde, et elle resta les yeux fixés sur la photo de l'hôtel de ville de Breslau, comme elle le faisait, enfant, quand les mots mettaient trop de temps à passer de sa tête à sa bouche.

– Tu veux pourtant que je reste ici, dit-elle en n'éprouvant d'un seul coup plus aucune difficulté à faire allusion à leur vieille complicité secrète. Qu'est-ce que tu dirais de jardinière d'enfants ? J'aime tant les enfants.

– Tu as vraiment envie de devoir faire la ronde en chantant *Quand trois poules vont aux champs* lorsque tu seras une vieille dame de cinquante ans ?

– Tu es trop intelligent pour moi, *bwana*. Couturière, ça ne serait pas mal non plus. Les gens ont toujours besoin de vêtements.

– Je ne savais pas que tu aimais coudre à ce point.

– Moi non plus, répondit Regina en riant. Qu'est-ce que tu dirais de libraire ? Beaucoup, dans ma classe, y songent.

– Vendeuse, ça ne va pas pour la fille d'un avocat. Tu es trop longtemps allée à l'école pour travailler dans une boutique. Bon Dieu, Regina, il doit bien y avoir, dans le monde, quelque chose qu'une fille intelligente comme toi aimerait faire.

– Écrire, avoua Regina, c'est la seule chose que, de toute ma vie, j'aie vraiment faite avec plaisir.

– Pas des livres, j'espère ? L'exemple de ton père t'a tout de même montré ce que signifiait une existence de crève-la-faim ?

– Ça fait un certain temps que je pense au journalisme, répondit-elle trop vite, elle-même surprise de s'entendre, considérant toutefois comme une heureuse coïncidence de s'être souvenue soudain du professeur d'allemand qui portait sur la plupart de ses rédactions l'annotation « trop journalistique ». Mais je n'ai aucune idée de la manière dont il faut s'y prendre.

– Moi non plus, mais l'idée me déplaît moins que les précédentes. Je pourrais me renseigner autour de moi, au tribunal ou à la communauté juive, pour savoir si quelqu'un connaît des gens qui sont dans le monde de la presse.

– L'essentiel, c'est que le journal ne soit pas en Angleterre ou dans un pays où abondent les partis convenables que sont les hommes juifs, soupira Regina.

– Je présume que tu n'aurais pas de trop fortes objections contre l'Afrique du Sud ?

– D'où tu tiens ça ? s'étonna-t-elle. D'où te vient cette idée ? Pourquoi n'as-tu jamais rien dit ?

Elle était trop prise de court, et trop soulagée aussi, pour en vouloir à son père d'être parti à la chasse sans lui avoir montré au préalable son arme, affûtée avec tant de ruse, et de l'avoir vaincue si facilement. Le temps d'un battement de cœur étourdissant, qui apporta à sa peau la chaleur et à sa tête une ardeur brûlante, elle se permit de s'enfuir vers des rivages soigneusement ensevelis pour y savourer le silence de l'instant et le souvenir au goût mêlé de miel et de sel. Mais elle entendit alors le rire du chasseur et elle coupa son rêve à l'aide d'un couteau aussi effilé qu'à l'heure des adieux à l'Afrique.

– Croyais-tu réellement que j'ignore tout de Martin et de toi ? Martin n'a jamais pu rester plus d'une heure avec une femme sans la posséder.

– Avec moi, il a suffi d'une nuit, et je suis heureuse que tu le saches.

Vinrent ensuite les journées qu'elle avait attendues avec tant d'impatience depuis la première heure passée dans une école allemande, mais qui lui paraissaient à présent aussi longues que vides de sens ; elle cherchait les raisons de son manque d'enthousiasme pour l'avenir et tentait de comprendre la léthargie qui la perturbait bien au-delà de l'état qui aurait été normal chez une bachelière trop longtemps protégée de la vie par une communauté bienveillante. Mais elle n'était ni assez experte dans l'art de se leurrer, ni assez naïve pour ne pas savoir exactement ce qui lui arrivait : elle n'avait jamais surmonté la peur de l'enfant qu'on avait chassée de son monde familier – avec une soudaineté et une brutalité destructrice que rien ne réparerait jamais – et qui était désormais contrainte de vivre parmi des étrangers.

Elle ressentit comme une particulière ironie du sort que ce soit justement Josef Schlachanska – cet homme pour qui rester en Allemagne, comme Regina, était contrevenir à l'expérience et à la foi – qui finisse par l'arracher à l'étau de ses doutes et de son manque de confiance en soi. Il entretenait d'excellentes relations avec un éditeur d'Offenbach et, sans même en parler avant à Walter, il réussit à le convaincre de recevoir Regina.

13

Au bout de dix minutes d'une attente angoissante, une femme gracieuse, à la chevelure d'un blond roux, aux yeux d'un vert remarquable derrière des lunettes cerclées d'or tout aussi remarquables, fit entrer Regina d'un geste énergique dans le bureau de l'éditeur Brandt et la mena jusqu'à une chaise vide, devant une table de travail massive. Regina tenta de lisser sa jupe plissée en faisant le moins de mouvements possibles. Elle avait mis le tailleur bleu qui l'avait aidée à passer sans encombre l'oral de son bac et qui avait désormais pour fonction, dans toutes les occasions tant soit peu importantes, de l'empêcher de souffrir de son aspect par trop juvénile. Elle était néanmoins persuadée qu'avant même le premier mot de l'entretien ses yeux et le pourtour de sa bouche avaient laissé transparaître la gêne et la tension qui étaient pour elle un fardeau aussi lourd que le doute qui la taraudait : serait-elle jamais capable d'expliquer à ses parents la raison de sa première défaite sur la voie d'une indépendance pourtant si attirante ?

L'éditeur avait un de ces visages lisses et ronds qui dissipaient d'habitude sa timidité en présence d'étrangers, car des yeux largement écartés et un front large la faisaient spontanément songer, même chez des hommes blancs, à la bienveillante sincérité des Noirs. Il portait une veste marron en tweed qui lui rappelait également son enfance, son premier directeur d'école plus précisément, et il était assis derrière un bureau de bois sombre sur lequel s'entassait, à côté d'un bouquet de lilas, une haute pile instable de journaux. Si elle ne rompait pas le silence sur-le-champ, Regina devinait qu'il ne lui resterait plus beaucoup de temps pour prononcer au moins une phrase sensée, mais elle ne pensa même pas aux petites formules de complaisance qu'elle avait préparées et soigneusement répétées durant le long trajet entre la Konstabler Wache et Offenbach.

En dépit de ses efforts – si intenses que son cœur en battait la chamade – pour se concentrer sur le motif de sa visite et surtout pour donner l'impression d'une jeune femme dégourdie, avide de posséder bloc-notes et crayon, et de pouvoir enfin embrasser la vie par l'écriture, elle perdait son temps à agiter des pensées, jeu qu'elle trouvait certes absurde, mais qu'elle ne parvenait pas à abandonner aussi promptement qu'il aurait fallu. Avec un sens du détail que, compte tenu de sa situation présente, elle apprécia comme absolument remarquable, elle se disait que si sa famille, dans les temps difficiles, avait connu l'existence de telles montagnes de papier, elle aurait pu, chaque jour que Dieu faisait, se payer une de ces diarrhées que chacun redoutait plus encore qu'une éventuelle réduction des rations de matière grasse.

Plongée comme elle l'était dans le souvenir des jours où le mot imprimé était beaucoup moins important que le papier qui l'avait recueilli, elle n'eut conscience d'avoir vraisemblablement remué les lèvres qu'au moment où Uwe Brandt dit :

– Ça me plaît. C'est toujours ce que je faisais moi aussi quand j'étais jeune. Tout simplement sourire carrément afin que les gens me trouvent sympathique.

– Merci, murmura Regina.

– De quoi ?

– D'avoir dit quelque chose.

– Le fameux premier mot, dit Brandt en riant, ce mot qui donne tant de fil à retordre à tous les journalistes.

Regina remarqua avant l'éditeur qu'il venait lui-même, bien qu'involontairement, d'énoncer le motif de sa visite. Avec trop d'application, comme elle l'enregistra aussitôt, elle fouilla dans son sac à main pour finir par lui présenter son diplôme de bachelière, en se demandant s'il était opportun de se recommander tout de suite de son professeur d'allemand qui lui avait conseillé de s'orienter vers le journalisme ou s'il ne s'agissait pas là d'une exagération un peu osée.

– Ah, ne vous occupez pas de ça, ma belle enfant. Je me moque des diplômes. Le premier de ma classe a tout juste réussi à devenir cadre aux chemins de fer. Et il a atterri dans un asile d'aliénés.

— J'espère que ça se passera aussi un peu comme ça dans ma classe, dit Regina, à nouveau confuse en s'apercevant qu'elle avait ri, mais trouvant le courage, à son grand étonnement, de continuer à parler : je n'étais pas la meilleure de ma classe ; ça ne m'est plus arrivé depuis mon retour d'Afrique.

— Qu'est-ce qui vous amène brusquement à l'Afrique ?

— C'est là que je vivais, expliqua-t-elle.

Malheureuse, elle se demanda comment il avait pu se faire qu'elle se laisse entraîner, sans la moindre nécessité, à parler d'elle et à dire des choses aussi cruciales. Mais, ne voulant pas couper aussitôt le fil de la conversation, elle poursuivit :

— C'est-à-dire que nous sommes partis en exil au Kenya quand les nazis sont arrivés au pouvoir.

L'éditeur l'ayant très spontanément questionnée – et avec une attention que Regina n'avait que très rarement rencontrée – sur sa famille, sur la situation des émigrés et la vie à l'étranger, elle lui parla sans complexe, et avec un plaisir de plus en plus grand, d'Ol'Joro Orok, des champs de lin, de la sagesse d'Owuor et des bruits de la nuit africaine. Elle eut alors la certitude que, tout comme elle le faisait, enfant, dans les situations sans issue, elle avait fait appel à Mungo, le Dieu noir, et qu'il était venu à son aide en armant sa langue de la foudre.

— Vous êtes une bonne conteuse, dit Uwe Brandt quand Regina lui eut aussi décrit son retour en Allemagne.

Ayant également évoqué son désir de se retrouver en un lieu inhabité et vierge de toute construction, lui ayant avoué aussi qu'elle était toujours dans l'attente de pouvoir vivre ce rêve, elle l'entendit rire d'abord, puis dire :

— C'est déjà plus que ce que savent faire la plupart des journalistes : bien raconter une bonne histoire. À quoi pensez-vous exactement ? À l'*Offenbach-Post* ou à l'*Abendpost* ?

Regina fut contrainte à un gigantesque détour pour revenir au présent. Elle se creusa la tête, avec beaucoup plus d'efforts que de résultats tangibles, pour savoir si elle avait jamais entendu parler de l'*Offenbach-Post* et s'il s'agissait même d'un journal. Soulagée de ce qu'ils lui offraient au moins une piste à suivre, elle songea aux jeunes gens, sur la Hauptwache, qui brandissaient l'*Abendpost* en annonçant d'une voix étonnamment forte les dernières nouvelles, alors qu'on pouvait de toute façon lire les titres de loin, tellement ils étaient imprimés en gros caractères. Mais elle eut beau se concentrer, elle ne réussit pas à trouver de bonnes raisons de se décider pour l'une ou l'autre de ces deux possibilités.

— À l'*Abendpost*, dit-elle, hésitante.

— Vous voulez vous attaquer à un gros morceau. La presse à sensation, ce n'est pas le plus facile pour une femme. Au fait, est-ce que vous connaissez bien M. Schlachanska?

— Très bien, répondit Regina, heureuse qu'Uwe Brandt n'attende manifestement pas de réponse de sa part à ses deux premières phrases.

— Un homme intéressant.

— Très intéressant, confirma-t-elle.

— C'est justement ça qui me donne à réfléchir.

— Pourquoi?

— Voyez-vous…, commença l'éditeur, mais il se tut trop soudainement et changea trop visiblement de tête pour ne pas plonger Regina dans un état de tension et d'inquiétude.

Avec beaucoup de précautions, il transféra le vase de branches de lilas du côté droit au côté gauche de son bureau, chercha un petit moment son mouchoir dans sa veste, puis dans son pantalon, et s'essuya enfin la sueur du front.

— Me permettez-vous de vous raconter une petite histoire?

Regina s'obligea à répondre oui de la tête. Sous l'effet de l'embarras, elle se laissa aller contre le dossier de son siège, se demandant si l'éditeur connaissait vraiment bien Schlachanska et surtout depuis quand, et dans quelle mesure il allait lui tenir rigueur, à elle, de la Maybach et des attitudes publiques du personnage. Avec une netteté trop décourageante pour ne pas lui faire perdre ce qui lui restait d'assurance, elle entendit son père pester: «La manière dont ce bon Schlachanska se comporte va finir par nous retomber sur le nez, tous tant que nous sommes.»

— Il y a deux semaines, entreprit de raconter Uwe Brandt en observant Regina d'un regard qui lui parut sceptique, j'ai reçu un représentant en papier journal qui m'a fait une offre. Un homme jeune, tout à fait aimable, parlant un excellent allemand. J'ai fait mes comptes et j'ai trouvé son offre trop chère. Et savez-vous ce qui s'est passé quand je l'ai dit à ce brave homme?

— Non.

– Ce type m'a fait ici, dans mon bureau, une scène épouvantable, criant que si je ne lui avais pas passé commande, c'était uniquement parce qu'il était juif. Ma secrétaire vous dira combien ç'a été insupportable pour nous tous.

– Oui, dit Regina.

– Je ne sais pas si vous comprenez pourquoi je vous raconte cette histoire.

– Je crois que oui.

– Si je ne vous engage pas maintenant comme stagiaire parce que nous n'avons nulle part de poste libre, vous croirez très certainement que je le fais pour des raisons raciales. Je trouve qu'il est devenu aujourd'hui impossible de parler de ces choses-là de manière normale. C'est ce qui ne va pas à l'époque actuelle.

Avant même d'avoir entendu la dernière phrase, Regina sut qu'elle avait effectivement fait appel au dieu Mungo et que, pour un bref instant, il l'avait revigorée, lui prêtant le pouvoir magique de son bras droit, un bras que les faibles sollicitaient de lui quand un voleur menaçait de leur dérober pour toujours la vue et la force. Quand, ayant pris sur ses genoux le diplôme, l'ayant lentement replié et remis dans son sac à main, elle se leva avec la soudaineté d'un buffle aux aguets tout à coup affolé face à un danger mortel, elle n'était pas tout à fait certaine de ne pas avoir, en plus, entre les dents, les rayons de feu par lesquels Mungo tuait ses ennemis. En tout cas, l'envie de le faire flambait au plus profond de son être humilié et la poussait vers des rivages qu'elle n'avait encore jamais abordés.

– Si c'est ce que vous pensez, dit-elle en ne comprenant pas que sa voix puisse avoir le calme d'un vent qui meurt, alors il est absolument inutile que vous continuiez à parler avec moi. Chez nous, à la maison, nous appelons ça «la responsabilité étendue aux familles».

Au moment où elle chercha la porte du regard, elle sentit l'indignation en elle faire place à un sentiment de grande libération, de bonheur; enfin délivrée de la sensation d'oppression qui s'était emparée d'elle le jour où son père avait fait face à l'automobiliste antisémite dans la Höhenstrasse, ce fut avec l'allégresse de celui qui retrouve miraculeusement ses forces qu'elle songea aux quelques minutes que sa lâcheté lui avait fait perdre, habitée qu'elle avait été par la peur et l'impossibilité de parler. Elle crut même s'entendre rire aux éclats et avec bonheur, avant de se rendre compte que ce n'était pas son rire qui avait frappé ses oreilles.

— Mais rasseyez-vous, pour l'amour du ciel, jeune fille pleine de fougue, criait Uwe Brandt, ce n'est vraiment pas ce que j'ai voulu dire. Tout au contraire. Vous me plaisez. Je trouve formidable la manière dont vous venez de me signifier ce que vous pensez de moi.

— Oui, répondit Regina, furieuse de n'avoir pas réussi à émettre plus qu'un chuchotement.

Elle n'arriva pas à décider assez vite si elle devait se rasseoir ou répondre sur-le-champ plus que ce seul mot, mais la chaise lui parut trop éloignée ; en même temps, elle s'aperçut que ses yeux ne parvenaient pas à se fixer sur un objet unique. Elle s'immobilisa et, au bout de quelques secondes durant lesquelles elle chercha en vain une réponse appropriée à la circonstance, elle finit par se satisfaire d'avoir au moins réussi à ouvrir la bouche.

— Les journalistes doivent être courageux, déclara Uwe Brandt avec une bienveillance qu'on s'accordait généralement à trouver contagieuse chez lui. C'est ce que j'ai compris dès mes débuts chez Ullstein. Le mieux, c'est que je vous envoie directement chez le rédacteur en chef de l'*Abendpost*. Si vous arrivez à vous entendre avec lui, personne, ici, ne sera plus heureux que moi. Je serai également très content de pouvoir rendre un service à mon vieil ami Schlachanska. Il vaut mieux que vous commenciez par prendre une tasse de café avec moi, afin de laisser un peu de temps à M. Frowein pour se préparer au choc. Il a des difficultés avec les femmes, il faut que vous le sachiez. Attendez-moi dans la salle du secrétariat. J'arrive tout de suite, dit-il en décrochant le téléphone.

Emil Frowein raccrocha avec un soupir et se mit à analyser de manière approfondie et, comme toujours, avec une franchise impitoyable envers lui-même, les raisons de son changement d'humeur. Ce qui le mettait mal à l'aise, ce n'était pas l'habituelle aversion d'un rédacteur en chef pour les immixtions de son éditeur dans son domaine réservé. Il se sentait suffisamment diplomate pour ne pas tenir compte d'une contrariété aussi fréquente et il était toujours disposé à mener avec patience et psychologie un entretien avec des personnes aspirant à embrasser une profession qu'il aimait tant.

Emil Frowein ne reculait en aucune circonstance devant le surcroît d'efforts que réclamait l'obligation d'établir si les jeunes gens assis devant son bureau étaient de simples victimes de leurs illusions romantiques ou bien si, à se fier du moins à une première impression, ils semblaient aptes à emprunter une voie imposant – selon lui en tout cas – de savoir à l'occasion renoncer à démontrer ses capacités, renoncement ô combien douloureux. Pire encore, embrasser cette profession exposait à accepter trop rapidement des compromis ou à manifester une ambition sur laquelle il avait depuis longtemps tiré un trait, l'estimant malsaine. Ce qui troublait Frowein, c'était la manière dont Brandt avait annoncé la visite de la jeune fille et non le fait qu'il était de bonne politique, pour un rédacteur en chef, d'éviter de s'opposer sans de bonnes raisons aux desiderata de son éditeur en matière de recrutement du personnel.

– Je vous envoie, pour examen, un échantillon assez extraordinaire, lui avait dit Uwe Brandt au téléphone, une jeune personne d'une beauté remarquable. Très féminine. Elle a de merveilleux cheveux noirs, ce genre de cheveux que seules les Juives peuvent avoir.

« Uwe », comme on l'appelait généralement au sein de la rédaction, avait mis fin à la conversation un peu brusquement, pas assez vite toutefois pour que son rédacteur en chef ne l'entende pas rire de très bon cœur.

Il était notoire, et c'était même une plaisanterie d'initiés qui avait libre cours dans le milieu de la presse, qu'Emil Frowein avait de fortes préventions contre la présence de femmes dans le journalisme, à moins qu'elles ne se cantonnent dans leurs domaines réservés – l'Église, la cuisine et les enfants. Naturellement aussi la mode, mais c'était tout récent. Il n'était guère en manque d'arguments ni de formules ironiques pour défendre avec bonheur cette opinion pourtant déjà quelque peu dépassée. S'il arrivait que des femmes soient dotées d'assez d'ambition pour satisfaire même à ses plus hautes exigences professionnelles, il les trouvait alors trop susceptibles, jalouses et querelleuses, considérant en somme qu'elles étaient presque toujours un problème au sein d'une rédaction où les hommes étaient en position dominante. Ou bien il considérait – ce qui, à son avis, faisait obstacle plus que de raison à l'harmonie du travail collectif – qu'elles avaient une tendance à accorder une trop grande importance à leur besoin de sécurité, besoin au demeurant tout à fait compréhensible et même bienvenu à ses yeux. Elles se laissaient trop facilement distraire, dans leur métier, par leur vie privée et, très souvent aussi, elles se mariaient au moment précis où elles commençaient enfin à devenir des collaboratrices à part entière.

Il restait malheureusement très peu de temps à Frowein jusqu'à la rencontre avec la beauté brune d'«Uwe», et il le mit à profit, de manière aussi résolue qu'impitoyable, pour se rendre à l'idée que, cette fois, la cause réelle de son irritation n'était pas la perspective de faire entrer un élément féminin perturbateur dans sa rédaction. Le bon «Uwe», avec le sûr instinct d'un homme au courant de bien des choses mais se gardant de les divulguer, avait ri juste là où cela faisait mal. Il aurait eu aussi vite fait de demander à son rédacteur en chef: «Et par rapport à la religion, ça te fait problème?»

Non que Frowein, après ce qu'il avait vécu en Pologne, en Hollande et en France, ait évité la confrontation avec un passé qu'il se refusait à enjoliver et envers lequel, surtout, il ne manifesterait jamais la moindre compréhension. Si, dans cette Allemagne de l'oubli rapide, il y avait un homme qui n'arrivait pas à se débarrasser des images de ce à quoi il avait participé, un homme convaincu de la culpabilité qui lui revenait pour avoir trop vite fait taire sa conscience, c'était bien Emil Frowein.

Pas un seul jour de sa vie, au lendemain de l'année zéro – que son intelligence et sa disposition à reconnaître le passé lui faisaient effectivement considérer comme telle –, il ne s'était pardonné les erreurs et l'aveuglement de sa jeunesse. Au moment précis où il fixa des yeux la porte de son bureau, dans l'attente que quelqu'un y frappe, il se rendit compte pourtant d'une chose qui lui avait jusque-là échappé: depuis la guerre, au-delà des seuls impératifs professionnels, il n'avait plus eu aucun contact avec quelqu'un d'origine juive et il n'avait d'ailleurs jamais envisagé qu'il puisse un jour avoir un entretien particulier avec une de ces personnes.

Bien entendu, il avait assisté à l'inauguration de la synagogue de la Freiherr-vom-Stein Straße après sa reconstruction, d'abord parce qu'il y avait été invité en sa qualité de rédacteur en chef, mais aussi parce qu'il avait considéré que, dans sa position, cela allait de soi. Il aurait certes pu, sans aucun problème, choisir la voie de la facilité et déléguer à un reporter le soin de relater un événement qui l'avait ému et accablé, mais il ne l'avait pas fait, car cette circonstance, justement, l'avait poussé à affronter cet aspect de sa personnalité auquel, durant ses moments d'introspection, il trouvait de moins en moins d'excuses.

Il ne manquait aucune des manifestations de la Société pour la coopération judéo-chrétienne auxquelles les journalistes étaient conviés, il accordait la plus grande place possible, dans le journal, aux reportages sur la «Semaine de la fraternité» et, s'il avait participé en personne aux cérémonies commémoratives qui avaient lieu chaque année sur la Friedberger Anlage, là où se dressait jadis la synagogue incendiée le 9 novembre 1938, le sentiment de ses devoirs de chroniqueur était loin d'en être l'unique cause.

À présent, en cette circonstance qui le privait de sa sérénité avec une force qu'il n'arrivait pas à s'expliquer en dépit de tout ce qu'il savait sur lui-même, il eut l'impression d'être un enfant effrayé qui ne sait comment rentrer chez lui. Il constata, avec une clarté aveuglante, que ses exercices théoriques de repentir n'avaient enlevé qu'un très léger fardeau à son âme contrite. Il frissonna.

Frowein se versa une tasse de café de sa bouteille Thermos et prit une cigarette dans son paquet de Lucky Strike froissé. Juste au moment où il s'aperçut que ses mains étaient prises de la même agitation que sa tête, il entendit frapper. Il se débarrassa énergiquement de ce flot d'émotions qui l'inhibait, cria «Entrez!» d'un ton très ferme et bondit de son siège, ce qu'il n'avait pas prévu de faire. C'est alors qu'il vit Regina debout dans l'encadrement de la porte, constatant qu'elle avait effectivement les cheveux très noirs, aussi noirs que le pelage de son chat.

– Je vous attendais, dit-il. Entrez, asseyez-vous. Je ne mords pas. C'est simplement l'impression que je donne.

La routine l'ayant aussitôt libéré de son embarras, il posa les questions habituelles sur la scolarité, le baccalauréat, les goûts personnels du candidat et sur l'image que ce dernier se faisait d'un métier qu'il avait lui-même plus tendance à déconseiller qu'à recommander. Mais il n'entendit pas de Regina les réponses habituelles. Elle ne lui dissimula ni son ignorance totale de ce qu'était le journalisme, ni le fait que, si elle se retrouvait dans ce bureau, c'était davantage le fruit du hasard que d'une inclination.

Vestige de l'éducation trop rigide dispensée par l'école anglaise, un accès de retenue, de modestie et d'inhibition s'empara d'elle avec une violence et une intransigeance qu'elle n'avait plus connues depuis longtemps. Elle en perdit la maîtrise de sa raison et de sa langue. Amusée, pleine d'ironie envers elle-même, elle évoqua ses résultats scolaires médiocres, son professeur d'allemand et l'aversion de celui-ci pour la simplification s'agissant de problèmes complexes. Puis, à court d'idées et de détails concernant son évolution intellectuelle, mais désireuse de ne pas laisser se rompre le fil de l'entretien, elle en vint à parler sans transition de son séjour chez les Guggenheim. Elle évoqua aussi avec gêne son amour de la peinture et du théâtre, passions que son père, méfiant, s'employait à réprimer.

— Veut-il donc que vous deveniez journaliste ?

— Il n'a rien contre. En tout cas, il préfère ça à me voir peindre ou devenir actrice.

— Dommage ! Vous peignez ?

— Oh non…

— Et avez-vous songé un jour à faire du théâtre ?

— On n'aurait pas tardé à me flanquer à la porte de chez moi. De toute façon, j'ai toujours été trop timide pour arriver à réciter une poésie.

— Moi aussi, en tant que père, j'ai trop de peurs non fondées.

— Eh bien, si vous connaissiez mon père ! dit-elle.

Frowein était frappé par sa voix, avant tout par la précision avec laquelle elle articulait chaque mot, par la grande rudesse d'une langue qui tranchait sur sa nature réservée et qui, en outre, réveillait chez lui des souvenirs enfouis depuis longtemps. Il lui fallut plus de temps qu'il n'aurait cru pour se persuader que seule la voix de Regina le tracassait et il demanda :

— D'où êtes-vous originaire ?

— D'Afrique. C'est-à-dire, corrigea-t-elle rapidement, que j'y ai longtemps vécu.

— Vous y êtes née ?

— Non. Je suis née en Allemagne.

— Où ça ?

— Ah… répondit Regina en rougissant, ça ne vous dira rien. Je n'ai encore rencontré personne, à Francfort, qui connaisse ce trou perdu, à moins d'en être, par hasard, précisément originaire.

— Essayez quand même, dit Frowein en souriant.

— À Leobschütz.

— En haute Silésie. Ma femme vient de là-bas.

Ils se mirent à rire tous les deux. Regina riait si fort qu'elle dut se mordre les lèvres pour s'empêcher de parler d'Owuor et de raconter qu'il l'avait ensorcelée, encore enfant, en lui enseignant que les cœurs de deux êtres qui ne se connaissaient pas, fusionnaient immédiatement s'il leur arrivait de rire en même temps. Depuis qu'elle avait quitté Owuor, elle avait souvent essayé, toujours en vain, de capter à temps les sons d'un soudain éclat de rire. Si cela arrivait, il fallait alors s'emparer sur-le-champ du regard de l'inconnu. Dans les yeux de Frowein, Regina lut l'expression d'un homme tourmenté et traqué qu'elle connaissait pour l'avoir rencontrée chez son père. Elle s'aperçut aussi que l'être devant elle avait des ombres dans le regard et que, au cours de la conversation, il cherchait souvent à se protéger en recourant à la plaisanterie et à l'ironie. En cela, il lui rappelait beaucoup Martin ; elle fut contrainte d'interdire à ses pensées de s'évader de sa tête.

— Que faites-vous, demanda Frowein, si je vous envoie dans un théâtre pour faire la critique d'une pièce et que le théâtre brûle ?

Regina retourna à toute allure jusqu'à la porte du labyrinthe et regarda Frowein avec surprise :

— Je cherche à me sortir de là et je cours à la maison, répondit-elle.

— Et vous n'appelez pas votre rédaction pour l'informer que le théâtre brûle ?

— L'idée ne m'en serait jamais venue. En tout cas, pas avant d'avoir pu prouver à ma famille que j'étais saine et sauve.

— À dire la vérité, c'était la question clé pour déterminer si vous avez des aptitudes au journalisme.

— Alors, j'ai échoué à coup sûr.

— Exactement ! dit Frowein. Mais pas en tant que fille. J'ai quand même envie de faire un essai avec vous. Seulement, le mieux serait de commencer directement par la rubrique culturelle. C'est la seule où les journalistes ont le droit d'avoir un cœur.

Il pria sa secrétaire d'apporter du café fraîchement passé et une deuxième tasse ; Regina ne voulut pas lui dire qu'elle avait encore sur l'estomac celui qu'elle venait de boire chez M. Brandt, et elle osa moins encore demander ce qu'il entendait par «faire un essai». Les yeux fixés sur le café, elle dit qu'elle le buvait toujours noir, car elle vit qu'il le buvait ainsi, et, ensuite, elle eut beaucoup de peine à lui expliquer pourquoi sa remarque : «Elle a encore oublié le lait !» l'amusait tant.

Tout comme s'ils avaient voulu boire à la santé l'un de l'autre, ils levèrent leur tasse en même temps et la reposèrent. Regina songea à son frère et à un jeu qu'il avait longtemps aimé : le perdant était celui qui répandait la première goutte. Frowein, lui, pensa à une jeune fille aux cheveux noirs qu'il avait aperçue un jour en Hollande, les mains levées et les yeux morts. Cela n'avait pas duré plus d'une minute, une éternité. Il se racla la gorge et déclara :

– J'ai encore quelque chose à vous dire.

– Oui ? demanda Regina.

Levant les yeux sur lui, elle découvrit sur son visage une pâleur qui ne l'avait pas frappée jusque-là. Son ton sérieux, quasi solennel, l'alarma également et elle pressentit qu'elle allait vivre un nouveau moment pénible, un peu comme précédemment, chez Uwe Brandt. Elle essaya d'étourdir ses sens, mais son cœur se mit à battre si fort qu'elle se surprit à se demander, comme lorsqu'elle était enfant, si un tel bruit pouvait trahir quelqu'un. Elle parvint pourtant à rester maîtresse de ses yeux.

– J'ai été un nazi.

Regina eut la conviction si forte d'avoir trop facilement cédé à ses craintes qu'elle redevint effectivement une enfant. Elle serra les lèvres jusqu'à ce qu'elles lui fissent mal, puis elle se rappela qu'un homme qui se lançait dans une fuite éperdue devait, avant tout autre chose, fermer la bouche s'il avait déjà commis la folie de se laisser duper par ses oreilles.

Elle regarda Emil Frowein avec calme, observant les plaques blanches sur ses tempes, ses dents dans sa bouche entrouverte, le nœud de sa cravate grise, la fumée de sa cigarette qui montait en nuages minuscules vers les rideaux clairs du bureau. Sa peur n'avait pas rencontré d'écho.

– Pourquoi avez-vous dit ça ? demanda-t-elle à voix basse.

– Parce que vous l'auriez appris de toute façon. Chacun des membres de cette rédaction se fera un plaisir de vous raconter cette histoire passionnante. Je préfère le faire moi-même.

– Allez-y !

Il utilisa des mots et des notions que Regina n'avait encore jamais entendus, parla de technocrates du crime, de girouettes politiques et de journaux pour les soldats du front, dans les pays occupés, dans lesquels il avait répandu une idéologie qui lui interdirait à jamais de se regarder dans une glace sans rougir. Il fut, envers lui-même, accusateur et juge tout à la fois, parlant de la sagesse des imbéciles, de l'ambition et de l'aveuglement du jeune homme qu'il avait été, du désespoir de celui qui découvre très vite la vérité, du désespoir, beaucoup plus violent, de celui qui s'avoue trop tard cette même vérité.

Regina interdit à ces propos de blesser son cœur. Frowein lui plaisait. Elle pensa au bref instant durant lequel ils avaient ri de concert, elle ressentit sa sincérité, admira son courage, et cela lui suffit pour ne plus douter.

— Vous êtes le premier nazi que j'aie jamais rencontré, dit-elle avec un sourire. Du moins le premier qui avoue l'avoir été. Je ne rencontre sinon que des gens qui ont sauvé des Juifs et qui disaient «Bonjour» à la place de «*Heil Hitler!*». Mon père n'en croira pas ses oreilles quand je lui raconterai ça ce soir. Ça fait des années qu'à la maison nous cherchons un véritable nazi.

— Que dira-t-il à sa fille?

— Ah, répondit Regina, mon père est comme vous. Honnête à en être bête. Il prétend toujours qu'il aurait peut-être été nazi lui aussi si Hitler l'avait laissé tranquille.

— Un père remarquable, dit Emil Frowein. Cela ne m'étonne pas qu'il ait une fille également remarquable.

Regina n'entendit pas le téléphone sonner sur le bureau; elle ne vit rien bouger non plus. Elle ne s'aperçut donc pas, dans un premier temps, que ce loup étrange, ce loup honnête qui avait refusé de changer de peau, n'était plus en train de lui parler. Un peu plus tard, pourtant, sa voix devint un grondement recouvrant le bruit de sa respiration et, pour la deuxième fois ce jour-là, elle ne parvint pas à trouver un sens aux mots qui heurtaient ses oreilles.

Très agité, Frowein criait dans le combiné:

— Mais pas le Schlachanska de Francfort, tout de même? Ne me dis pas qu'on a arrêté notre brave Schlachanska!

14

La veille, pour assécher les larmes de son frère qui avait perdu tout espoir de jamais retrouver son jouet favori, Regina avait cherché la petite Mercedes argentée dans tous les coins et recoins de l'appartement, pendant une heure entière. Elle était là, sur la petite bande de gazon, entre le parterre de roses rond et le lilas. Soulagée, elle ouvrit le portail en fer noir donnant accès au minuscule jardin. Au moment où elle se pencha en souriant pour ramasser l'auto et où elle pensa au visage heureux qui l'accueillerait dans quelques minutes, ses sens furent enfin délivrés du trouble qui les avait minés durant cette journée éprouvante. Désireuse de guérir toute seule, en prenant tout simplement conscience des mouvements de son corps, elle laissa tout le temps qu'il leur fallait à sa poitrine et à sa tête pour s'oxygéner et elle respira le parfum du lilas, plein de la chaleur du soleil de l'après-midi, jusqu'à ce que son nez se soit rassasié de cette douceur enivrante. Alors, en cet instant de délivrance totale, elle s'abandonna à l'idée qu'elle rentrait chez elle sans blessure à l'âme, avec fierté, et surtout emplie d'un bonheur comme elle n'en avait plus connu depuis des années.

Afin de pouvoir savourer encore l'ivresse de la délivrance avant de devoir la partager avec ses parents, elle s'assit sous le lilas, le regard tourné vers les murs clairs de la maison et à l'abri des bruits de la rue. Elle se déchaussa, enfonça ses pieds dans la terre humide, se frotta le dos contre le tronc mince mais vigoureux de l'arbuste et ferma les yeux.

Elle se revit très distinctement dans le bureau de l'éditeur, l'observant avec une attention pointilleuse déplacer son vase d'un côté à l'autre de sa table de travail et l'entendant parler du représentant exigeant un prix trop élevé pour du papier journal. Avec le contentement du vainqueur qu'elle n'avait encore jamais été, elle savoura une nouvelle fois sa sortie tonitruante de l'univers du long silence, puis les si délicieux et riches instants de cette ère nouvelle dans laquelle elle était entrée en trouvant le courage de laisser sa langue s'affirmer.

Plus tard, plongée dans un état de douce chaleur, quelque part entre béate satisfaction et début de somnolence, elle vit, toujours avec les mêmes contours très nets, le bureau d'Emil Frowein, les rideaux clairs et le mince filet de fumée de sa cigarette ; elle vit finalement aussi les yeux gris qui n'avaient plus réussi à dissimuler leurs ombres quand ils avaient croisé le regard de Regina. Animée maintenant par la ruse et le désir qu'inspire le fait de savoir, elle levait à nouveau sa tasse, dans l'attente du rire dont il ignorait, lui, la signification. Elle, en revanche, quand elle laissa une dernière fois le parfum du lilas emplir ses narines, sut que son cœur hésiterait longtemps à revenir de ce safari.

Regina réfléchissait paresseusement pour savoir ce qu'elle pourrait raconter à son père, et surtout comment le lui raconter sans susciter son inquiétude et sans faire disparaître en elle le goût de la joie et de la fierté. Elle leva pourtant les yeux vers les fenêtres du troisième étage avant de s'être donné le temps de trier les dernières images et les derniers mots de son entretien qui pourraient entrer dans le champ du concevable pour son père. Max était sur le balcon, tout excité, secouant les barreaux et l'appelant à grand bruit.

— Un gros homme avec une voiture puissante est en prison. Mais je ne te dis pas qui c'est. Je n'en ai pas le droit. Papa dit que c'est un secret d'avocat, cria-t-il depuis son perchoir.

D'un bond, Regina fut debout et, prenant ses chaussures à la main, grimpa les escaliers quatre à quatre. Voyant que son père avait déjà son chapeau sur la tête, elle demanda, hors d'haleine, sur un ton de réprobation :

— Mais qu'est-ce que ça veut dire, tout ça ?

— Ce n'est pas la peine de paniquer, Regina. On a arrêté Schlachanska !

— Je suis au courant. Mais pourquoi diable en parler à un gamin de sept ans ?

— Il était là quand on m'a passé ce coup de fil. J'ai été tellement pris de court que j'ai répété à haute voix presque tout ce que j'entendais, et s'il y a quelque chose que je regrette dans ma vie, c'est bien ça. Essaie de lui expliquer, toi, qu'il ne doit en parler à personne. Il ne faut pas que Jeanne-Marie l'apprenne.

– Où est maman ?

– Chez Mme Schlachanska. Tu ne peux pas t'imaginer tout ce qui s'est passé ici depuis que le bureau de Schlachanska a appelé. Il faut d'ailleurs que je m'en aille tout de suite, moi aussi. On va tenter d'obtenir qu'il ne soit pas placé en détention en raison de son état de santé. Dans ce cas, il n'irait pas en prison, mais à l'hôpital. Comment se fait-il que tu sois déjà au courant ?

– Je l'ai appris à Offenbach. À la rédaction, répondit-elle.

Prenant conscience qu'elle avait prononcé ce dernier mot avec la fierté d'un enfant tout occupé de lui-même, elle écarta ses cheveux de son front, peinée.

– Je suis désolé, Regina. Je suis un mauvais père. Ça a marché ?

– Oui, *bwana*, dit-elle et, d'un rire, elle balaya sa honte.

Elle étreignit son père jusqu'au moment où elle l'entendit haleter, la rendant sourde à tout autre bruit.

– Tu es un bon père, seul un bon père a les yeux humides quand sa fille est heureuse.

– J'ai encore un petit moment devant moi, dit Walter. Fumons encore une cigarette ensemble, Regina.

– Mais tu ne fumes plus.

– C'est uniquement quand maman est là qu'il ne fume pas, annonça Max d'un ton triomphant. Secret d'avocat. Au bureau, il fume tout le temps. Il y a longtemps que je le sais.

– Moi aussi, malheureusement, soupira Regina. Tu n'as jamais su mentir. Exactement comme moi.

Ils étaient assis dans le jardin d'hiver, dont les murs peints en jaune brillaient dans le soleil couchant comme les champs de maïs à l'orée de la forêt. La peau de serpent écailleuse, noire et blanche, ondulait au-dessus du canapé ; un grand javelot d'un brun rouge étincelant était fiché derrière les fauteuils blancs en rotin et, sur l'étagère en matière plastique, les sombres petits guerriers massaïs se livraient à leur éternelle guerre fratricide, entre des éléphants en train de brouter et des gnous taillés dans un bois clair. Un canard en caoutchouc jaune avait rejoint l'Afrique à la nage et trônait à côté d'un buffle qui n'avait plus qu'une corne. Max astiquait sa Mercedes argentée avec le pan de sa chemise à carreaux bleus et blancs, et la faisait rouler à tombeau ouvert autour du cendrier. L'odeur du tabac était lourde et douce ; les dernières gouttes d'une liqueur de mûre d'un rouge foncé se reflétaient dans les petits verres roses qui dataient de l'époque de Leobschütz.

Regina passa le bout de la langue au fond du verre et, en souvenir des plaisirs de sa propre enfance, elle laissa son frère l'imiter. Elle était trop lasse pour décider si elle était toujours heureuse ou si elle était déjà dans les griffes de l'émotion suscitée par l'arrestation de Schlachanska.

Elle constata avec mélancolie que, depuis la maladie de Walter, elle avait eu trop peu souvent l'occasion de savourer avec lui l'entente magique qui les liait si fort l'un à l'autre. Quand elle lui relata sa visite à Offenbach, elle n'était déjà plus la chroniqueuse qu'elle aurait voulu être. La vieille douleur et le regret toujours ravivé des jours qui n'étaient plus, des jours où il suffisait de laisser couler les heures comme du sable au travers des doigts et d'ouvrir les oreilles, avaient trop inopinément repris en elle leur travail de sape. Sentant qu'elle était sur le point de rater le début de son récit, elle revint dans le présent au prix d'un grand effort de volonté.

Pour évoquer Emil Frowein et la sympathie immédiate qu'elle avait éprouvée à son égard, elle enveloppa sa voix d'autant de prudence et de circonspection que, par une nuit noire, un voleur enduit son corps nu d'huile. Elle parvint effectivement à prononcer le mot « sympathique » sans effort, et même avec plaisir, comme s'il avait été le seul qui lui fût venu à l'esprit.

— Est-ce que, par hasard, il ne chercherait pas à avoir une liaison avec toi ?

— Comment les choses se sont-elles passées avec Schlachanska ? répondit Regina.

— Il ne faut pas prononcer son nom à voix haute, la prévint Max, personne n'en a le droit. Sauf papa et moi.

— C'était inévitable qu'il arrive quelque chose. Je ne vois pas encore tout à fait clair dans cette affaire. Il a manifestement aidé à faire passer à l'étranger des fonds que ses clients touchent au titre des réparations, mais qu'ils ne peuvent dépenser qu'ici. On appelle cela « infraction au contrôle des changes ». Il faudra qu'un jour je t'explique ça à tête reposée.

– Et toi ? demanda Regina, effrayée. Tu n'es pas non plus d'accord avec l'obligation, pour les Juifs de l'étranger, de venir en Allemagne pour toucher leur dû ?

– Je ne suis pas d'accord, non. Je suis contre le fait de contraindre des gens à venir ici uniquement pour entrer en possession de ce qui leur revient. Je trouve immoral qu'on leur dise : si vous voulez notre argent, oubliez donc le mal qu'on vous a fait. Schlachanska s'est au moins refusé à jouer ce jeu.

– Et toi, tu fais aussi des choses de ce genre ?

– Non, tu sais bien que ton père est un ballot. Une espèce de bon à rien de Prussien, honnête comme tout, avec une conception du droit et un respect de la loi qui ont toujours bien fait rire Schlachanska.

– C'est-à-dire ?

– C'est-à-dire que je me balade dans une vieille Opel et que je n'arrive pas à acheter à ta mère assez de chapeaux et à m'acheter des chaussures neuves. Je voulais avoir un sommeil tranquille et ne pas obliger mes enfants à venir me voir dans la Hammelsgasse.

– La Hammelsgasse, c'est la rue où il y a la prison, dit Max. Est-ce que Jeanne-Louise a le droit d'y aller maintenant ?

– Tâche de parler un peu à ton dégourdi de frère et fais-le taire, dit Walter en riant.

Il se leva, prit son chapeau sur la table, donna à son fils une petite tape sur l'épaule, un baiser à sa fille, et il était déjà à la porte de l'appartement quand il se retourna. Regina connaissait trop bien ce geste. Même sa voix ne pouvait lui donner le change. Elle avait remarqué, depuis cinq minutes déjà, qu'il avait la gorge nouée et l'œil inquiet.

– Ah, Regina, dit Walter, je voudrais encore te demander une petite chose. J'ai rendez-vous à huit heures avec un client à l'Hôtel national et je ne pense pas pouvoir être à l'heure. Je sais que les personnes que tu ne connais pas t'intimident, mais fais-toi un peu violence. Je ne voudrais pas que cet homme, lui moins qu'un autre encore, passe sa soirée seul à Francfort.

– Tant de paroles pour un petit service ? Qu'est-ce qu'il t'arrive ?

– Je te connais. Mais ce client t'intéressera très certainement. Il te suffira de demander à la réception à voir Otto Frank, de Bâle, et tu diras à cet homme que tu es ma fille, l'intelligence faite femme, la grande *memsahib* du mot imprimé. C'est au demeurant le père d'Anne Frank. Je l'ai déjà mis au courant. Il t'attend.

Regina avait certes très tôt été informée du destin d'Anne Frank et n'avait cessé ensuite de s'en préoccuper, mais il lui avait échappé que le sort avait voulu que son père survive. Tandis qu'elle attendait Otto Frank dans le hall obscur de l'hôtel, ressassant une certaine contrariété – en effet, elle ne s'expliquait pas pourquoi, compte tenu du tempérament communicatif de Walter, il ne lui avait jamais dit qu'il le connaissait –, elle avait de la peine à s'imaginer qu'elle allait rencontrer le père de la fillette assassinée.

Fixant sans le voir le papier peint jauni, elle se représentait, avec un peu d'abattement, un homme âgé, marqué par les épreuves, le dos voûté, s'aidant d'une canne, la voix brisée et les mains agitées d'un tremblement continuel. Elle était sûre qu'il ne lui viendrait pas un mot de politesse à l'esprit et qu'il en irait de même pour son interlocuteur ; épuisée par les craintes nées de son imagination enfiévrée, elle répéta son nom à plusieurs reprises, comme pour conjurer le mauvais sort.

Otto Frank était grand, mince et il avait les cheveux blancs ; il était d'une élégance discrète et paraissait plus jeune que son âge. Il était vêtu d'une veste claire qui soulignait l'amabilité d'un visage fin, légèrement hâlé. Il se tenait les épaules étonnamment droites et vint à la rencontre de Regina d'un pas ferme et rapide. Sa poignée de main était elle aussi assurée. Il dit en souriant :

– Ne soyez pas gênée de me regarder d'un air effrayé. J'y suis habitué. Presque tout le monde réagit comme ça. Les gens ont l'impression de voir un fantôme. Je trouve formidable que mon avocat m'ait envoyé sa fille… une jeune femme ravissante.

– J'avais peur que vous soyez fâché, répondit Regina, s'apercevant avec soulagement qu'elle se rappelait tout de même le peu qu'elle avait répété opiniâtrement dans le tramway la menant à la gare. Vous aviez certainement l'intention de discuter de certains points avec mon père, poursuivit-elle, encouragée par une hardiesse dont elle ne se serait pas crue capable. Il viendra plus tard. J'étais chargée de vous en informer.

– Dans l'affaire qui me concerne, il n'y a pas l'ombre d'un problème. Votre père est vraiment un merveilleux avocat. En réalité, je voulais simplement faire la connaissance de l'homme qui ne m'a encore jamais envoyé une seule lettre où il aurait oublié de joindre un petit mot de salutation très personnel. Votre père doit être un grand humaniste.

— Il l'est effectivement, confirma Regina en se demandant comment elle avait bien pu redouter cette rencontre avec Otto Frank.

Elle faillit lui parler du désarroi qui s'était emparé d'elle et elle n'aurait pas eu non plus de peine à trouver les mots pour cela, mais il avait déjà repris la parole. Sa voix lui plaisait. Elle était aussi douce que son regard, mais aussi ferme que sa poignée de main.

— Vous tombez pile, déclara-t-il, je n'aime pas manger seul et, si je connais un tant soit peu de choses sur les dames de votre âge, c'est qu'elles ont généralement faim à cette heure-là.

— C'est vrai. Je pourrais dévorer un bœuf. Je crois que c'est ce qu'on dit ici, à Francfort.

— C'est bien comme ça qu'on dit, confirma Otto Frank, j'ai vécu ici assez longtemps pour le savoir.

Ils étaient assis dans une petite niche d'un grand restaurant brillamment éclairé où il y avait plus de serveurs que de clients. Il commanda des œufs à la sauce verte, expliquant avec une petite grimace, comme s'il s'était rendu ridicule et devait s'excuser, que son estomac n'avait lui non plus jamais réussi à oublier Francfort.

Le dernier soupçon de timidité de Regina disparut avant même qu'arrivent les œufs sur leur lit de cresson et la saucière d'argent. Otto Frank s'était mis à parler de Bâle et de la difficulté qu'il avait eue à s'habituer au dialecte local, de sa deuxième femme dont il avait fait la connaissance peu après sa libération d'Auschwitz ; il raconta ses nombreux voyages, qu'il n'aimait pas mais qu'il ne pouvait éviter, en particulier parce qu'il ne voulait pas décevoir les jeunes gens qui souhaitaient le rencontrer. Il évoqua aussi longuement Amsterdam et, avec une grande chaleur, les amis qu'il y avait conservés. Mais soudain, comme s'apercevant du luxe de détails inconvenants auquel il s'était laissé aller, il demanda à Regina de parler d'elle.

Elle décrivit leur retour en Allemagne, la faim, l'interminable recherche d'un logement, l'achat d'une maison. Elle fut étonnée de voir à quel point il connaissait bien la Rothschildallee, et d'apprendre le nombre de fois où il s'y était rendu dans sa première vie. Elle parla brièvement de ses études et, plus longuement peut-être que la politesse le permettait, de ses projets professionnels. Elle en arriva alors à sa visite à Offenbach. Elle ne passa rien sous silence, même pas l'histoire du représentant que lui avait racontée l'éditeur. C'est sans angoisse, et même avec beaucoup d'ironie, qu'elle relata cet incident qu'il trouva aussi grotesque qu'elle, mais également « très typique, malheureusement ». À un moment donné, Otto Frank se mit à rire ; c'était la première fois depuis leur rencontre. Regina le regarda un peu trop longuement, les yeux trop visiblement écarquillés.

Il s'en aperçut et rit une deuxième fois :

— Tout le monde se figure, dit-il, que j'ai perdu le rire. Peut-être les gens estiment-ils d'ailleurs que je ne devrais plus rire. Comme si je n'avais plus le droit de vivre. Alors que, aujourd'hui précisément, j'éprouve une si grande joie de vivre.

— Pourquoi ? demanda Regina.

— Regardez-vous un peu dans la glace !

Décontenancée, mais pas gênée, elle posa ses couverts sur l'assiette, sortit un petit miroir du sac à main, qui contenait toujours son diplôme de bachelière plié en quatre, et le mit à hauteur de ses yeux, la tête un peu penchée de côté – comme, à la maison, la perruche quand elle donnait des coups de bec contre la plaque de verre étincelante installée dans sa cage.

Elle contempla son visage encadré d'une chevelure noire, ses pommettes très hautes, son nez en lame de couteau et sa bouche mince ; elle vit la pâleur de son teint et des yeux marqués par un savoir précoce, toujours ombrés d'un léger voile de tristesse, et elle comprit. Dès qu'elle avait lu le journal d'Anne et vu son portrait, elle avait ressenti ce que le père d'Anne venait de lui confirmer.

— C'est donc ça, demanda-t-elle à voix basse, elle me ressemblait ?

— Oui. Beaucoup. Je n'avais encore jamais rencontré quelqu'un qui me rappelle Anna autant que vous.

— Je suis désolée, murmura Regina, je n'ai pas voulu ça. Je veux dire que cela doit être terrible pour vous. Comme ça, tout d'un coup.

— Non. C'est que je ne veux pas oublier. Je cherche à m'imaginer à quoi elle ressemblerait s'il lui avait été donné de vivre. C'est si difficile, vous savez. Pour moi, Anne sera éternellement une enfant. Nous n'avons pas eu le temps de nous dire adieu. Alors, les visages vous échappent. On est sans défense contre le temps.

Regina songea aux déchirements de la séparation qu'elle avait déjà vécus. Pour la première fois, les griffes de la tristesse avaient été rognées, laissant place à la douceur d'un étonnement plein de gratitude, car elle comprenait soudain combien le sort avait été clément envers elle : chaque fois qu'elle avait dû dire adieu à un être cher, il lui avait été accordé de le contempler longuement. Elle connaissait chacun des traits du visage qu'elle ne voulait pas oublier, il lui suffisait de fermer les yeux pour revoir Owuor, d'ouvrir les oreilles pour l'entendre rire. Elle n'avait qu'à le vouloir, et déjà la montagne enneigée renvoyait en écho son rire, pareil à un puissant coup de tonnerre.

– Qu'avez-vous éprouvé en lisant le journal d'Anne ?

Elle ne réussit pas à revenir d'Ol'Joro Orok suffisamment vite pour rester maîtresse de sa langue et appeler sa tête à la prudence :

– J'ai regretté d'apprendre si peu de choses sur votre autre fille. C'est-à-dire, se reprit Regina, affolée de s'entendre, que c'était tout de même aussi votre enfant.

Elle ne s'attendait pas à ce qu'Otto Frank réagisse aussi spontanément et qu'il se lève avec une pareille brusquerie ; elle voulut lui expliquer qu'elle n'avait pas l'intention de le blesser, de lui faire mal, lui dire que, quand elle avait lu le journal d'Anne, elle était encore une enfant pleine de curiosité mais très ignorante. Mais il lui fut impossible d'exprimer, de manière audible, aucune des justifications qui se bousculaient en elle. Otto Frank repoussa sa chaise et fit rapidement le tour de la petite table. Debout derrière Regina, il se pencha, puis la serra contre lui et lui donna un baiser. Elle sentit les larmes lui monter aux yeux, avant de voir les siennes.

– Merci, Regina, d'avoir dit ça, chuchota-t-il. Combien de temps m'a-t-il fallu attendre pour que quelqu'un dise une chose pareille. Que le monde entier parle d'Anne et que personne n'évoque jamais Margot me fait beaucoup souffrir. C'était une jeune fille merveilleuse. Si généreuse, si pleine de compréhension et si modeste. De toute cette période difficile, je ne l'ai pas vue se plaindre une seule fois. Nous nous entendions si bien, tous les deux. Elle était, en tout, le vivant portrait de son père.

Il reprit sa place à table et, avec la passion d'un être ayant trop long-temps fait barrage au flot de ses souvenirs, il parla de son autre fille, l'aînée oubliée de tous, qu'il ne pouvait désormais évoquer qu'avec les très rares personnes qui avaient connu ses deux enfants. Il guida Regina dans chaque recoin du réduit d'Amsterdam où s'était produit ce que les gens croyaient savoir. Il parlait avec calme, comme si le temps avait apporté à un père le réconfort de comprendre ce qui avait été.

Elle aussi était calme. Elle avait parfois l'impression que son cœur s'était arrêté de battre. Elle fermait alors les yeux, mais elle était sans cesse poussée par le besoin de suivre des traces devenues soudain aussi fraîches que l'empreinte d'un pied nu dans la glaise. Elle n'avait eu un peu honte de poser des questions qu'au début de leur conversation, mais elle ne les avait bientôt plus perçues comme de la curiosité, sentiment qu'elle méprisait au plus haut point, car elle devinait qu'Otto Frank les espérait et désirait les entendre.

C'est seulement à cet instant que Regina s'aperçut qu'il la tutoyait et, dans un bref accès d'angoisse, elle crut même qu'il confondait les années et les visages, comme cela lui arrivait aussi quand elle ne parvenait pas à garder la tête dans le présent. Avec tout le pouvoir de compassion dont elle était porteuse, elle souhaita qu'il puisse également jouir de la grâce d'une fuite dans le rêve, aussi courte soit-elle, mais il la regarda en disant :

– Depuis des années, j'attendais cette soirée. Je ne l'oublierai jamais.

– Mais dites-moi un peu, ma fille si timide aurait donc effectivement ouvert la bouche et fait la conversation à quelqu'un qu'elle ne connaissait pas ? interrogea Walter.

Ni l'un ni l'autre ne l'avaient vu s'approcher de la table et, du même mouvement, ils tournèrent la tête comme si une porte s'était entrebâillée, laissant passer un courant d'air intempestif.

– Oui, elle l'a fait, dit Otto Frank. Les pères savent toujours trop peu de choses sur leurs filles. Je parie que vous n'avez encore jamais remarqué combien Regina sait merveilleusement écouter.

– Mais si, se défendit Walter. À six ans déjà, elle ouvrait grand ses oreilles. C'est une chose que les enfants apprennent très tôt en Afrique.

Il avait l'air épuisé, le visage tout gris, émacié, et les épaules comme accablées par un poids trop lourd. Ses yeux, pourtant, s'illuminèrent quand il prit la carte ; il commanda lui aussi des œufs à la sauce verte, disant que c'était le seul plat mangeable de toute la cuisine francfortoise, avant de s'excuser auprès de son hôte de l'avoir fait attendre si longtemps.

– Il m'a encore fallu faire admettre, dit-il en touchant sous la table, grâce à un entraînement de tant d'années, le bout de la chaussure de Regina, que mon client n'était pas en état de supporter la détention.

– Et où se trouve-t-il à présent ?

– À l'hôpital. Je préfère de loin rendre visite à mes clients à l'hôpital qu'en prison.

– Vos lettres, déjà, m'avaient donné l'impression que vous êtes un homme bon. Sais-tu, Regina, que ton père me raconte de manière très détaillée, dans ses lettres, les années que vous avez passées en Afrique ?

– Ah bon ? dit Regina.

– Vous voyez, intervint Walter en riant, à peine son père surgit-il qu'elle lui laisse le soin de parler.

Loin des yeux vigilants de Jettel et avec l'exubérance d'un enfant qui, au moment où il fait une bêtise, se sait à l'abri de toute punition, il commanda une bouteille de vin de Moselle. Il se fit apporter une nouvelle assiette d'œufs à la sauce verte, et se mit à boire aussi rapidement qu'il discourait. Il éprouvait, comme jamais encore, un grand plaisir à parler de ses années d'exil, évoquant une multitude d'événements dont Regina ne soupçonnait pas qu'il avait gardé le souvenir. En cette soirée du souvenir, la vision qu'il donna de l'Afrique se limitait à la gaieté et à la beauté du pays, mais il le faisait avec une telle joie, et parfois même avec un tel désir, qu'il en venait, à l'occasion, à émettre les sons doux et graves de la langue swahili, lesquels tournaient longuement dans la salle vide du restaurant avant de s'éteindre.

– Êtes-vous au moins heureux ici, en Allemagne ? lui demanda Otto Frank.

– Très heureux, oui, mais pas *happy*. Au cas où vous connaîtriez cette vieille plaisanterie qu'aimaient faire les exilés.

– Je la connais, oui, mais dans l'autre sens.

– Moi aussi, je ne la connaissais que dans l'autre sens, jadis, dit Walter en vidant son troisième verre.

Il avait le visage très rouge, les yeux rayonnants d'entrain.

– Si tu continues à boire comme ça, l'avertit Regina, qui avait emprunté sa voix à Jettel, demain, tu vas taper sur la tête de tes clients à grands coups de dossiers.

– Pas les dossiers et pas les clients. La tête, ce n'est pas ça non plus, énuméra Walter. Ma fille, une nouvelle fois, se fourre le doigt dans l'œil. Savez-vous, monsieur Frank, pour quelles raisons il m'a été possible de faire prévaloir si rapidement vos droits ? J'ai eu la chance d'avoir affaire à un juge particulièrement antisémite.

— Et où est la chance en l'occurrence ?

— En se grattant le nez d'un doigt, il fourrageait de l'autre dans mon mémoire, comme le font ces messieurs quand ils n'osent pas dire ce qu'ils pensent depuis toujours. Mais ce type a tout de même fini par dire qu'il lui fallait un plus grand nombre de témoins pour attester la réalité de toute cette histoire. Il a bien employé les mots « toute cette histoire ». Le lendemain, je lui ai claqué avec force le journal d'Anne sur son bureau, lui demandant de me rappeler s'il avait encore des questions. Il n'en a pas eu.

— Merci d'avoir fait un éclat, dit Otto Frank. Et merci aussi de m'avoir envoyé Regina.

Il était presque minuit quand ils quittèrent l'hôtel. La rue était déserte. Un vieil homme, enveloppé dans un manteau, dormait sur un banc.

— Il a la belle vie, dit Walter.

Regina dut d'abord le dissuader d'entrer dans un bar avec elle, puis elle eut plus de peine encore à l'empêcher de retourner à l'hôtel et de passer un coup de fil à Jettel pour lui demander s'il devait apporter une bouteille de vin. Il ne parvint à faire démarrer la voiture qu'à sa troisième tentative. En reculant, il effleura un réverbère et, Regina ayant poussé un cri, il la traita de chèvre hystérique. Elle garda le silence et attendit qu'ils soient arrivés à bon port pour lui reprocher d'être un mauvais père, prêt à faire de ses enfants des orphelins.

— Des demi-orphelins, la corrigea Walter.

Il était néanmoins assez dégrisé pour ajouter :

— N'en parle pas à ta mère !

— De toute façon, elle va s'apercevoir que tu as bu. Sauf si elle dort déjà.

— Je ne parle pas du vin, espèce de grande gourde, je parle du juge. Ta mère est tellement rosse. Elle prend un tel malin plaisir à constater que mes yeux aussi se dessillent parfois.

15

Courbé, le visage livide et déformé, Walter traversa en titubant le jardin désert. Il se traîna en gémissant jusqu'à un banc et laissa aller vers l'avant son corps accablé de douleur, appuyant la tête sur ses bras. Il était 3 heures du matin et il aurait cinquante ans dans trois mois exactement.

– Maintenant, je vais manquer tout ça, dit-il en se plaignant à voix basse; mais, toujours assis, il se redressa pourtant. J'espère que vous n'avez pas déjà acheté votre cadeau.

– Ne racontez donc pas de bêtises, répondit Fafflok, d'un ton calme et persuasif, nous sommes bientôt arrivés.

Alerté par un coup de téléphone affolé et à peine compréhensible de Jettel, celui-ci s'était précipité à la Rothschildallee, puis, Walter ayant refusé de déranger le docteur Goldschmidt en pleine nuit pour ce qu'il qualifia avec mépris de mal de ventre, il le conduisit en voiture à la clinique de l'Université. Au service des urgences, le tempérament accommodant de Fafflok avait été davantage encore mis à contribution.

La voix soudain ferme, Walter avait terrorisé et traité de vieux bouc gâteux un jeune médecin avec une barbichette, qui avait parlé de hernie et insisté pour faire asseoir le patient sur une chaise roulante. Furieux, Walter s'était écrié: «Pour qui me prend-on?», et il avait tenu à accomplir par ses propres moyens le trajet jusqu'au service de chirurgie.

– Il n'y en a pas pour trois minutes si le bouc a dit vrai, l'encouragea Fafflok. Des héros comme vous n'ont certainement même pas besoin de tant.

Quand il ouvrit la lourde porte du vieux bâtiment abritant le service de chirurgie, lui aussi avait perdu le souffle. Il était en effet obligé de soutenir Walter.

Le médecin, suffisamment âgé et bien rasé pour paraître compétent aux yeux de Walter, diagnostiqua une hernie inguinale étranglée. À vrai dire, il signala sur la fiche médicale une confusion mentale qui, même compte tenu des fortes douleurs endurées par le patient, lui sembla atypique. Walter avait accueilli l'annonce qu'il était impératif de l'opérer immédiatement par cette remarque :

– *Sir*, je vous avertis tout de suite que, sous anesthésie, je parle allemand.

– Mais il est bien naturel que vous parliez allemand, répondit le médecin sans le contrarier. Si vous arrivez à prononcer un mot : nos anesthésiques modernes sont efficaces.

– Ce n'est pas si naturel que ça, lui expliqua Walter au cours d'un moment de répit entre deux spasmes. Quand j'ai eu la fièvre hématurique, ma langue maternelle m'a valu de sérieux ennuis.

– La fièvre hématurique ? Où ça s'est donc passé ?

– À Nakuru. Au Nakuru Military Hospital. *Sergeant* Redlich, nous sommes en guerre avec l'Allemagne. Ne l'oubliez pas.

– Maître Redlich était exilé en Afrique, expliqua Fafflok, au Kenya.

Quand on l'allongea sur le brancard, Walter demanda à ce qu'on l'autorise à s'entretenir cinq minutes seul avec Fafflok.

– À vrai dire, non, murmura le chirurgien en sortant de la pièce aux carreaux blancs.

– Prenez soin de ma Jettel si je ne m'en sors pas, dit Walter en ressortant d'un geste énergique ses bras de dessous le drap épais qui le recouvrait. Elle est tellement désarmée devant la vie, et sans même en avoir conscience. Il faut que quelqu'un la prenne en charge, et c'est encore trop tôt pour que Regina le fasse.

– Mon vieux, l'opération d'une hernie inguinale, ce n'est tout de même plus un drame, de nos jours !

– Non, à condition de ne pas avoir le cœur faible. À condition de ne pas vouloir mourir.

– Il ne faut pas dire des choses pareilles.

– En Afrique, ça se dit. On dit « *Na taka kufua* » et on est déposé devant la hutte. Et alors les hyènes viennent vous prendre. C'est merveilleusement pratique pour ceux qui restent en vie.

– Nous sommes en Allemagne, où le dicton serait plutôt : "On n'a rien sans rien", dit Fafflok. Même la mort, il faut travailler dur pour la mériter. C'est ce que j'ai appris à la guerre. Et, par ailleurs, j'ai déjà acheté votre cadeau d'anniversaire.

Tandis qu'il se dépêchait de traverser le jardin dans le jour naissant, il se demanda si Walter avait entendu ses derniers mots. Il se mit à le souhaiter avec tant de force qu'il se trouva à la fois naïf et sacrilège. Amusé, mais pas encore totalement délivré des spectres évoqués par Walter, il s'obligea à penser qu'il était en réalité quelqu'un qui ne se laissait pas si facilement angoisser et qu'on l'avait lui-même opéré sans problème d'une hernie à une époque où cela ne relevait pas encore de la routine médicale. À sa grande stupéfaction, il s'entendit parler tout haut.

Se surprenant à aussitôt penser à une hyène en apercevant dans la rue un chien errant – bien qu'il n'ait jamais vu de hyène autrement qu'en photo, et il y avait bien des années de cela –, il sourit en hochant la tête. Néanmoins, allant chercher Jettel pour la ramener en voiture à l'hôpital, il traversa un pont, le Friedensbrücke, à une telle vitesse et avec un tel manque de concentration qu'il fut contraint de brider son imagination avant même d'arriver à ralentir.

L'opération se déroula sans complication. Le lendemain, Walter eut soif et, l'infirmière refusant de le faire boire, il la traita de «*moutchinga mingi*». N'importe quel enfant, à la ferme, aurait compris qu'il la traitait d'idiote, mais elle, tolérante, jugea qu'il s'agissait d'une exclamation en yiddish. Le deuxième jour, il eut faim et il jura avec tant de vulgarité – en allemand ! – que le personnel soignant, confus, sortit de sa chambre à la dérobée. Le troisième jour, il commença à s'ennuyer et, Jettel et Regina ayant oublié de lui apporter le journal, il rouspéta si longtemps qu'elles finirent par fondre en larmes.

Le quatrième jour, en dépit des protestations du médecin-chef et de la menace de Jettel de cesser ses visites, il se fit porter des dossiers de l'étude, expliquant, furieux, qu'il devait bien à Fafflok de ne pas le laisser se coltiner tout le travail et que, sinon, celui-ci mettrait fin à leur association. Une nouvelle fois appelé au secours, Fafflok parvint au moins à remporter la moitié des dossiers que la secrétaire avait eu tant de mal à traîner jusqu'à l'hôpital. À la fin de la semaine, Walter fit une embolie. Max était seul dans l'appartement pour réceptionner l'appel téléphonique de la clinique de l'Université.

– Je n'ai pas le droit de prendre seul le tram avant d'avoir neuf ans, répondit-il.

– Attends que ta maman arrive, conseilla l'infirmière, mais dis-lui qu'il faut qu'elle vienne immédiatement à l'hôpital. Dis-lui que c'est urgent. Ton père ne va pas bien. Est-ce que tu as compris ce que j'ai dit?

– Oui, répliqua Max avec impatience, ce n'est pas la première fois que je téléphone.

Il alla prendre sur l'étagère supérieure du réfrigérateur, dans une boîte avec l'inscription «personnel», l'argent que sa mère prélevait secrètement sur les dépenses du ménage, se figurant qu'il ignorait où elle le cachait. Il fit partir à la brosse deux taches d'encre qu'il avait sur les mains et lissa ses cheveux avec de l'eau. Il descendit la Höhenstrasse en courant de toutes ses forces, grimpa dans le tramway et ne se trompa pas, ensuite, de correspondance. Une heure plus tard, hors d'haleine, il était auprès du lit de son père et, s'il avait le feu aux joues, la cause en était davantage une légitime fierté que d'avoir terminé son escapade au grand galop.

– Où est donc ta mère? demanda Walter.

– Au Kranzler, en train de boire le café avec ses amies.

– Hein? Elle est au café alors que son mari est mourant? C'est là que tu peux voir, mon fils, que les bonnes femmes n'ont vraiment pas de tête.

– Mais elle ne sait pas que tu es mourant. Regina non plus. Elle est à son travail. Et c'est l'après-midi de congé d'Else.

– Ton papa n'est pas mourant, dit à Max, en lui caressant la tête, le médecin venu faire une piqûre à Walter. Nous avons découvert juste à temps qu'il voulait nous faire une très mauvaise plaisanterie.

– Quelle sorte de plaisanterie? demanda Max.

– Vous avez gâché sa joie à mon fils. Je lui ai promis qu'il serait assis au tout premier rang lors de mes obsèques.

– Il vaudrait mieux ne pas tant parler. À présent, vous avez besoin de beaucoup de repos. J'ai réussi à joindre votre épouse. Elle ne va pas tarder.

– Et le repos, alors? demanda Walter avec un clin d'œil à l'intention de son fils qui, ne manquant pas d'entraînement, lui retourna son regard, chargé d'une même et belle complicité.

Comme Walter ne s'était jamais intéressé à la médecine, et encore moins à sa maladie, en vertu d'un principe qu'il croyait sage et qui lui servait d'autoprotection, et comme il était impossible de lui enlever de la tête la conviction que les médecins étaient de toute façon enclins à l'exagération, il fut le seul à ignorer qu'il avait effectivement connu un état critique durant plusieurs jours.

Les médecins admiraient sa vitalité, son courage, son humour et son extravagance. Ils trouvaient très originale et charmante sa manière de les provoquer, l'interprétant comme l'arme secrète d'un homme qui avait vécu des heures difficiles et qui savait les évoquer avec gaieté et autodérision, qualités qui faisaient défaut à la plupart des gens en bonne santé.

Jettel dorlotait ce patient difficile, lui réservant des gestes de tendresse dont l'un et l'autre avaient oublié qu'ils étaient capables et le comblant surtout de saucisse bouillie, de harengs hachés menu et de gâteaux aux graines de pavot. Le médecin en chef de l'hôpital et son adjoint furent obligés de goûter à ces spécialités pour se convaincre de l'excellence de la cuisine haut-silésienne. Le poissonnier envoya un bouquet de fleurs plus gros encore que celui de la communauté juive.

Max, qui avait démontré de si brillante façon qu'il avait été injuste de lui interdire de prendre seul le tramway avant d'avoir neuf ans, fit valoir ses nouveaux droits. Il venait tous les débuts d'après-midi, non accompagné, aider Walter à étudier les dossiers que celui-ci avait fait rapporter à l'hôpital ; il s'intéressait plus particulièrement au droit pénal et aux affaires de divorce compliquées. Quand il posait une tablette de chocolat sur le lit de son père, tous deux disaient en riant : « Secret d'avocat. »

— Il y a deux choses que je voudrais avoir le temps de vivre, dit un jour Walter.

— Lesquelles ? demanda Max.

— Mon anniversaire et ta bar-mitsva.

— Ton anniversaire d'abord, décida Max, puisque ma bar-mitsva, ce n'est que dans cinq ans.

— J'ai au moins un enfant capable de penser avec logique et qui a les pieds sur terre. Maxou, mon fils, il faut que tu étudies le droit.

— C'est bien ce que j'ai l'intention de faire, et aussi de n'épouser qu'une jeune fille juive.

Regina venait voir son père le matin, à 10 heures, avant de partir au journal, à Offenbach. Les premiers jours après l'embolie, elle s'efforça de limiter les conversations à des sujets dont elle pensait qu'ils n'énerveraient pas Walter. Elle ne parlait jamais de maladie, pas une seule fois elle n'aborda le thème de l'avenir et elle n'évoquait que les images du passé les plus douces, apaisant du même coup ses propres angoisses concernant son père. Plus tard, quand Walter fut autorisé à se lever, ils firent des réussites sur la petite table devant la fenêtre. C'était la première fois qu'ils se livraient ensemble à ce jeu, depuis les longues soirées d'Ol'Joro Orok où lire son destin dans les cartes faisait partie du rituel. La superstition était restée aussi forte que la capacité à tourner son regard vers le passé, sans l'avouer.

Quand Walter eut recouvré assez de forces pour marcher dans le jardin avec Regina, il chercha en premier lieu le banc où il s'était assis avec Fafflok avant son opération. À dater de ce jour, c'est toujours là qu'ils profitèrent de la chaleur de juillet, des fleurs, des innombrables oiseaux auxquels ils souhaitaient bonne chance dans un swahili irréprochable. Ils se réjouissaient surtout des progrès très visibles qu'accomplissait Walter jour après jour.

– Si seulement ça pouvait continuer comme ça ! se prit à espérer Walter, un jour.

– Ça continuera, répliqua Regina en croisant les doigts.

Walter vit son geste et lui dit :

– Restriction mentale. C'est ce que tu as toujours fait.

Il était d'humeur paisible, drôle, exubérant, il sifflait de jeunes infirmières, se laissa même convaincre par Jettel d'acheter un nouveau maillot de bain parce que, dit-il, il avait remarqué qu'il avait encore sa chance auprès des femmes. Au bout de longues discussions, il abandonna enfin ses préventions contre le métier de Regina. Ils ne pouvaient s'empêcher l'un et l'autre de rire à gorge déployée, chaque fois qu'ils se rappelaient comment Max, bien loin de s'affoler en recevant le coup de fil de l'hôpital, n'avait rien eu d'autre en tête que de piller le trésor caché de sa mère.

Regina dut néanmoins attendre la veille de la sortie de Walter de la clinique pour trouver le courage de formuler à voix haute les pensées qui l'affectaient de plus en plus depuis le premier accident cardiaque de son père :

– Tu ne devrais pas tant parler de la mort à Max, dit-elle d'un ton aussi égal que si ce reproche lui était venu à l'instant à l'esprit.

– Pourquoi ? Il faut bien qu'il sache dans quel état est son père. Le moment venu, il lui faudra être un homme et ne pas se retrouver comme un enfant devant ma tombe. C'est l'unique chose que je puisse faire pour mon fils.

– Tu lui enlèves son innocence.

– Ne débite donc pas des banalités pareilles. Un garçon n'a pas besoin d'innocence. As-tu encore la tienne ?

– Tu biaises, *bwana*. Tu sais parfaitement de quoi je veux parler. Max est un enfant. C'est une mauvaise action de le charger d'un tel fardeau avant l'âge.

– Pas chez les Juifs. Nous le faisons depuis des milliers d'années. Nous sommes obligés de le faire. Quand les enfants d'Israël sont partis avec Moïse, on ne leur a pas non plus laissé croire qu'il s'agirait d'une partie de plaisir. Chez nous, les enfants ne doivent pas grandir en se figurant qu'ils sont comme tout le monde.

– Il ne suffit donc pas que Max sache ce qu'a été Auschwitz et comment ses grands-parents sont morts ?

– Toi aussi, Regina, tu as tout su très tôt.

– C'était une autre époque. Ce n'était pas possible autrement. Mais j'avais mon monde imaginaire, dans lequel je pouvais trouver refuge. Tu ne peux pas te figurer ce qu'il signifiait pour moi.

– Si, objecta Walter, je l'ai toujours su. Parfois, je t'ai même enviée. En même temps que j'avais peur de te laisser fuir. Je pensais sans arrêt que tu ne pourrais plus reprendre pied dans la vie.

– Et alors ? Y suis-je arrivée ?

– Oui, c'est du moins ce que je crois. À ta manière. Tu es tellement différente de ton frère. Il est déjà capable de tirer son épingle du jeu de manière si merveilleuse.

Regina dévisagea son père en laissant percer dans son regard l'ironie d'Owuor : celui-ci n'avait jamais compris pourquoi son *bwana*, si intelligent, ne voyait que les visages des gens et n'entendait que les paroles prononcées.

– Voilà que, de nouveau, tu dors sur tes yeux, dit-elle en riant, puis elle prit une petite branche par terre et la cassa en veillant à en faire deux morceaux d'égale longueur. C'est moi qui suis forte, pas ton fils. À la ferme,

197

j'ai appris des choses dont Max n'aura pas la moindre idée sa vie durant. Ce n'est pas lui qui peut t'accompagner. Joue donc tes jeux avec moi.

– J'essaierai, sage *memsahib*, sourit Walter, mais fais en sorte d'être là, toi aussi.

– Je te le promets. J'ai déjà obtenu un jour de congé pour ton anniversaire.

Le 5 septembre 1954 fut une journée illuminée par un soleil estival et empreinte d'une douceur automnale. Il y avait, dans le vase en cristal qu'il tenait de sa mère, des dahlias aux lourdes têtes, les fleurs préférées de Walter quand les pois de senteur et les rosiers étaient fanés ; au milieu de la nuit, à cause d'eux, il était déjà venu faire un tour dans la salle à manger.

À 5 heures du matin, le héros de la fête ne put réprimer plus longtemps son impatience. Il commença par réveiller sa famille, puis Else au quatrième étage et, pour finir, sous sa couverture brodée, Kasuko, la bruyante perruche. Il cria à plusieurs reprises : « Ça y est ! J'y suis arrivé ! J'ai atteint les cinquante ans ! », avant d'entonner à pleine gorge le *Gaudeamus igitur*.

Vêtu d'un peignoir neuf, sur la tête une couronne qu'il s'était confectionnée pendant sa nuit blanche à partir d'un sachet à fruits en papier kraft, il s'assit dans le fauteuil à fleurs et savoura sa survie dans le salon inondé de lumière. Les cinquante bougies que Regina et Else avaient fichées dans un plat rempli de sable lui déplurent beaucoup dans un premier temps, parce que certaines d'entre elles étaient de travers et que d'autres étaient placées trop près les unes des autres, mais il fut heureux comme un enfant quand elles furent enfin toutes allumées, et son rire fusa alors comme dans les temps heureux.

– Chez mon père, c'était exactement comme ça, les bougies étaient aussi de travers, commenta Else.

– Ce qui était assez bon pour votre père est assez bon pour moi aussi, Else.

Jettel lui offrit deux chemises neuves – qui suscitèrent la remarque qu'une seule suffirait bien pour le temps qui lui restait à vivre – et une montre avec un bracelet en or qui le surprit au point de le laisser sans voix l'espace d'un instant. Jettel expliqua qu'il lui avait fallu se serrer la ceinture pour lui payer un cadeau aussi cher.

— Notre ceinture à tous, fit remarquer Walter d'un ton critique, ce qui ne l'empêcha pas, la mine grave, d'examiner la montre à contre-jour, de faire entendre son tic-tac à la perruche et de donner à Jettel un baiser sonore.

— Sur nos vieux jours, nous retombons tous les deux en enfance, dit-il, et nous oublions que, pour nous, l'heure tourne.

— Je ne suis pas si vieille que ça, moi.

— Tu as, une nouvelle fois, fait la preuve de ton grand tact.

— Toi non plus, tu n'es pas vieux, dit Jettel, conciliante.

Max tendit à son père un somptueux bouquet d'asters et fut très étonné que celui-ci s'aperçoive que les fleurs provenaient du jardinet devant la maison. Il lui offrit ensuite, avec un regard plein de convoitise, le portemine à quatre couleurs qu'il désirait pour lui-même depuis si longtemps et qu'il avait acheté pour douze marks en économisant effectivement sur son argent de poche. Pour la première fois de la journée, et ne soupçonnant pas encore le nombre de fois où il lui faudrait le refaire, Max dit un poème composé par sa sœur.

Les rimes en étaient grossières et la métrique si arythmique qu'il s'en fallut de peu que son sens de la langue, déjà très développé pour son âge, l'empêche de réciter le texte d'un seul trait. Pourtant prompt, de manière générale, à flairer et à critiquer le dilettantisme chez ses enfants, Walter, mû par une intuition psychologique inhabituelle, sut entendre dans ces vers une déclaration d'amour qu'il ne pouvait traiter à la légère, et il se rappela, tout ému, que leur auteur n'avait jamais su rimer. Il sécha ses larmes avec l'un des six mouchoirs qu'Else lui avait offert. Elle en avait fait un joli paquet noué d'un ruban de soie rose qu'elle avait elle-même tressé et que Walter se mit autour du cou.

Durant des mois, Regina s'était creusé la tête pour savoir ce que serait son cadeau, se souvenant avec mélancolie de sa première manicle à casseroles, qu'elle avait confectionnée au crochet, ou de l'écharpe que Walter avait supportée sans se plaindre, dans la canicule africaine, parce que ce qu'il appréciait le plus, dans les cadeaux, c'était les efforts qu'ils avaient coûtés au donateur. Et c'est ainsi que Walter reçut le premier ouvrage de sa fille. Il avait pour titre : *Te rappelles-tu ?* Regina en avait relié avec un fil de laine bleue les pages, tapées sur la vieille machine à écrire qui avait fait le voyage entre l'Allemagne et l'Afrique à l'aller, puis au retour ; la couverture de carton jaune était agrémentée d'un bateau à vapeur ; dessiné à l'encre bleue, il était surmonté d'un pavillon qui flottait dans la direction opposée à la fumée rejetée vers le ciel par l'une des deux cheminées ; au milieu des vagues de la mer, en caractères d'imprimerie, Regina avait inscrit le sous-titre : *From Mombasa to Leobschütz*.

À la grande stupeur de Regina, son père commença par lire la fin, apprenant ainsi avant l'heure les intentions de l'auteur, qui avait écrit à la dernière page : « J'ai gagné le gros lot, car j'ai appris à reconnaître le bonheur quand je l'ai rencontré. Ma gratitude va à un père qui, par sa bonté et son amour, m'a donné une enfance si riche. Ma vie entière, je plaindrai tous ceux que le destin a privés d'un père semblable. »

Walter eut besoin du deuxième des coûteux mouchoirs d'Else avant de retrouver la parole. D'un ton solennel qui émut davantage encore Regina que ses larmes, il promit de lire le livre dès après le petit déjeuner, ajoutant qu'il venait seulement de se rendre compte que lire et écrire pouvaient suffire pour vivre.

Mais il avait à peine entamé son deuxième œuf – cadeau supplémentaire et particulièrement bien accueilli, offert par Jettel qui avait promis de n'évoquer, en ce jour anniversaire, ni le médecin ni le régime – que la sonnette retentit. Regina et Jettel se regardèrent avec la mine contrariée de gens qui voient soudain la fête qu'ils organisent troublée par un importun. Max, la main sur la bouche, se mit à ricaner et à faire tant de grimaces que sa sœur lui donna un coup de pied sous la table et sa mère un coup de coude. Walter, lui, ne s'aperçut de rien de tout cela. La serviette autour du cou, agitant sa petite cuillère, il courut jusque dans le couloir, dit à Else qui y était déjà : « Vous aimeriez bien me priver de mes plaisirs de héros de la fête, hein ? », chassa la perruche et ouvrit toute grande la porte.

– Il y en a un, dans l'escalier, qui souffle bien plus fort que moi, annonça-t-il.

– C'est que je ne suis pas aussi jeune que vous, maître ! cria Greschek depuis le premier étage.

Il transportait le même seau que lors de sa première visite à Francfort, quand il était venu les sauver de la famine. Le récipient magique, toujours présent dans les mémoires, avait été remis en état et brillait d'un nouvel éclat ; cette fois, il n'était pas plein de pommes de terre, mais de chanterelles fraîches et de cèpes. Greschek avait remplacé le lard, que les citadins trop sédentaires ne considéraient plus comme une nourriture saine, par des canards remarquablement gras et par un lapin qui, en raison de l'événement, avait un ruban doré noué autour de chaque cuisse.

Un peu plus tard, Greschek ouvrit sa valise – c'était toujours l'ancienne valise marron pleine d'éraflures –, en sortit un costume noir tout neuf pour lui-même et, pour Walter, un petit paquet d'anciennes cartes postales représentant Leobschütz. Il lui avait fallu une longue correspondance avec des compatriotes pour réussir à rassembler un aussi bel album de la mélancolie, et encore avait-il été chaque fois expressément nécessaire d'indiquer qui était le destinataire de cette bonne œuvre. Sur la carte de vœux, ornée d'un « 50 » en chiffres d'or et de feuillages tout aussi dorés, Grete, de son écriture pointue, avait inscrit : « Pour le cinquantième anniversaire de notre très cher maître Walter Redlich, avocat et notaire » et, avec son art de dire l'essentiel en peu de mots, avait ajouté : « Nous pensons souvent à Francfort et sommes heureux à Marke. »

– Votre venue, Greschek, est pour moi le plus beau des cadeaux. Je voulais vous écrire, mais ma femme m'a dit que je ne pouvais pas vous demander d'entreprendre un tel voyage, car vous aviez été malade vous aussi. Je comprends à présent la raison d'un pareil cinéma de sa part.

– Au début, je n'avais pas envie de venir. Je me disais : Maître Redlich est maintenant une personnalité et je serai de trop, au milieu d'hôtes aussi raffinés.

– Pour cette remarque, vous mériteriez que je vous mette à la porte illico. Jamais une telle idée ne vous serait venue à Leobschütz.

– Francfort n'est pas non plus Leobschütz.

– À qui le dites-vous, Greschek ! J'ai si souvent la nostalgie de notre vie d'alors, une vie si paisible, avec des gens si chaleureux.

– Ce n'était pas si paisible que ça, maître. Et tout le monde n'était pas aussi chaleureux que vous le dites. Vous êtes resté trop longtemps chez les nègres pour être vraiment au courant de tout.

La réception n'était prévue que pour le dîner. Seuls les Fafflok étaient invités, à 16 heures, à venir boire le café, accompagné d'une tarte aux pommes, d'un gâteau aux graines de pavot et d'un gros biscuit fourré de crème au beurre de chez le pâtissier. Sans que cela soit jamais dit, ils étaient considérés comme faisant en quelque sorte partie de la famille par des gens qui n'en avaient plus, et ils vinrent donc en compagnie de leur fils Micha, âgé de quatorze ans, qui avait hérité de la patience taciturne de son père. Le jeune garçon comprit aussitôt qu'il échapperait à Max et à ses invitations à jouer avec lui tant qu'il aurait devant lui une assiette pleine. Sa sœur Ulla, de trois ans plus jeune, blonde, avec des couettes tressées dont Max s'était entiché, avait, elle, hérité de l'assurance et de la franchise de sa mère ; elle ne tarda pas à aller chercher un livre dans la chambre des enfants et, impassible, à tranquillement traiter le fils de son hôte de « morveux mal élevé » ; cela jeta un froid qui dura jusqu'au moment où Max fut de nouveau autorisé à réciter le poème de sa sœur.

Fafflok offrit à Walter une peinture à l'huile représentant une large vallée parcourue par un fleuve, un paysage aux lignes très douces que seuls de grands arbres venaient rompre ; le tableau déconcerta Walter à ce point qu'il ne put s'empêcher de remarquer :

– Le peintre a oublié de peindre quelques personnages au premier plan.

Quelques jours plus tard seulement, l'exploit de son fils, ayant entrepris de réparer cet oubli à l'aide du nouveau portemine à quatre couleurs, le mettrait hors de lui. « Quel dommage : les tommies auraient payé une fortune pour un véritable tableau à l'huile », se contenterait alors de soupirer Greschek.

Ce dernier avait été très agréablement impressionné par Mme Fafflok ; elle parlait de Ratibor, de Gliwice et de leur fuite de haute Silésie de la même manière que lui : sobrement, et sans regret pour une vie que Greschek évoquait uniquement lors de ses visites à Francfort. Ce qui l'impressionna plus encore, ce fut que les Fafflok soient non seulement les propriétaires de leur maison, mais qu'ils envisagent de surcroît de faire bâtir un immeuble de rapport.

– Ils ont fait un héritage, expliqua Max, mais nous, on ne peut pas, parce que notre famille a été assassinée.

Quand les messieurs eurent un verre de cognac à la main et les dames une liqueur de cacao à la noix – Jettel riant même de l'histoire du réfrigérateur qu'elle avait refusé d'emporter lors de son départ pour l'exil –, ils ne furent plus habités que par la gaieté sans contrainte qu'engendrent les liens intimes de l'amitié. Chacun d'eux sentait que, en dépit des moments forts qu'apporterait encore la fête du soir, avec les discours et les solennités d'usage, ils étaient en train de vivre les heures qui seules resteraient dans les mémoires.

– Vous êtes à présent mon seul ami, dit Walter. Greschek ne compte pas, car il l'était déjà auparavant.

– Je ne vous connaissais pas avant, réfléchit Fafflok à haute voix, sinon je l'aurais été aussi.

Au début de la soirée, alors que les femmes s'apprêtaient toutes à passer dans la cuisine pour s'y partager les tâches ménagères, le facteur apporta un télégramme d'Afrique du Sud. «À mon meilleur ami, Walter, dans l'espoir qu'il demeure toujours aussi jeune», avait écrit Martin.

– Tu parles, dit Walter en se dépêchant de fourrer le télégramme dans sa poche, afin que sa fille ne puisse lire la suite: «Un baiser plus particulier pour ma petite Regina».

Mais celle-ci aperçut la phrase sous le nom de Martin, et elle insista pour remonter le vin de la cave à la place d'Else. Comme elle restait trop longtemps à l'abri de l'obscurité humide, Walter descendit la chercher. C'est là, dans cette situation, le jour de ses cinquante ans, qu'il se laissa entraîner à prononcer une phrase qu'en des circonstances plus normales il aurait qualifiée d'«aveu d'impuissance». Il prouvait ainsi à Regina qu'il n'était pas un père au prosaïsme plat, à la morale rigide et à la jalousie exacerbée, mais qu'il était véritablement le seul homme à qui elle ait jamais permis de lire dans son cœur:

– Je t'aurais donnée à cet homme, finit-il par lâcher, mais uniquement parce que je suis resté le ballot qui a promis un jour à sa fille de lui décrocher à la fois la lune et le soleil.

16

Ce fut un hasard sans signification particulière si, à la fin de l'été 1956, Walter apprit le même jour les deux tournants espérés dans l'existence de ses enfants. Le matin arriva enfin la lettre annonçant l'heureuse nouvelle que Max avait réussi l'examen d'entrée en sixième au lycée Heinrich von Gagern. Cette lettre tranquillisa beaucoup plus le père de famille que d'apprendre de Regina, dans la soirée, qu'elle avait achevé sa période d'essai à l'*Abendpost* et qu'elle était désormais employée comme membre à part entière de la rédaction.

Cela ne voulait en aucun cas dire que Walter s'intéressait davantage au destin de son fils qu'à celui de sa fille : personne ne le savait mieux que lui, qui se projetait avec angoisse et douleur dans un avenir où il ne lui serait pas donné d'accompagner ses enfants. Mais il avait beaucoup plus de prédispositions à se préoccuper d'un lycée classique que d'un journal qu'il avait coutume de qualifier de feuille à scandales et dont il ne comprendrait jamais pourquoi c'étaient justement les nouvelles à sensation, sans importance pour le cours des événements dans le monde et contraires au bon goût, qui faisaient la une en gros caractères rouges et jouissaient d'une immense faveur dans la salle des avocats au tribunal.

Si les bons résultats de Max étaient à ses yeux la moindre des choses pour un enfant placé dans des conditions normales et s'ils bénéficiaient par conséquent d'une considération inférieure à ceux de Regina naguère, Walter n'en récompensa pas moins son fils, lui achetant un ballon de football neuf et la serviette tant désirée, destinée à remplacer le cartable qui faisait par trop enfantin ; en outre, au cas où les bons résultats se maintiendraient, il lui fit miroiter la perspective d'aller assister aux Six Jours cyclistes en nocturne ainsi qu'un relèvement sensible de sa rétribution hebdomadaire. Pour des mauvaises notes dont, en souvenir de sa propre scolarité, il envisageait parfaitement l'éventualité, il brandissait en revanche la menace d'un courroux paternel qui ne reculerait pas devant des sanctions musclées et, surtout, celle d'une répétitrice qui loucherait et aurait de grosses jambes.

– Quand ta sœur a voulu apprendre le latin, expliqua-t-il d'un ton docte à son fils, tandis que celui-ci était occupé à lui gratter le dos, je n'avais pas d'argent et elle n'a pas pu apprendre un traître mot de la plus belle langue du monde. Tu peux une nouvelle fois constater combien nous sommes devenus riches. Tu peux choisir la langue de ton choix, mon fils préféré.

– Le swahili, proposa Max avec un flair très sûr pour les menaces que des promesses trop peu transparentes pouvaient receler. Comme ça, je pourrai enfin vous comprendre quand vous parlez de moi.

– Fais en sorte de te servir aussi à l'école d'une tête au sens si pratique. J'ai toujours été classé sixième et je n'exigerai pas de toi que tu fasses mieux.

– Sixième sur sept, dit Max qui, heureux d'être délivré d'espoirs paternels illusoires quant à ses ambitions intellectuelles, s'offrit le luxe de cette vieille plaisanterie.

Pour apprécier la modification intervenue dans la vie de Regina, Walter eut quelques difficultés. D'abord, elle avait négligé de le mettre au courant de ses doutes persistants sur ses talents : pensant les avoir surestimés, elle avait fini par se convaincre qu'un jour ou l'autre elle ne se montrerait pas à la hauteur de sa tâche et qu'elle ne pourrait garder sa place à la rédaction à la fin de son stage. Mais il y avait autre chose : au moment précis où il apprit qu'elle jouissait d'un statut nouveau dans sa vie professionnelle, il remarqua que Regina avait une robe neuve.

C'est pourquoi, dans un premier temps, il ne parvint pas à se concentrer sur l'essentiel du message. Anticipant sur son salaire futur, dont elle mentionna le montant avec une fierté inhabituelle chez elle, Regina s'était manifestement déjà mise sur son trente et un. Walter jugea son attitude dispendieuse et trouva la robe trop courte, trop décolletée et d'un rouge trop provocant. Un mot à la mode, « sex-appeal », lui vint à l'esprit ; mais associer ce terme à sa fille lui répugna.

Un bref instant seulement, il l'examina avec l'œil critique de l'homme qui enregistre plus que la longueur d'une jupe ; très vite, le regard aigu de celui qui perçoit des changements lui ayant jusque-là échappé, céda la place à la mine du père manifestement contrarié :

– Tu vas donc avoir encore moins de temps à consacrer à ton vieux père.

– Davantage, au contraire, objecta Regina avec un empressement qui fut d'abord plus convaincant pour elle que pour lui. Tu sais, les journalistes titulaires ne sont plus obligés d'écrire des articles sur les chats lauréats d'un concours de beauté ou sur le sapin de Noël d'un foyer d'accueil pour sans-abri. Dans ce genre de manifestations, on envoie toujours des stagiaires.

– Qu'est-ce qu'une jeune fille juive a à voir avec un sapin de Noël ? Tu ne m'avais jamais parlé de ça. J'ignorais totalement que tu t'occupais de bêtises pareilles.

– Si, mentit Regina, je t'en ai parlé. De temps en temps, en tout cas.

Une fois au lit, elle se surprit à être plus pensive qu'elle ne l'aurait cru un jour de bonheur. Tout d'abord, elle s'aperçut qu'elle n'arrivait pas à se concentrer sur le livre de Saint-Exupéry qu'elle aimait tant et qu'elle avait lu et relu, *Terre des hommes* ; puis il lui revint à l'esprit la manière dont Walter l'avait regardée et dont, au moins au début, il l'avait flattée. Entendant ses parents débattre du nombre de culottes neuves dont Max aurait besoin pour entrer en sixième, elle s'apprêta à se relever pour étouffer dans l'œuf une querelle qui ne manquerait pas d'être préjudiciable à Walter si elle revêtait l'ampleur présumée, mais elle resta néanmoins dans sa chambre.

Elle était en fait troublée par la courte conversation qu'elle avait eue avec Walter et qui prenait dans sa tête des dimensions inattendues. Très critique envers elle-même, elle se demanda d'abord si elle avait juste cherché à tranquilliser son père en lui disant qu'il pouvait continuer à compter sur son temps libre. Il lui semblait plutôt qu'elle avait éprouvé le besoin, dans un moment de trop grande euphorie, de lui laisser entrevoir les relations particulières qu'elle entretenait avec son rédacteur en chef. Elle n'arrivait pas à s'expliquer quelle espèce de folie avait failli la pousser à un aveu aussi superflu et à accabler d'un tel fardeau un père jaloux, colérique et inquiet.

Il lui parut utile et important de trouver au moins un début de réponse à sa question, mais, à peine eut-elle réussi à démêler l'écheveau compliqué du problème, qu'elle se résolut à épargner sa conscience en un si beau jour. Elle se dit que ce n'était pas le meilleur moment pour faire le constat qu'elle s'était certainement comportée comme tant d'autres femmes qui amenaient elles aussi un homme à perdre la tête. Elle s'endormit avant d'avoir le temps de se remémorer davantage que le fait désormais le plus important de sa vie professionnelle : de la manière dont les choses s'étaient combinées, Emil Frowein se serait laissé enfermer dans un couvent plutôt que de se séparer d'elle, et elle le savait.

Ce dernier avait d'emblée respecté la parole spontanément donnée, puis, au grand étonnement de ses journalistes, avait pris sous une aile jusqu'ici restée sans emploi l'unique femme de la rédaction – non sans avoir, pendant quelque temps, manifesté une certaine indulgence masculine qui s'exprimait par des airs entendus emplis de compréhension. Emil Frowein n'avait pas contraint Regina à accomplir les tâches habituellement considérées comme relevant de la formation professionnelle des stagiaires. Ne s'étant pas rappelé à la raison dès leur première rencontre, ayant alors vu ses émotions échapper à son contrôle et basculer dans le désordre, il lui avait été plus facile, par la suite, de remettre en question ses préceptes d'autorité et de justice. Comme il l'avait laissé entendre lors de l'étrange entretien d'embauche, il prit effectivement des dispositions pour que, durant ses deux années de formation, Regina ne travaille qu'au sein de la rédaction culturelle.

La justesse de sa décision, dont il savait qu'elle alimenterait très vite les rumeurs, lui apparut non moins rapidement. Outrageusement encouragée à se spécialiser par un collègue journaliste passionné de théâtre – qui, tel un géant furieux, défendait son domaine réservé contre toute allusion, même légère, au fait que les premières n'étaient peut-être pas les seules occasions de comptes rendus détaillés –, Regina n'apprit rien d'autre qu'à écrire des critiques. On leur reconnaissait de ne manquer ni de compétence, ni d'esprit, ni, surtout, d'un indéniable amour du théâtre.

Il fallut cependant une remarque fortuite pour entraîner des conséquences dont ne se doutait aucune des personnes concernées. Invitée à assister à une première, ce qui ne lui était encore jamais arrivé, et s'étant vu remettre deux billets au secrétariat de la rédaction, Regina avait demandé comment renvoyer celui dont elle n'avait pas l'usage. Frowein était derrière elle et la fit venir dans son bureau.

– Les théâtres envoient toujours deux billets pour le critique. Mais je ne peux bien entendu permettre qu'une jeune femme traîne seule de nuit dans la rue, dit-il en n'épargnant ni à Regina ni à lui-même un ton de paternelle inquiétude. Si vous n'y voyez pas d'inconvénient, je vous accompagnerai.

Il s'agissait du prélude on ne peut plus habituel à une histoire vieille comme le monde – mais vécu comme quelque chose de nouveau par des êtres esseulés, secrets, en quête d'une issue à leur solitude et qui n'avaient pas conscience de la force qui les poussait l'un vers l'autre. Ils la devinaient pourtant, et ne s'en défendaient pas. Regina éprouvait un trop grand besoin d'affection et d'attention, et un trop fort intérêt pour l'homme qui lui avait fait confiance à l'heure de vérité ; elle avait déjà pénétré trop avant dans la sphère de la fascination et de la sympathie pour se laisser tourmenter par des scrupules qu'elle écartait avec empressement, les estimant mesquins et indignes d'elle.

Frowein, de son côté, s'était toujours intéressé au théâtre, mais il n'avait plus mis les pieds dans une salle de spectacle depuis des années, parce qu'il aurait considéré comme une faute envers le journal le fait de ne pas être présent lors de la conférence de rédaction du soir. Il avait donc davantage de problèmes de morale et de conscience. Il essaya d'abord d'interpréter son attitude – qu'il trouvait lui-même on ne peut plus étrange – comme le réveil d'une ancienne passion qu'il n'était pas possible de reporter plus longtemps, et dictée donc par le sens du devoir d'un mentor conscient de ses responsabilités.

Mais il cessa très vite de s'employer à tromper ses journalistes et à se tromper lui-même. Quand, avec un soupçon d'ironie, on commença d'accepter comme un usage bien établi qu'il accompagne Regina, y compris à des spectacles dont la critique était déjà parue, même un sceptique réservé et indécis comme Frowein, qui mettait toute son énergie à ne pas être la proie des émotions, comprit que sa seule motivation n'était pas d'assumer ses responsabilités de chaperon. Toutefois, durant la plus grande partie de la période d'essai de Regina, au moins dans les moments où il se trouvait impitoyablement confronté à ses sentiments contradictoires, il parvint à conserver l'illusion qu'il n'était rien d'autre qu'un chef bienveillant qui, pour la bonne cause, ne s'en tenait pas à une réserve exigée par des conventions au demeurant peut-être quelque peu dépassées.

Il fut donc effectivement consterné quand il dut s'avouer qu'il n'avait pas été pris d'un nouvel amour pour le théâtre, mais qu'il était tombé amoureux de la jeune femme assise à ses côtés, les yeux écarquillés d'admiration, à qui il allait chercher un verre de mousseux à l'entracte, qu'il ramenait chez elle en voiture après le spectacle et qui, bien que vivant en Allemagne depuis des années, était toujours l'enfant d'un autre monde, une enfant exprimant enthousiasme et désapprobation, scepticisme et étonnement avec une fraîcheur que la vie avait tuée en lui depuis bien longtemps.

Ce qui plaisait à Frowein, c'est que cette femme n'avait jamais appris à se défier du romantisme, de la douceur et de la banalité, et qu'elle ne se laissait pas éblouir par la beauté du verbe classique. Elle pleurait dans le mouchoir de Frowein en regardant *Das Kleine Teehaus*[1], elle lui pinçait le bras, au comble de l'émoi, au spectacle du *Cercle de craie caucasien* de Brecht et, si elle assistait à la représentation de *Deux poids, deux mesures* de Shakespeare, elle récitait les vers en anglais en même temps que les acteurs, tandis qu'à l'entracte des *Brigands* elle demandait :

— Vous saviez, vous, que Schiller avait écrit des pièces aussi merveilleuses ?

— Mais vous avez bien dû lire *Les Brigands* à l'école ?

— Bien sûr que non ! À l'époque où les élèves allemands lisaient *Les Brigands*, j'étais juchée dans mon goyavier et je lisais du Dickens à ma fée.

— À quoi ressemblaient l'arbre et la fée ?

— La fée portait une robe faite de feuilles de nénuphar blanc, l'arbre avait l'odeur du miel et les abeilles chantaient des airs que seules la fée et moi pouvions entendre.

Ce que Frowein n'arrivait pas à oublier, davantage encore que le rire de Regina, c'était son regard, plein d'un désir qui soudain s'éveillait. Six semaines plus tard, alors qu'ils assistaient à la représentation de *Der Regenmacher*[2], il la tutoya par inadvertance et, balbutiant comme

---

1. Comédie américaine de John Patrick, *The Teahouse (NdT)*.
2. Comédie américaine de Richard Nash, *The Rainmaker (NdT)*.

un collégien, il s'en excusa. Un mois plus tard encore, cette fois lors de la représentation de *Colportage*, de Kaiser, il lui demanda – au théâtre seulement, cela allait sans dire – de pouvoir l'appeler par son prénom.

– Il y a longtemps que vous le faites !

– Pas au journal, tout de même ?

– Non, dans votre tête.

– Et ça ne vous dérange pas ?

– Bien sûr que non. Ma tête ne se donne pas autant de mal que la vôtre avec les mots qu'elle ne doit pas laisser arriver jusqu'à la bouche.

– Comme vous avez joliment dit ça.

– Ce n'était pas moi. Je n'ai fait que le traduire de mon ancienne langue, le swahili.

– J'ignorais totalement que vous parliez le swahili.

– Je ne le parle plus, *bwana lala,* dit-elle en montant dans la voiture, je me contente de penser parfois en swahili, ça aide.

– Contre quoi ?

– Contre presque tout... excepté le mal de gorge, dit-elle après un instant de réflexion et en se disant qu'il s'était décidément écoulé beaucoup de temps depuis qu'ils avaient ri une première fois tous les deux ensemble, mais qu'il n'était de toute façon pas bon que les rires atteignent trop vite leur but.

– Que signifie le mot aux merveilleuses voyelles que vous avez prononcé à l'instant ?

– Je parlais d'un homme qui dort.

– Si l'homme en question est réveillé et que personne ne l'entend, peut-il dire « tu » ?

– Pourquoi veut-il absolument dire quelque chose si personne ne l'entend ?

Lorsque le *Journal d'Anne Frank* fut mis en scène à Francfort et que le public se montra aussi ému que s'il venait d'entendre parler de cette tragédie pour la première fois, c'est Frowein qui eut les larmes aux yeux. Assise à côté de lui, figée et écrasée de douleur, elle pensa au père que la célébrité d'une de ses filles avait de nouveau obligé à accompagner l'autre dans la mort.

Elle raconta à Frowein cette rencontre. Il ne l'interrompit qu'une seule fois, et encore avec un soupir à peine audible, suffisamment fort toutefois pour persuader Regina que, dans cette Allemagne où la honte collective était évoquée avec beaucoup d'empressement mais à contre-cœur, il existait au moins un homme qui accordait à ce mot sa pleine signification.

En s'engageant dans la Rothschildallee, il remit pour la dernière fois sur le tapis le rêve d'un impossible consensus :

— Nous aimerions bien prendre contact avec Otto Frank.

— Qui est-ce, « nous » ?

— La rédaction. As-tu son adresse ?

— Mon père l'a. Pour quoi faire ?

— Il faudrait que nous l'interviewions. Ça serait bon pour notre image.

— Tu as malheureusement frappé à la mauvaise porte. Je ne suis pas du genre à laisser mes amis se faire cuisiner par des gens comme il en traîne quelques-uns chez nous, au journal. Et puis je suis allergique au voyeurisme.

— Il ne s'agit pas de voyeurisme, Regina. C'est de l'histoire contemporaine. C'est ce que tu dois comprendre si tu veux devenir une bonne journaliste.

— Si c'est là le prix à payer, je n'y tiens pas du tout. Je n'ai aucune aptitude pour faire de l'histoire contemporaine à partir de la mort. Aurais-tu oublié que, si je sors vivante d'un théâtre en flammes, je cours chez moi rassurer les miens, sans qu'il me vienne à l'esprit d'en tirer un article ?

— Comment pourrais-je l'oublier, puisque c'est là que tout a commencé ? s'écria Frowein.

Il savait que ce n'était pas le bon moment pour parler de lui. Mais il le fit tout de même et dit, le regard tourné vers le pare-brise :

— Je suis tombé amoureux de toi, Regina.

— Je sais.

— J'ai lutté et j'ai perdu.

— Je n'ai pas lutté, reconnut Regina, mais je perdrai quand même. Tu n'es pas homme à pouvoir supporter d'avoir d'abord perdu la tête, sa bonne conscience ensuite. Pas en tant que patron, en tout cas. Seulement, comment vas-tu expliquer à ta rédaction que tu dois me renvoyer ?

— Il ne faut plus jamais dire une chose pareille. Crois-tu vraiment que je te ferais payer le fait d'être un vieux crétin ? Personne, au journal, n'apprendra jamais ce que je me suis permis de faire. Je te le promets.

– Mieux vaudrait ne pas trop te raconter d'histoires à ce sujet, dit-elle en ayant plus pitié de lui que d'elle-même. Et d'ailleurs, ajouta-t-elle en tentant trop tard de rattraper sa langue, tu n'as encore rien fait du tout.

Durant les mois qui suivirent cette conversation, qui la troubla beaucoup plus après coup qu'elle n'en avait eu conscience sur le moment, elle se demanda souvent, avec une curiosité qui lui paraissait inqualifiable et qui, à sa grande honte, ne faisait que grandir, si l'attitude de Frowein lui était agréable ou si elle blessait sa vanité. Il ne tenta jamais, pas même quand il l'accompagnait au théâtre et qu'il la ramenait chez elle, de renouer avec l'intimité née d'un moment d'abandon et d'aveu.

Au journal, il se comportait en chef réservé et moqueur qui avait cessé de traiter une jeune collègue ayant réussi sa période probatoire avec davantage d'égards que les hommes, jamais effarouchés par un propos sans ambages ou, à l'occasion, une blague un peu crue ; assez souvent, désormais, il tolérait en présence de Regina de grossières plaisanteries masculines que, par un raclement de gorge lourd de signification, accompagné d'une allusion à la présence de leur seule collègue féminine, il s'était gardé auparavant de laisser passer. À la cantine, il la faisait asseoir sans complexe à sa table, où ils s'entretenaient le plus souvent de théâtre.

Elle admirait l'habileté et la perfection de ce camouflage, l'art avec lequel il simulait un détachement souverain, et elle lui était reconnaissante du ton léger et de l'humour avec lesquels il savait l'intégrer au collectif de la rédaction. Pourtant, quand elle n'était pas au journal et qu'elle autorisait ses sentiments à se rebeller, ni la raison ni la logique n'arrivaient à lui faire abandonner les attitudes provocantes qui lui servaient d'armure. Dans ces moments-là, l'attitude de Frowein lui semblait trahir une indifférence qui lui ôtait tout naturel, toute assurance et tout courage. Le fait qu'il maintienne leurs relations sur un plan strictement impersonnel blessait une fierté que, dans ses accès de mélancolie – et sans trop chercher à approfondir son analyse –, elle interprétait comme le désir de faire valoir son propre droit de décision.

Il fallut beaucoup de temps à Regina avant d'être en mesure de s'avouer la vérité. Elle fut stupéfaite quand elle prit conscience du détour qu'elle avait dû faire pour admettre tout simplement qu'elle réagissait comme une femme attendant que les actes succèdent à la parole. Elle n'avait pas soif de la franchise dont Frowein avait fait preuve lors de leur première rencontre et qui l'émouvait toujours autant ; elle n'avait pas non plus soif de ses aveux, pas plus que de ses encouragements qui, pourtant, lui faisaient tant de bien quand il lui attribuait un talent dont elle doutait.

Elle ne désirait que lui, et pas parce qu'elle l'aimait. Elle voulait, ne serait-ce qu'une fois, délivrer son cœur, et surtout son orgueil, du poids du renoncement. Quand elle eut découvert ce qui l'oppressait véritablement – et cela depuis cette fameuse nuit dont ni le temps ni la conscience ne guérissaient les blessures –, elle comprit très vite qu'elle ne tarderait guère à faire sortir Frowein du rôle si confortable de mentor dans lequel il se réfugiait et à l'attirer dans la réalité de sa virilité.

Il la devança. Le festival de Hersfeld débutait le premier week-end de juillet et, la veille de l'ouverture, le critique qui couvrait depuis des années les deux premières se cassa la jambe. À la fin de la dernière conférence de rédaction de la journée, Frowein entra dans le minuscule bureau de Regina ; il avait évité de le faire depuis plusieurs semaines. Il resta un petit instant debout devant la fenêtre, regardant dans la cour, puis s'assit sur le bureau et posa le bras sur l'épaule de la jeune femme. Il commença par dire :

– Et si vous le remplaciez, qu'en diriez-vous ? (Puis il ajouta, manifestement de très bonne humeur :) Pas d'objection ! (Et conclut, encore plus réjoui :) Je vous y conduirai. Ce week-end, je suis de toute façon célibataire.

– C'est bien, dit Regina.

– C'est bien, chuchota-t-il vingt-quatre heures plus tard exactement, quand Marie Stuart, dans la tiédeur de la nuit, accompagnée du gazouillis des oiseaux réveillés par la lumière des spots, monta sur l'échafaud installé en plein air, dans les ruines de l'abbatiale.

– Pourquoi n'a-t-on pas le droit d'applaudir, à Hersfeld ? demanda Regina en quittant les gradins.

– Parce qu'il y avait ici une église jadis. Nous, les Allemands, sommes profondément respectueux des maisons du Seigneur. C'est ce que nous avons toujours démontré.

Regina savoura l'ironie dans sa voix et sentit son attachement pour Frowein se transformer enfin en un sentiment qui lui permettrait de se regarder dans une glace sans rougir.

– Merci, dit-elle.

Ils marchaient en silence, se tenant par la main, ayant laissé derrière eux les jours des paroles et des regards mensongers ; ils suivaient le chemin éclairé de chandelles qui menait à l'établissement thermal à travers le parc ; ils passèrent devant des maisons à colombages et atteignirent bientôt le petit hôtel dans lequel la secrétaire leur avait réservé deux chambres. Frowein réclama les deux clés à un portier grincheux.

Malgré l'obscurité qui régnait dans le hall, Regina vit que son compagnon avait le visage en feu. La main qui effleurait la sienne était chaude et humide. Elle le regarda en souriant quand il lui ouvrit la porte de sa chambre, espérant très fort qu'il ne dirait rien lui non plus. Il resta un moment là, jusqu'à ce qu'elle ait allumé la lumière et quitté sa veste. Puis il parla tout de même. Sa voix lui rappela les jeunes oiseaux, dans les acacias desséchés, qui n'avaient pas encore appris à attendre le premier rayon du soleil.

– Ta chambre est plus grande que la mienne, dit-il, je suis là dans cinq minutes.

– Cinq minutes, répéta Regina.

– Ce n'est pas assez ?

– Non, c'est trop.

Tandis que Frowein se déshabillait avec timidité, elle réfléchissait, se demandant si elle n'était pas trop jeune pour vouloir n'être que chasseur, ou si elle était déjà trop âgée pour pouvoir oublier que se tromper de proie rendait pour longtemps le chasseur plus faible qu'un enfant stupide. Quand elle entendit sa respiration devenir lourde et lui signifier que lui aussi connaissait maintenant l'inexorable désir, elle prit la décision de ne pas confondre tendresse et amour, excitation et accomplissement. Dans la nuit, elle s'éveilla en se demandant si elle ne l'avait pas fait malgré tout, mais le visage qu'elle vit n'appartenait pas à l'homme qui dormait à côté d'elle. Le jour se levait déjà. La fenêtre ouverte laissait passer un soupçon de lumière rose trompeuse et, comprenant soudain, elle commença à souffrir de comprendre. Elle eut en même temps la certitude d'être tombée dans son propre piège. Elle n'avait véritablement rien oublié de ce qu'elle avait voulu oublier.

Frowein l'entendit soupirer et dit :

— Il ne faut pas que cela nous arrive de nouveau.

Regina s'apprêtait à lui expliquer qu'il n'avait pas de souci à se faire et qu'elle n'en était pas à la première de ces nuits dont rien ne reste que la force des images non désirées surgissant au mauvais moment. Mais, sans qu'elle ait à se donner la peine de réfléchir longuement, elle réussit à donner à sa gorge l'onctuosité et la douceur du mensonge miséricordieux, avec la virtuosité acquise durant l'enfance quand quelqu'un menaçait de lui voler son visage.

— Plus jamais, le tranquillisa-t-elle.

Le lundi, à son retour à Francfort, tout le monde était assis à la table du dîner. Sa mère lui avait déjà préparé une assiette de tartines de pain garnies et elle lui dit, comme tous les soirs :

— Une au fromage blanc, une au pâté fumé et une aux tomates. C'est bien celles que tu préfères ?

Entre les verres et deux coupes en argent, Regina vit Ulysse surgir dans les vitres bien astiquées de l'armoire et hésiter longtemps avant de poursuivre sa route. Enfant, elle avait appris de son père qu'Ulysse, le bien-aimé, avait aussi trouvé à son retour une assiette de tartines de pain garnies et qu'il avait alors seulement compris qu'il ne partirait plus jamais en voyage. Elle réprima son besoin de nettoyer ses mains de la saleté de la journée et de débarrasser sa tête du fardeau de la nuit, aussi lourd que du plomb, et elle prit place à son tour à la table en déclarant :

— Je garde la tartine aux tomates pour la fin. C'est celle que je préfère.

— C'est déjà ce que tu disais toute petite, lui dit Jettel.

— Seulement, à l'époque, lui reprocha Walter, tu ne partais pas je ne sais où, avec n'importe qui.

— J'étais à Hersfeld, ça fait partie de mon travail, répondit Regina en se préparant à un combat imminent, et le « n'importe qui » en question se trouve être mon chef.

— Le beau chef que voilà ! dit Walter.

17

Un après-midi de novembre, Walter ayant sonné à la porte de la maison beaucoup plus tôt mais aussi plus longuement que d'ordinaire, Jettel fut prise d'inquiétude et de découragement ; elle se dit que les douleurs dont il s'était plaint quelques jours auparavant et qui avaient pourtant disparu après un bain très chaud étaient revenues. Avec un peu d'angoisse, elle se pencha par-dessus la rampe de l'escalier pour entendre si son mari haletait plus fort qu'à l'accoutumée. Elle lui cria : « Qu'est-ce qui se passe ? », mais n'obtint pas de réponse.

Il y avait un tabouret à chaque palier ; Walter s'asseyait presque toujours sur l'un d'eux et se reposait jusqu'à ce qu'il ait repris haleine, souvent dès le premier étage. Mais Jettel vit qu'il était déjà parvenu au second, ce qui l'étonna. Il ne soufflait pas du tout, il n'était pas pâle et son visage n'avait pas non plus l'habituelle rougeur malsaine qui trahissait l'effort. Il avait à la main un bouquet de roses rouges et, se relevant avec beaucoup de facilité du petit siège, il se mit à siffler très fort l'air préféré de Jettel, *L'amour est enfant de bohème*.

La fureur s'empara d'elle avant même qu'elle ait pris les quelques secondes nécessaires afin de découvrir pourquoi la vue des roses rouges l'inquiétait encore plus que la crise cardiaque qu'elle avait sérieusement redoutée. L'idée lui était trop spontanément venue que c'était à Breslau que Walter lui avait apporté des fleurs pour la dernière fois, trois jours avant leurs fiançailles. Et elle avait été assez naïve pour ne pas s'apercevoir qu'il avait en fait acheté le magnifique bouquet (de roses aussi, mais jaunes) pour rendre visite à un malade à l'hôpital, mais qu'il ne l'y avait pas trouvé. Il ne lui avait avoué ce détail fort peu romantique que des années plus tard, à la ferme, et justement à l'occasion d'une de leurs nombreuses querelles mesquines, à propos par exemple du manque d'enthousiasme dont elle faisait preuve pour faire mariner au sel des cornichons dont on n'arrivait à faire pousser, dans ce pays, que des spécimens chétifs et desséchés. Jettel ne se faisait aucune illusion.

Bien que se défendant encore contre l'amère vérité qui venait à l'instant de lui être révélée dans toute son ampleur, elle fut obligée de sourire ironiquement en songeant combien son mari s'était trompé cette fois-ci. Elle n'était plus la jeune fiancée, belle mais naïve, aux rêves un peu niais de fille trop protégée; elle était désormais une femme expérimentée, capable de réactions rapides et dotée d'un flair infaillible pour apprécier, au sein d'un vieux couple, les situations exigeant de garder la tête froide et de faire bonne contenance. Grâce aux nombreux articles des magazines illustrés qui, depuis peu, ne redoutaient plus d'aborder les problèmes de couple les plus intimes, elle savait parfaitement ce qu'il lui restait à faire.

Jettel ne douta pas une seconde que Walter l'avait trompée et qu'il avait l'intention de lui avouer son faux pas, mais elle n'en était pas moins stupéfaite, interdite même. Ils n'étaient pas encore mariés quand elle avait compris que la profonde foi religieuse de Walter et sa morale stricte seraient les meilleures garanties de sa fidélité conjugale. C'était précisément ce qui lui avait plu dans un homme dont sa mère, de son vivant, avait qualifié le caractère de «fondamentalement honnête».

Ces dernières années, Jettel avait elle aussi bien entendu présumé que sa santé déclinante suffirait à l'empêcher de la tromper autrement qu'en fumant ses cigarettes en cachette, à l'étude, et en mangeant le chocolat dont il faisait provision dans les poches de son manteau. En tout cas, ses lectures, tournées en dérision par Walter, mais néanmoins appréciées par les dames de la meilleure société, laissaient supposer l'existence d'un rapport très étroit entre l'état physique et l'intégrité du couple conjugal.

D'un autre côté, ainsi parvenue au paroxysme d'une crise aussi soudaine, Jettel était soulagée de savoir exactement quelle démarche adopter, cette fois encore grâce à un article que, par chance, elle avait lu une semaine auparavant seulement. Il lui fallait ne laisser paraître ni désarroi, ni jalousie, et surtout cacher le trouble immense qui l'envahissait à constater l'attitude de Walter : ce dernier, en effet, semblait même parvenir à bannir de son visage l'ombre d'un sentiment de culpabilité alors qu'elle savait pertinemment qu'elle était partie intégrante du triste tableau d'ensemble. Son mari avait la mine de quelqu'un n'ayant jamais été malade. Il se tenait droit comme un I, il avait les yeux clairs et il était gai comme il ne l'avait pas été depuis longtemps. Sa manière de marcher la tête haute était une véritable provocation.

— Jettel, dit-il en pressant le bouquet de roses dans des mains qui cachaient mal une certaine nervosité, il faut que je te dise quelque chose.

Elle pinça alors malgré elle les lèvres et, malheureusement, ferma aussi les yeux, se demandant désespérément combien de temps les grands spécialistes du mariage exigeaient qu'une femme attende avant de donner libre cours à son tempérament et de laisser parler son cœur. Elle ne s'était pas sentie bien de toute la journée et elle s'apercevait à présent que son mal de tête avait augmenté et que le sol se mettait à trembler.

— Oui, se contenta-t-elle de répondre en essayant de ne pas donner un ton interrogatif à son approbation.

— Pas ici dans le couloir.

— Ça ne fait rien, vas-y. De toute façon, je sais ce que tu as à me dire. Je ne suis pas quelqu'un qu'on mène en bateau.

— Je t'ai trompée.

— Tu vois !

— Qu'est-ce que je vois ? Tu ne m'as jamais posé de question précise. Je t'ai seulement dit un jour que j'aurais encore besoin de trois ans et, ensuite, je t'ai laissée le croire. Mais j'y suis arrivé dès aujourd'hui.

— À quoi ?

— À libérer la maison de toutes ses hypothèques. Pour l'amour du ciel, Jettel, tu n'es pas obligée de te mettre aussitôt à pleurer ! Si je t'avais laissée veuve avec un tas de dettes, là, tu aurais vraiment eu matière à te lamenter.

Avec une gratitude dont elle éprouva une espèce de honte inhabituelle, Jettel comprit qu'elle était en train de vivre un des moments les plus accomplis de son mariage, un de ces rares moments où elle parvenait à se moquer d'elle-même. Sous l'effet bienfaisant d'un sentiment dans lequel elle n'eut pas de peine à reconnaître le bonheur, elle oublia qu'elle était maligne, capable de se débrouiller dans la vie et pleine d'expérience : elle expliqua à Walter à quelles extrémités son imagination l'avait poussée.

D'un geste consciemment théâtral, elle leva les bras au ciel, parlant d'un abîme qui s'était ouvert devant elle. Walter remarqua la beauté de sa chevelure et, de bonne humeur, il se demanda comment elle s'était décidée à lui avouer tout cela et si les femmes, au cours de leurs conversations intimes, trahissaient aussi les secrets professionnels de leurs époux.

Assis côte à côte sur le canapé, ils riaient, et ce rire à deux voix les plongea dans un état de bonheur stimulant qui, avec une grande douceur, leur fit remonter le temps et retrouver l'harmonie passée. Ils se rappelèrent du même mouvement qu'à Leobschütz aussi ils avaient un jour ri aussi librement, mais ils ne réussirent pas à se souvenir à quelle occasion. Cela les rendit quelque peu mélancoliques. La perruche ne cessait de tirer les cheveux de Jettel et Walter lui pinça tout à coup l'oreille.

– Ma Jettel, gloussa-t-il, croit donc effectivement encore à ma force virile. C'est le plus beau compliment qu'elle m'ait adressé depuis des années.

– Pourquoi ? demanda Jettel en rougissant d'une manière qui rendit Walter plus mélancolique encore.

Il but un verre de l'alcool de poire suisse qu'il avait caché dans la bibliothèque pour les jours où la douleur lui déchirait la poitrine et, bien qu'il fût 17 heures seulement, il mangea une tartine de sauce de rôti froide. Ensuite, il embrassa une nouvelle fois Jettel et, sans un mot de protestation de la part de celle-ci, il essuya ses mains pleines de graisse à la nappe jaune clair de la table du salon, nappe qu'elle ne déployait habituellement jamais sans faire remarquer, d'un ton plaintif, qu'elle ne l'aurait pas achetée si elle avait pu deviner qu'elle se salirait aussi facilement.

Aussi satisfait qu'un alpiniste parvenant au sommet avant l'heure prévue, Walter décrivait le long et pénible chemin qu'il avait dû parcourir pour rembourser aussi vite les dettes de la Rothschildallee et le bonheur que lui procurait le sentiment d'avoir accompli son devoir. S'étant versé un deuxième verre d'alcool de poire, il fut gagné par l'euphorie et exprima le désir qu'on lui serve, au dîner, deux œufs mollets dans un verre.

Jettel ayant dit oui de la tête, faisant mine de croire, comme il prétextait, qu'on était vraiment un dimanche, la dernière digue de résistance datant de l'époque des grandes économies obligatoires céda à son tour. Il promit de s'acheter enfin des chaussures neuves et d'offrir à Jettel l'astrakan dont elle rêvait désespérément depuis les rudes hivers de Leobschütz.

— Pour nos noces d'argent, ma Jettel n'aura plus besoin d'aller partout raconter à qui veut l'entendre que son vieux mari la laisse geler.

Ayant recouvré sa confiance dans son expérience en matière de situations délicates et dans son flair pour apprécier les moments favorables, Jettel confia un autre de ses plus chers désirs à Walter. Elle lui dit en lui caressant le front :

— J'aimerais tant, pour nos noces d'argent, partir en voyage. Un vrai voyage en plein hiver, comme tant de gens en font de nos jours.

— Toi toute seule ? Aurais-tu envie de te trouver un jeunot qui, la nuit, sache faire autre chose que chercher à reprendre son souffle ?

— Il faut toujours que tu deviennes grossier. Nous tous, bien sûr. Nous ne sommes encore jamais partis ensemble en voyage. Nous n'avons pas encore eu un seul jour de congé. Nous n'avons aucune idée de ce que sont des vacances. Alors qu'il y a déjà des gens qui vont jusqu'à Majorque.

— Mais avoue-le donc tout de suite, Jettel, se moqua Walter, tu voudrais t'éviter le travail d'une grande fête. Peut-être, d'ailleurs, que tu n'as pas si tort que ça. Les rares personnes que nous inviterions sont de toute façon de véritables amis. Ah, Jettel, je m'étais toujours imaginé, durant notre première vie, que nous fêterions nos noces d'argent à Breslau. Sais-tu pourquoi ?

— Parce que ma mère était très bonne cuisinière ?

— Ça aussi. Mais je voulais te prendre solennellement dans mes bras et dire à ta mère : « Vois-tu, ma chère Ina, j'ai quand même réussi, une vie durant, à supporter ta fille trop gâtée. » Tu ne l'aurais jamais cru quand nous nous sommes mariés, n'est-ce pas ?

— Si, répondit Jettel en pleurant, elle le savait. C'est la dernière chose qu'elle m'a dit quand je me suis embarquée à Hambourg. Sois gentille avec Walter, il t'aime tant, a-t-elle ajouté.

— Ta mère était une femme intelligente. Tu ne peux pas savoir combien je pense souvent à elle.

– Et moi donc ! Ah, Walter, la vie n'est jamais redevenue ce qu'elle était avant les nazis.

– Ce serait un outrage aux morts s'il en allait autrement.

– J'ignorais que tu penses ce genre de choses.

– Il y a beaucoup de choses que tu ignores.

Une heure plus tard – Max était rentré du lycée et, ayant appris le remboursement total de la dette, avait une nouvelle fois prouvé, pour la grande fierté de son père, qu'il savait bien mieux calculer les pourcentages que sa mère –, Walter enfila son manteau et annonça qu'il allait attendre Regina à l'arrêt du tramway.

– Je ne peux plus attendre, dit-il, un peu gêné, de lui confier notre bonheur.

– Quoi ? Tu vas grimper une nouvelle fois l'escalier ? demanda Jettel qui avait déjà revêtu son tablier pour préparer le dîner. Tu ne sais même pas exactement à quelle heure elle revient ! Tu ne serais pas devenu un peu fou, par hasard ?

– Si. Aujourd'hui, il n'y a plus d'escalier pour moi. Aujourd'hui, je vole.

– Est-ce que je pourrais voler avec toi ? demanda Max.

– Laisse ton père aller seul, dit Jettel, compréhensive. Dans notre famille, tout n'est pas affaire d'hommes. Aide-moi donc plutôt à mettre la table.

– À titre exceptionnel, mon fils, juste aujourd'hui. Car, habituellement, la place d'un homme n'est pas à la cuisine. Crois-tu que la maison de la Rothschildallee serait déjà payée si j'avais aidé ta mère à éplucher les pommes de terre ?

Regina était justement en train de descendre du tramway quand son père arriva à l'arrêt. Il lui suffit d'une fraction de seconde pour chasser sa vieille peur des catastrophes soudaines et pour lire sur le visage paternel de quoi il retournait.

– J'ai quelque chose à te dire, Regina.

– Ne te donne pas cette peine, c'est écrit sur ta figure. On a fini de rembourser la Rothschildallee.

Il la prit dans ses bras devant une buvette et, malgré la promesse faite à Jettel de ne jamais trahir leur secret, il raconta, hilare, comment elle avait douté de sa fidélité conjugale. Puis il sortit un petit paquet de la poche de son manteau.

– Une montre ! s'exclama Regina avec surprise. Et magnifique en plus. Mais tu es fou. Quelle idée t'a pris ? Ce n'est pas mon anniversaire.

– Mais c'est le mien, en quelque sorte. Aujourd'hui, je renais, je commence une nouvelle vie. Je veux que tu saches que je n'ignore pas à qui je dois mon courage.

– Ce n'est pas possible. Que va dire maman ? Elle sera blessée de voir que tu m'as acheté quelque chose d'aussi cher et pas à elle. Tu sais pourtant bien comme elle est jalouse. Je ne veux pas qu'elle se fâche.

– Ton père n'est malade que du cœur ; la tête, elle, est en bon état. Fais-moi confiance, tu vas être étonnée.

– Pas d'entourloupe, je t'en prie, *bwana*, implora Regina. Nous sommes trop vieux pour cela.

Elle enleva l'ancienne montre, attacha la nouvelle autour de son poignet et leva le bras. Les réverbères trouaient le brouillard humide de leur lumière jaune, ce qui fit luire le bracelet doré. Pendant quelques secondes, un moment de bonheur, Regina se souvint du tesson vert avec lequel, à l'heure des ombres longues d'Ol'Joro Orok, elle capturait les derniers rayons du soleil.

– Pour l'entourloupe, c'est toi la championne, espèce de *memsahib* dépravée, toi, l'élève de ce roublard d'Owuor.

Ils parcoururent le bref chemin du retour à la maison plus lentement encore que ne l'exigeaient les foulées étriquées de Walter, savourant la chaleur de leur amour. Afin de s'offrir une petite dose supplémentaire du fortifiant que représentait leur affection réciproque, ils évitèrent de sonner à la porte de la maison et firent de longs arrêts à chaque étage, parce que l'escalier fatiguait maintenant beaucoup Walter, dont seule la joie avait encore des ailes. Au lieu de sonner à la porte de l'appartement, il l'ouvrit lui-même et, à la stupéfaction de Regina, il frappa si fort du pied que le parquet en résonna.

– Viens voir, Jettel, cria-t-il avec colère sans prendre la peine d'ôter son chapeau et son manteau, ta fille si distinguée en a encore fait de belles ! Elle se fait offrir des montres en or par des messieurs, des étrangers.

– Elle n'est pas en or, balbutia Regina, et il lui fallut beaucoup d'imagination et de force, presque trop de temps aussi, pour chasser l'étonnement de ses yeux. Et, en plus, c'est moi qui l'ai achetée.

— Bien sûr que si qu'elle est en or, répliqua Walter en prenant le bras de sa fille, relevant les manches de son manteau et de son pull-over et lui enfonçant les ongles dans la peau. Et je parie que c'est ce monsieur si distingué, ton cher Reiswein, qui te l'a offerte.

— Frowein, le reprit Regina, pleine d'admiration devant tant d'ingéniosité. Et il ne me fait pas de cadeau. Tu devrais sentir ce genre de choses. Un bon père le sentirait. Et il saurait aussi que sa fille sait économiser dur pour se payer quelque chose qui lui tient à cœur.

— Bravo, grommela Walter, ce n'est pas mal trouvé du tout.

Ils se mirent d'accord pour aller dans le Harz ; ils y fêteraient les noces d'argent la veille de Noël, à Bad Grund, où ils resteraient jusqu'au Nouvel An. Un Haut-Silésien y avait ouvert un petit hôtel quelques années auparavant. Par retour du courrier, ce dernier répondit à la lettre de Walter, indiquant que, bien entendu, « il ferait un prix à maître Redlich et à sa petite famille » et que ce serait pour lui un honneur particulier de pouvoir « régaler de spécialités du pays, dans une atmosphère familiale, des hôtes aussi chers à son cœur ».

Jettel eut son astrakan. Il était trop lourd et ne répondait pas entièrement aux canons de la mode, mais il s'accordait merveilleusement avec ses cheveux de jais, et son visage, rayonnant de satisfaction, en était tout rajeuni. Walter déclara qu'elle ressemblait à la princesse de Pless, célèbre dans toute la haute Silésie ; Jettel, ayant si souvent entendu parler de la richesse du prince, le prit pour un compliment et s'acheta un chapeau noir en prélevant la somme sur sa cassette personnelle.

Pour ses premières vacances d'hiver, Regina fut équipée d'un pull-over neuf, tricoté d'après un patron norvégien, comme on en trouvait désormais jusque dans les magasins de confection bon marché. Max, pour sa part, reçut des chaussures de ski usagées ; elles lui allaient si mal que, pour le consoler, on lui fit cadeau d'une luge, accompagnée de la promesse que Regina ferait des descentes avec lui. Walter se laissa convaincre de se munir d'un bonnet en laine, de moufles et d'une écharpe bleue, mais il reprocha à son épouse et à sa fille d'être des dépensières.

Le jour du départ, à 5 heures du matin, le temps était déjà humide et froid à Francfort. Durant le trajet, il fallut à plusieurs reprises gratter le pare-brise pour le dégivrer et réchauffer la famille à grand renfort de café brûlant tiré d'une bouteille Thermos. Quand, aux abords du Harz, il se mit à neiger abondamment, un essuie-glace tomba en panne. Walter jura comme un charretier, furieux de ne pas l'avoir fait réparer, mais il ne se départit pas de sa bonne humeur. En dépit des protestations de Jettel, qui prétendait en râlant que le voyage la fatiguait beaucoup et qu'elle avait déjà des engelures, il réussit à imposer un détour par Marke, afin d'inviter Greschek et Grete à leurs noces d'argent.

— Non, maître, dit Greschek au terme du déjeuner, vous ne pouvez pas exiger de moi une chose pareille : rester sans rien faire dans un hôtel. Ce n'est pas le genre de truc pour des gens comme nous. Je deviendrais fou. Et Grete ne peut pas abandonner sa chèvre.

— Et vous ne viendrez pas non plus à mon enterrement ?

— Ce n'est pas du tout la même chose. À votre retour, repassez plutôt par Marke et restez quelques jours ici. J'aurai alors tout mon temps pour aller vous ramasser de beaux champignons.

— Pardon ? En décembre, Greschek ?

— Il ne sait pas de quoi il parle, répondit Grete, il n'a pas cueilli un seul champignon de sa vie.

À l'hôtel Römer de Bad Grund – une maison à colombages qui, avec ses volets cassés, avait perdu ses couleurs et son éclat, et, depuis deux ans, n'ouvrait plus que l'été –, les Redlich étaient les seuls clients. Ils furent accueillis par un immense sapin de Noël dans le hall, en prise à de forts courants d'air. Le propriétaire des lieux les assura avec chaleur que personne ne viendrait troubler leur fête de famille. Il indiqua aussi avoir commandé deux lièvres et fait vérifier le poêle de la salle à manger.

— Mais vous avez tout de même le chauffage central ? s'enquit Walter.

— Hélas, il ne fonctionne pas très bien, maître. Vous savez comment travaillent les artisans dans cet Ouest maudit. Tout ce qu'ils veulent, c'est gagner de l'argent.

— On pourra se réchauffer sous l'arbre de Noël, chuchota Max tandis qu'ils se rendaient dans leurs chambres.

— Un enfant juif ne reste pas assis sous un arbre de Noël, bougonna Walter.

— Mais ce n'est pas nous qui l'avons installé. Ça ne compte donc pas.

— On ne peut pas tromper le bon Dieu.

Les chambres étaient vastes et remplies d'un mobilier dont le prospectus jauni de l'hôtel, posé sur une table en verre ronde – recouverte d'une couverture au crochet tout aussi jaunie –, disait qu'il était bourgeois et confortable. Jettel, pour sa part, qualifia les meubles en question de « vieilleries ». Les portes des armoires coinçaient, les lits grinçaient dès qu'on s'asseyait et les cuvettes, posées sur des supports en fer, étaient toutes rouillées. L'eau, dans les brocs, était glaciale. Dans la chambre que Walter et Jettel se réservèrent au terme d'une décourageante inspection de l'ensemble des pièces, une bonne renfrognée alluma un poêle qui devint vite rouge, mais sans dispenser la moindre chaleur. Dans la pièce destinée à Regina et à Max, le poêle dégageait une fumée telle que, dès le début de la première nuit, les quatre membres de la famille se retrouvèrent réunis dans le lit double parental : Jettel emmitouflée dans son astrakan neuf, les trois autres également vêtus de leur manteau et Walter, affublé par-dessus le marché de son bonnet et de ses gants.

– C'est exactement ce dont je ne cessais de rêver en Afrique, déclara Walter.

Max s'endormit en pouffant, mais son père fut pris d'une telle toux qu'il dut se relever dans la nuit. Il s'assit à la petite table en verre, alluma une bougie et, muni de son stylo, entreprit d'écrire sur les pages du cahier que Max avait été obligé d'apporter pour apprendre des mots latins difficiles à retenir.

– Qu'est-ce que tu fabriques ? chuchota Jettel.

– J'écris de la poésie.

– Tu deviens de plus en plus timbré. Et puis tu n'y vois pas assez, ça ne rime à rien.

– Il me suffit de te voir pour trouver mes rimes.

Le petit déjeuner, en revanche, rencontra une approbation générale : café bouillant et revigorant, gâteau aux graines de pavot et petits pains que Walter, pour la première fois depuis des années, appela des *Semmeln* et non plus des *Brötchen*, et dont il assura qu'ils avaient exactement le même goût que ceux du boulanger de Sohrau. L'hôtelier provoqua de même une satisfaction unanime quand, de sa voix de Haut-Silésien, si claire et si agréable à l'oreille, il proposa que la chaise d'honneur destinée à Jettel lors de la fête du soir soit décorée d'une guirlande d'argent.

– Ma femme, malheureusement, dit Walter en reniflant, a encore un désir tout à fait exorbitant : elle aimerait ne pas avoir froid en cette journée d'anniversaire.

L'hôte trouva la parade :

– En entrée, il y aura du bouillon de poule, et ma maman disait déjà que rien ne réchauffe mieux que le bouillon de poule. Sauf que nous, à la maison, nous savions encore ce que signifie un hiver sérieux.

– Je trouve celui-ci tout à fait sérieux, fit remarquer Walter. Même à Leobschütz, je n'aurais pas réussi à m'enrhumer aussi rapidement.

Il était hors d'état de supporter un froid aussi rude et se mit à tousser si fort que, au bout de cinq minutes, il lui fallut interrompre la promenade à laquelle Jettel n'avait réussi à l'entraîner qu'en évoquant les effets salutaires et bien connus de l'air hivernal. Même elle, qui gémissait en été que les hommes pouvaient se protéger du froid mais pas du tout de la chaleur, fut soulagée de devoir raccompagner Walter à l'hôtel.

Regina poursuivit avec Max sa marche sous les sapins enneigés, bravant un vent cinglant. L'idée lui vint qu'elle n'avait encore jamais vu un paysage hivernal, mais qu'elle n'en était pas enthousiasmée. Elle raconta à Max comment, enfant, elle s'imaginait toujours, quand il faisait une chaleur torride, qu'elle était le capitaine Scott en route pour le pôle Sud.

– Est-ce que tu avais aussi des amis vivants, lui demanda Max, ou bien sortaient-ils tous des livres ?

– Je n'ai eu qu'une amie, se souvint Regina, j'ai toujours été une enfant timide.

– Moi, je ne suis pas timide, mais ça ne m'empêche pas de n'avoir aussi qu'un seul ami.

– Tu ne te plais donc pas à ton lycée ?

– Je crois que si. Les profs me plaisent beaucoup, mais les garçons disent souvent des choses que je ne raconte pas à la maison pour ne pas énerver papa.

– Je connais ça, soupira Regina. Mais moi, les profs ne me plaisaient pas non plus.

Serrant contre elle son frère, qui demeura un petit moment immobile dans ses bras tandis qu'elle entendait battre son cœur et qu'elle apercevait ses yeux, elle se rappela le jour de sa naissance. Elle éprouva un profond plaisir à sentir que le bonheur et l'ivresse de jadis étaient encore en elle et elle sourit.

– Pourquoi tu ris ? interrogea Max.

– Parce que, petite, j'ai toujours voulu que mon chevreuil se transforme en frère.

– Et, à présent, tu voudrais que je me transforme en chevreuil ?

– Non, mais quand je penserai au Harz, plus tard, je me souviendrai toujours de cet instant.

– Je ne comprends pas ça, tu dis toujours de drôles de choses.

Le soir des noces d'argent, il faisait encore plus froid qu'auparavant, mais la salle à manger, littéralement transfigurée par vingt bougies dans quatre bougeoirs en bronze, avait tout de même un petit air de fête et de solennité. La bouteille de vin rouge trônait dans une coupe en argent. Les serviettes en papier avaient été pliées en forme de petits bateaux. Sur une assiette en verre, on avait piqué de petits amuse-gueule au fromage dans un pamplemousse.

Jettel portait une couronne que Walter et Regina avaient tressée, les doigts gourds, à partir d'un ruban d'argent ; ayant mangé du rôti de lièvre tout son saoul, elle supportait les taquineries de son mari avec un humour qu'elle trouvait aussi seyant que la parure de ses cheveux. L'atmosphère était tellement harmonieuse qu'il fut possible d'exhumer pour de bon, mais sans méchanceté, la première querelle du jeune couple et d'élucider enfin totalement pourquoi Walter n'avait pas pu manger de homard. Avant les profiteroles au chocolat, la nuit de noces vint à son tour sur le tapis, nuit au cours de laquelle Walter avait démonté l'appareil de radio qu'on venait de lui offrir.

– J'ai tout de même trouvé le temps de faire ta sœur, confia Walter à son fils.

– Et moi, où est-ce que tu m'as fait ?

– Dans une chambre minuscule. Nous avons été obligés de mettre le chien à la porte pour avoir assez de place.

– Tu n'as jamais cessé d'être un fou, dit Jettel.

– Je suis tellement fou que je me relève la nuit pour écrire de la poésie.

– Au fait, qu'est-ce que tu fabriquais vraiment au beau milieu de la nuit ?

– J'ai écrit un poème, répondit-il en boutonnant sa veste et en se levant.

Il grimpa sur sa chaise, sortit de sa poche une feuille de papier pliée en quatre, se racla la gorge et se mit à lire :

Chère Jettel !

Partie d'Afrique depuis déjà dix ans,
Tu fêtes ici tes noces d'argent.
Ton cher époux, lassé de ce pays,
T'a obligée à venir avec lui.

Hélas ! T'ai-je assez entendue gémir,
Racontant à qui voulait bien ouïr
Combien les choses, dans ta chère Afrique,
Étaient belles et souvent magnifiques.

L'Allemagne connaissait la misère,
Des ruines, pas de pain, le froid l'hiver.
Dieu soit loué, ces temps sont révolus,
La faim heureusement a disparu,
Chacun, désormais, peut tout acheter
Et même, en cas d'envie, se saouler.

Te voilà à présent tirée d'affaire,
Ton cher époux, avocat et notaire,
Te laissant, à Francfort, propriétaire
D'une belle maison à part entière.

Ta fille, elle, est encore mieux lotie,
Car devenue journaliste avertie.
Quant à ton fils (qui n'a rien d'un benêt !),
Il est déjà en sixième au lycée.

Que de hauts faits n'as-tu pas accomplis,
Depuis que du Kenya tu es partie !
Aussi te souhaité-je le bonheur,
Aujourd'hui, demain, quelle que soit l'heure,
La santé jusqu'à un âge avancé,
 Ton mari aimant, fidèle à jamais,

Walter

Max aida son père à descendre de la chaise, se rassit et s'apprêtait à applaudir quand il fut frappé par le grand silence et qu'il vit ses parents et Regina pleurer. Gêné, il enfouit son visage dans sa serviette. Il éprouva un peu de fierté en s'apercevant que les larmes lui montaient aux yeux, à lui aussi. Il venait de prendre conscience que, pour la première fois de sa vie, il pleurait en même temps que les adultes.

18

À la fin de l'été 1957, l'énigme de l'homme râblé et chauve, au visage cramoisi, qui ne s'était manifesté jusque-là que sous la forme d'une silhouette derrière la porte de la maison, fut résolue d'une manière assez étonnante. Rentrant beaucoup plus tôt que d'ordinaire d'une visite chez le médecin, à Rodheim, Walter et Jettel trouvèrent un homme en train de fumer une cigarette dans la cour ; c'était le mystérieux colosse de cent kilos que Max prenait pour un espion et Regina pour un de ces personnages douteux qui, depuis peu, dans les conférences de rédaction, peuplaient de plus en plus souvent les reportages des correspondants locaux. La confrontation si longtemps différée se révélant ainsi inévitable, l'objet des innombrables spéculations de ces derniers mois se présenta – à contrecœur certes, mais de manière beaucoup plus polie qu'on aurait pu le supposer – comme un dénommé Heini Kowalski, originaire de la ville de Neisse. Seule Jettel, une fois de plus, avait fait preuve d'un instinct très sûr, puisqu'elle avait pressenti que cet homme taciturne – dont il ne tarda pas à se révéler qu'il possédait depuis des années une clé de la maison – bouleverserait un jour sa vie.

Heini Kowalski n'était pas homme à gaspiller son temps au moment où il convenait de prendre des décisions. Trois jours après la rencontre avec les employeurs d'Else, il persuadait cette dernière de leur avouer qu'elle avait dû se rendre à l'église, pour chacune de ses confessions, chargée du poids d'un mensonge. Ainsi que Walter en avait toujours nourri le soupçon, sans toutefois l'exprimer, elle avait difficilement pu, en juillet, se rendre à l'office de mai comme elle l'avait prétexté et, de manière plus générale, elle avait certainement cessé de fréquenter les lieux saints en état d'innocence.

Contrairement à ce qu'elle avait maintes fois prétendu – et on l'avait crue –, elle ne passait pas tous ses après-midi et toutes ses soirées libres, ni même, au fil du temps, ses congés, avec sa mère, d'ailleurs récemment décédée, ou avec sa sœur, mais plutôt avec un homme divorcé qui l'avait précipitée dans de graves cas de conscience, tant religieux que temporels. La rencontre fortuite avec les employeurs d'Else, qu'il n'avait effectivement pas provoquée délibérément en dépit de son tempérament énergique, avait en tout cas convaincu Heini que l'heure n'était plus aux précautions et aux ménagements et qu'il importait d'agir sans attendre. Il décida de prendre Else dans ses bras vigoureux avant l'automne et pour toujours ; et il lui expliqua, avec la netteté qu'elle appréciait tant chez lui, qu'il saurait trouver lui-même, si elle n'en avait pas le courage, les mots dénués d'équivoque qu'il fallait.

À la fin du dîner, le feu aux joues dans son joli visage aux traits réguliers, Else avoua en pleurant :

– Jamais je ne l'aurais épousé tant que maman était en vie. Mais maintenant, c'est différent. Les temps ont changé, madame, vous devez le comprendre.

– Vous êtes pourtant bien, chez nous, Else. Vous êtes comme chez vous, comme un enfant au foyer.

– Oui, je ne l'oublierai jamais. Mais je voudrais encore avoir un enfant.

– Gagne-t-il suffisamment pour vous deux ? voulut savoir Walter.

– Pas encore. Heini a dû lui aussi partir de chez lui et il commence seulement à gagner un peu plus. Mais j'ai déjà un nouvel emploi. Chez les Américains.

– Ça par exemple ! En quelle qualité ?

– Chez un consul. Pour m'occuper des enfants. Il y a deux pièces inoccupées. On pourra y loger tous les deux.

– Else, Else, qu'est-ce qu'il vous arrive ? Vous commencez par profaner un office religieux et voilà que, maintenant, vous voulez vivre avec un homme divorcé, avant même d'être mari et femme. Cela ne vous serait pas venu à l'esprit à Hochkretscham.

– Mais nous voulons nous marier bientôt, monsieur, et le consul a dit que, quand il rentrera en Amérique, il nous emmènera tous les deux.

– Si l'Amérique en est arrivée à devoir importer notre Else et son galant, c'est là que tu peux constater à quel point le personnel de maison se fait rare, expliqua Walter à Jettel après l'avoir suffisamment apaisée pour qu'elle puisse au moins l'écouter dans le calme.

– Et moi, qu'est-ce que je deviens dans l'affaire ? se lamenta Jettel. Quand tu m'as obligée à m'embarquer pour l'Allemagne, tu m'as promis que j'aurais toujours une bonne. Owuor, lui, ne nous aurait jamais laissés en plan.

– C'était plus facile pour lui. Nous ne nous sommes à aucun moment aperçus qu'il se mariait. C'était sacrément pratique. Il allait se chercher une nouvelle Bibi, l'envoyait ensuite chez lui rejoindre les précédentes, et lui, il restait chez nous. Nous ne retrouverons pas un deuxième Owuor ; tu auras néanmoins ta bonne, Jettel, soupira Walter. Mais de voir que toi, au moins, tu n'as pas changé durant toutes ces années me rend presque heureux.

Else demeura à la maison jusqu'à ce qu'il fût certain que Jettel ne resterait pas sans aide. Pour son départ, l'atmosphère était lourde et mélancolique, marquée par le chagrin d'êtres qui avaient certes appris à supporter la séparation, mais qui n'y arrivaient pourtant pas. Seul Max ne pleura pas ; il lui demanda cependant de chanter *Dans la lande de Lüneburg,* l'air de sa petite enfance, et, le soir, il ne voulut rien manger.

– Ne nous oubliez pas, Else. Et ne nous faites pas honte chez monsieur le Consul, la taquina Walter. Rappelez-vous que, dans le roquefort, on mange aussi la moisissure.

– J'ai appris bien plus que ça, sanglota-t-elle dans le mouchoir à carreaux de Heini.

– Quoi donc ? Que, chez nous, c'est Mme Redlich qui porte la culotte ?

– Non. Que notre curé de Hochkretscham avait tort. Les Juifs sont de braves gens.

– Ne le répétez pas, Else. Personne ne vous croirait.

À Else succéda Anna que cela dérangeait de devoir préparer les haricots verts avec un assaisonnement aigre-doux et agrémentés de raisins secs. Jettel s'entendit aussi peu avec elle qu'avec Emmy, la suivante, qui n'aimait ni les enfants, ni les hommes trop pressés de retourner à leur étude dès le repas terminé et qui se renfrognaient quand, après le

232

déjeuner, le café était trop chaud pour qu'on puisse le boire d'un seul trait. Hanna, elle, mettait tant d'ardeur à l'ouvrage que, dès le premier jour, elle frotta le parquet au balai-brosse dans toutes les pièces et que, le deuxième jour, elle lessiva la peau de serpent du jardin d'hiver.

Ce fut le troisième jour seulement qu'elle déclara :

– Je ne pourrai pas revenir, ajoutant, avant même qu'on ait eu le temps de lui demander les raisons d'une décision aussi soudaine : mon père ne veut pas que je travaille chez des Juifs.

Regina emprunta à sa mère son courage et à son père sa voix pour lui hurler un « Foutez le camp ! » si sonore que les habitants de la maison voisine l'entendirent. Le soir, Jettel n'arrêtait pas de raconter la scène en concluant, chaque fois admirative :

– Regina est une chouette fille !

Max eut le béguin pour Maria. Elle habitait chez ses parents, arrivait à l'heure tous les matins, portait des shorts blancs, chantait les chansons de Catherina Valente, qu'il idolâtrait lui aussi, et, en dépit de ses talents ménagers, ne laissait aucun doute quant à sa certitude de voir bientôt reconnu son véritable talent. Walter fut choqué par l'exhibition de ses jambes nues bien bronzées et, plus encore, par ses illusions artistiques, qu'il trouvait déplacées chez une femme convenable. Passant outre aux protestations de Jettel, il la congédia.

Avec Ziri, une blonde aux yeux bleus, la maison accueillit une nouvelle fois un être chaleureux n'ayant d'autre désir que de devenir membre à part entière d'une famille comme celle-ci : une communauté certes consciente de l'étroitesse des frontières dont elle s'entourait pour se protéger, mais éprouvant en même temps un grand besoin de confiance et d'intimité. Durant les dernières années, Ziri avait vécu avec sa mère dans une ferme des environs de Würzburg, mais elle était originaire du pays des Sudètes, ce qui tranquillisait Walter et Jettel, parce qu'ils considéraient un peu cette région comme une patrie proche, presque à l'égal de la haute Silésie. Ziri était d'une force peu commune, elle riait sans raison mais longuement, et elle ne prit jamais la grossièreté de Walter pour une quelconque volonté de blesser les gens. Elle décela aussi très vite que Jettel était certes exigeante et capricieuse, mais qu'elle était tout à fait capable d'affection maternelle et d'une bonté que les observateurs superficiels ne soupçonnaient pas.

233

– Nous sommes des gens un peu compliqués, signala Jettel, sans plus de précision, lors de l'entretien d'embauche pour lequel Ziri était arrivée munie d'une valise pleine et d'un panier de pommes.

– Il y a pire encore, l'avertit Walter, nous sommes juifs, peut-être cela ne plaira-t-il pas à votre mère.

– Pourquoi ça ne plairait pas à ma mère ? s'étonna Ziri. Elle dit toujours que le jardin de Dieu est vaste. Ma sœur, d'ailleurs, sort avec un nègre.

– Alors, il ne peut plus rien nous arriver !

Au bout d'une semaine, déclarant que, de toute sa vie, elle n'avait jamais mangé seule à table, Ziri quitta la cuisine et vint s'installer dans la salle à manger à l'heure des repas ; Walter éprouva une grande honte en prenant conscience que, durant toutes ces années d'étroite vie collective, l'idée ne lui était jamais venue de le proposer à Else. Avec Max, Ziri jouait au football dans le couloir ; elle jouait aussi à cache-cache, n'hésitant pas à se dissimuler dans les armoires, et disputait avec lui des matches de boxe. Trouvant Regina trop maigre, elle s'arrangeait pour glisser une part de beurre supplémentaire dans son assiette ; en échange, elle se servait de son rouge à lèvres et, quand elle rentrait chez elle, elle se faisait prêter la ceinture magique africaine aux minuscules perles de couleur.

Jettel fit d'un seul coup la conquête du cœur de Ziri le jour où cette dernière s'aperçut que sa patronne était une excellente cuisinière. Alors, elle ne quitta plus la cuisine, même quand on n'en était qu'aux préliminaires des repas. Elle désirait apprendre d'elle les manières raffinées de la grande ville et elle était sous le charme des chansons sentimentales que Jettel tenait d'une des bonnes de sa mère, à Breslau, et qu'elle avait emmenées tout au long de ses pérégrinations, n'ayant jamais cessé de les fredonner d'une voix triste pendant qu'elle cuisinait.

Ziri était bien décidée à ne pas épouser un paysan, mais un citadin. Le dimanche, toutefois, quand elle rentrait de Würzburg à Francfort, elle rapportait à Walter, pour son cœur malade, des herbes du jardin de sa mère, du lard frais et des histoires empruntées à la vie paysanne qui lui rappelaient Leobschütz.

– Ziri est comme Owuor, dit Walter, sauf qu'elle est blanche et belle.

– Owuor aussi était beau, objecta Regina en fermant les yeux jusqu'à ce que sa tête ait trouvé de quoi s'alimenter. Owuor attrapait le soleil avec les dents.

– Demain, dit Jettel en riant, je ferai un gâteau aux graines de pavot avec Ziri. Elle veut à tout prix apprendre à le faire. Il faudra donc que Regina t'accompagne chez le médecin. J'ai arrangé ce rendez-vous en fonction de son jour de congé.

Regina n'était encore jamais allée chez le docteur Schmitt, à Rodheim ; au début, elle avait elle aussi accueilli avec beaucoup de méfiance la nouvelle que son père, comme un fait exprès, consultait régulièrement un médecin dans un minuscule village, et ce uniquement parce qu'il avait entendu dire, au cours d'une rencontre entre Silésiens, que cet homme avait la réputation d'être une sommité dans son domaine. On disait qu'il possédait un instrument médical tout à fait moderne, importé d'Amérique, lui permettant de diagnostiquer avec précision les affections cardiaques, et qu'il soignait ses patients de manière plus ciblée et efficace que les spécialistes de la grande ville.

Comme beaucoup d'anciens habitants de Sohrau s'étaient installés à Rodheim, Regina s'était aussitôt persuadée que le docteur Schmitt était lui aussi originaire de la haute Silésie. Elle ne croyait pas à son appareil tant vanté et elle avait même osé demander si cela suffisait à en faire un meilleur médecin que les spécialistes d'une grande ville. Sur quoi, Walter l'avait traitée de gourde blasée. En tout cas, pour elle, le fait que son père se soit aussi soudainement laissé convaincre de la nécessité de visites régulières ne résultait que de son habituelle nostalgie des sons et des souvenirs du pays.

C'était une journée de décembre sombre et humide qui rappelait leur équipée dans le Harz. Jouissant du bien-être procuré par le chauffage de la voiture et par une gorgée de la bouteille d'eau-de-vie cachée dans la boîte à gants, Walter et Regina commencèrent par discuter d'une affaire juridique complexe qui préoccupait Walter depuis longtemps, mais l'état de la route les amena à revivre en pensée leur séjour à l'hôtel Römer, et ils ne tardèrent pas à se retrouver dans l'état euphorique de gens qui, ayant réussi à surmonter de grands dangers, utilisent des verres grossissants pour examiner le passé.

Quand ils évoquèrent leur nuit à quatre dans le même lit, ils furent pris d'un tel fou rire qu'ils eurent soudain trop chaud et que leurs épaules en furent secouées. L'image comique eut beau commencer à s'estomper, leur excitation ne se décidait pas à retomber. Walter rangea donc la voiture sur le bas-côté de la route, descendit la vitre de sa portière et prit une inspiration si profonde qu'il se mit à tousser. Sans rien dire, il plongea quelques minutes le regard dans le brouillard gris.

— Je me dis parfois, dit-il d'une voix dont la gaieté avait trop brutalement disparu pour ne pas affoler les oreilles de Regina, que c'est la dernière fois où nous avons été véritablement heureux ensemble.

— Comment peux-tu penser des choses pareilles ? Tu ne vas pas mal du tout ces derniers temps.

— Je suis devenu aussi superstitieux que ta mère et toi.

— Et que te souffle ta superstition ? voulut savoir Regina, se hâtant de conjurer la sienne en croisant les doigts sous son manteau.

— Pendant des années, jour après jour, j'ai prié le bon Dieu de me laisser le temps de rembourser la Rothschildallee et d'attendre que tu sois en mesure de prendre soin de ta mère et de ton frère. Mais j'ai oublié de négocier avec lui un délai supplémentaire.

— Serais-tu Faust ? Aurais-tu conclu un pacte avec le diable ? Dieu ne se contente pas de ce que nous lui confions. Il a sa propre opinion et il ne nous tient pas rigueur de ce que nos prières sont incomplètes. C'est ce que tu m'as toujours dit quand j'étais petite. Tu ne t'en souviens pas ?

— Si. C'est bien que tu t'en souviennes. Je me reproche souvent de ne pas t'avoir assez donné. Je ne t'ai pas donné une éducation spécialement religieuse. Alors que je savais combien c'était important. Mais tout ce à quoi je croyais est mort en moi quand ils ont assassiné notre famille.

— Pas tout. Sinon, tu aurais arrêté de prier et, aujourd'hui, je ne pourrais pas croire en Dieu. Je crois toujours qu'il veut mon bien.

— Qu'est-ce que tu lui demandes, alors ?

— Tu le sais parfaitement, répondit Regina en souriant parce que les prières de son enfance lui revenaient à l'esprit. Je prie pour que tu gardes ton emploi, *bwana*.

Le docteur Friedrich Schmitt, un homme corpulent, aux cheveux blancs, aux traits sans finesse mais non dépourvus d'amabilité, avait une élocution très nette et cette forme d'humour que Regina connaissait si bien et dont elle savait pertinemment qu'il était le seul baume capable de faire du bien à son père. Il était originaire de Gliwice. Il plut à Regina parce qu'il plaçait l'intérêt porté au patient plus haut que la compétence et qu'il se donnait le temps de distraire ce dernier de son état physique et de ses angoisses. Ce qui lui parut également remarquable et inhabituel, c'est que ce médecin parlait de sa jeunesse sans le ton plaintif des gens qui, lorsqu'ils envisagent le passé, croient n'avoir rien du tout à se reprocher.

— Bon, allons-y ! finit par dire le docteur Schmitt.

— Où voulez-vous donc aller ? lui demanda Walter.

Quand l'examen commença, Regina, assise sur une chaise basse devant le bureau, sentit le froid de la peur envahir brutalement ses membres ; oppressée, elle fixait tour à tour le visage tendu du médecin et l'appareil tant évoqué lors de la dernière rencontre entre Silésiens ; elle se sentit les joues en feu en pensant soudain qu'elle ne savait rien de ce qu'elle aurait dû savoir, car elle avait cédé à l'idée que le progrès médical n'était qu'une chimère née dans l'esprit de quelques farfelus et que les médecins étaient incapables de se faire une image du cœur humain.

La raison et la réflexion de Regina étaient paralysées à l'idée que l'homme aux cheveux blancs et à l'allure paternelle, qui se tenait à moins d'un mètre d'elle, pourrait faire un diagnostic exact de l'état du cœur de Walter, qu'il lui communiquerait les résultats de son examen et qu'il serait même en mesure, en définitive, de savoir ce que l'avenir lui réservait. Son angoisse ne lui fit grâce d'aucun des rêves éveillés que lui avait dictés depuis toujours sa force d'imagination et qui se bousculaient dans sa tête. Il lui revint même en mémoire ce que lui racontait Owuor à propos des guerriers plus grands que nature qui venaient, la nuit, voler les cœurs des êtres bons. Ceux-ci ne pouvaient se défendre avec succès qu'en enfonçant leur pouce dans l'œil droit de ceux qui les assaillaient en ricanant.

Regina força sa tête à combattre. Elle lutta contre les fantômes de son enfance, contre son impuissance, contre la superstition et la révolte ; elle réussit presque à fermer les yeux et à se réconforter à la coupe de l'espoir. Mais il lui fut impossible de détourner les yeux de la poitrine nue de son père. Paniquée, elle voulut tenter une brève fuite et revenir sans tarder à la réalité : fuir fut aisé et apaisa la douleur, mais elle ne parvint pas à opérer suffisamment vite le retour dans la matérialité de la petite pièce aux murs nus et à l'étroite couchette d'examen. Les voiles, devant ses yeux, s'épaissirent.

Enfant, Regina s'était souvent imaginé que son père était Achille et qu'il était assez fort et courageux pour exposer sa poitrine aux flèches ennemies sans risquer de se faire blesser. Ce temps lui semblait remonter très loin en arrière et être pourtant si proche. Elle avait ensuite cru pouvoir se permettre de percer à jour le cœur de son père. Maintenant, elle savait d'ailleurs parfaitement que ce regard indiscret avait été nécessaire et qu'il lui avait donné la force de l'aimer sans laisser place, dans sa tête, aux dents acérées du doute.

À présent qu'elle voyait son père allongé sur un drap blanc et qu'il lui apparaissait beaucoup plus petit qu'à l'époque disparue d'Ol'Joro Orok, elle regrettait, pour la première fois depuis qu'elle était sortie de l'enfance, de ne pas lui avoir parlé de ce regard volé. Mais elle n'avait jamais osé évoquer les doutes qui obligeaient son amour, pour parvenir à son but, à ne pas emprunter une voie large et aisée, mais un étroit sentier recouvert d'herbes. Avec un désespoir qui lui raidit tout le corps, elle dut reconnaître qu'il était trop tard pour la vérité.

— Ça n'a pas l'air si moche que ça, entendit-elle murmurer le docteur Schmitt. On peut être satisfait.

— Je suis heureux que vous, au moins, soyez satisfait, dit Walter.

Ce fut l'ironie dans la voix de son père, ce mélange familier d'amertume et d'amusement, qui arracha Regina aux griffes aiguës de l'angoisse. Elle ferma les yeux un court instant et s'humecta la gorge ; elle entendit sa propre respiration et sentit que son cœur avait repris un battement plus normal. Avec calme, elle tenta de se représenter ce que le médecin avait vu. Soulagée et réconfortée, elle comprit qu'elle savait toujours forger les armes lui permettant de refouler le désespoir dans sa tanière. Elle n'était pas obligée de savoir, elle avait le droit de croire. Les guerriers n'avaient pas frappé. Ils étaient aveugles et muets.

Les signes gris sur le papier blanc que le médecin tenait dans ses mains ne disaient rien de la bonté de son père, de son amour pour sa famille, de son sens fanatique de la justice, pas plus que de sa capacité à pardonner. Avec l'énergie retrouvée en même temps que la confiance d'antan, elle sentait que Dieu ne pouvait pas condamner à mourir avant l'heure un tel cœur. Elle avait presque pitié du docteur Schmitt, qui ne pouvait voir que ce que son appareil voulait bien lui montrer. À elle, en revanche, il suffisait de ravaler le soupir quand il arrivait dans sa gorge et, forte d'une expérience de tant d'années, de repousser dans ses orbites brûlantes le sel de ses yeux.

— Eh bien, Regina, demanda Walter tout en renouant sa cravate devant la petite glace qui, au-dessus du lavabo, lui permettait d'apercevoir le visage de sa fille, à quoi penses-tu ?

— Excuse-moi, je rêvais.

— Ma fille, il faut que vous le sachiez, est experte en rêveries en tout genre. Elle rêvera même pendant mon enterrement.

— On n'en est pas encore là, objecta le docteur Schmitt. À condition que vous meniez une existence raisonnable.

— Ce qui, pour vous autres médecins, signifie renoncer à tout ce qui rend la vie digne d'être vécue. Mais alors, pourquoi donc vivre ?

— Pour votre rêveuse de fille !

— J'ai encore une autre raison, dit Walter d'une voix qui ne pouvait laisser croire – sauf peut-être au médecin – que l'idée lui venait pour la première fois. Il faut que je sois là pour la bar-mitsva de mon fils.

— De quoi s'agit-il ?

— Disons que c'est la confirmation juive. Chez nous, un garçon devient un homme à treize ans. C'est le jour de plus grande fierté dans la vie d'un père. Mon père n'a pas pu assister à la mienne. Il combattait pour l'Empereur et le Reich. À l'époque, ç'a m'avait donné un choc. Pour mon fils, il faut que je tienne encore le coup un an et trois mois.

— Vous pourrez encore danser au mariage de votre fils, répondit le docteur Schmitt, à condition de laisser tomber les cigarettes et le chocolat, et de monter moins souvent sur vos grands chevaux.

— C'est bien que tu aies été là, dit Walter au bout de dix minutes de trajet silencieux. Il y a longtemps que je le souhaitais, mais je ne voulais pas vexer ta mère. Sur mes vieux jours, je deviens sentimental. Je m'imaginais que tu pourrais voir dans mon cœur.

— J'y ai vu. Très précisément. Attention ! Roule donc plus lentement. Tiens, il y a un homme sous l'arbre là-bas. Ne le prends surtout pas ! C'est trop risqué de nuit.

— Depuis quand laisse-t-on des gens sous la pluie ? As-tu oublié qu'à Nairobi, c'est nous qui étions plantés au bord de la route, attendant que quelqu'un veuille bien nous prendre ? Je n'ai pas peur. Je n'ai peur que des gens qui oublient trop vite.

L'auto-stoppeur était un vieil homme à la longue barbe blanche, coiffé d'un béret basque noir ; il portait un gros sac à dos, analogue à ceux qu'on utilisait, à l'époque des restrictions, pour aller se ravitailler au marché noir, et un ample manteau dont même la pluie battante n'avait pu enlever l'odeur d'oignon et de fumée froide. On chargea d'abord le sac plein à craquer dans le coffre, puis son propriétaire grimpa avec agilité sur le siège arrière, où il s'assit très droit en poussant un soupir de soulagement. Il était de petite taille, légèrement bossu ; son bâton était si long qu'il était obligé de le tenir devant lui.

— Seriez-vous l'ogre Rübezahl ? demanda Walter en accélérant trop brutalement. Je l'ai bien connu.

— Je ne sais pas, dit l'homme en réfléchissant. (Sa voix était grave.) Il n'existe plus personne qui me connaisse. Aussi, je ne me préoccupe plus de savoir qui je suis.

— Donc, vous êtes bien Rübezahl. Où allez-vous ?

— N'importe où.

— Vraiment n'importe où ?

— L'essentiel, c'est qu'il y ait une prison.

Quand les vêtements et la barbe de l'homme à bout de forces eurent cessé de dégouliner, il retrouva quelque peu sa langue. Quand il acquiesçait silencieusement – et cela lui arrivait souvent –, sa tête venait effleurer le siège du conducteur et sa barbe chatouillait alors la nuque de Walter. Il ne dit pas comment il s'appelait ni ne parla d'avenir. Il riait fréquemment, mais sans gaieté. En été, il allait de village en village et vivait dehors ; en hiver, il essayait d'au moins passer la nuit en prison.

— Par ce temps de chien, dit-il, rien ne vaut une bonne cellule bien chauffée. Et, si j'ai de la chance, le lendemain matin, ils me donnent même un petit déjeuner. Mais ces derniers mois, ça arrive de plus en plus rarement.

Quand il avait entrepris son voyage à pied, il avait rêvé d'aller jusqu'à Paris, car il avait entendu parler des ponts sous lesquels on pouvait passer agréablement la nuit, en compagnie de gens aux destins analogues. L'idée qu'il ne comprendrait pas leurs questions l'énervait certes un peu, mais, de toute façon, il n'avait pas réussi à aller plus loin que Kehl.

— Je me plaisais en France, dit-il.

— Quand ça ?

— Pendant la guerre.

— Pendant la guerre ? demanda Walter. Mais vous étiez beaucoup trop vieux pour ça !

— Pas pour la première : je l'ai faite. Pendant la seconde, ils m'ont enfermé dans un camp de concentration.

Il n'y eut pas moyen de l'amener à en raconter beaucoup plus sur cette époque. D'une voix très légèrement plus basse que précédemment, il glissa qu'il y avait beau temps qu'il n'arrivait pas à trouver les mots qui convenaient. Il ajouta que sa mémoire flanchait et que, d'ailleurs, il était trop vieux pour se tourmenter en évoquant des souvenirs sanglants. Regina se retourna et chercha à croiser son regard, mais, dans l'obscurité, elle ne put distinguer que les contours de sa tête.

— Je suis navré, s'excusa-t-il, je ne sais pas comment j'en suis venu à parler du camp de concentration. De toute façon, la plupart des gens ne veulent pas en entendre parler.

— Moi, si, répondit Walter, et ma fille que voilà aussi.

Après la guerre, il n'avait pas cherché à retrouver les traces du passé, recouvertes par le vent. Il vivait de ce qu'on lui donnait, et ses efforts se limitaient au choix des prisons qui lui ouvriraient leur porte.

— Ce n'est pas toujours facile, regretta-t-il. Ceux qui commandent sont de plus en plus bizarres. Ils n'acceptent plus que les criminels.

— Ne vous faites pas de souci, lui conseilla Walter. Ce soir, vous coucherez dans un lit à Preungesheim.

— Ça fait un bon moment qu'il n'y a plus rien à faire à Preungesheim. Les Francfortois sont particulièrement étranges.

— Je connais très bien Preungesheim.

Ils burent de l'eau-de-vie de grain et mangèrent des œufs au plat dans une auberge décorée pour Noël, peu avant Bad Homburg, où ils furent les seuls clients. Regina voulut appeler sa mère pour qu'elle ne s'affole pas, mais le téléphone était occupé sans arrêt et elle renonça. L'homme finit par avouer qu'il s'appelait Rübezahl, et Regina, avec bien des années de retard, fit amende honorable auprès de son père : enfant, elle l'avait toujours soupçonné d'avoir inventé Rübezahl, comme elle avait inventé sa fée.

— Tu en es déjà à ton troisième schnaps, reprocha-t-elle à Walter en lui ôtant le verre des mains.

— On ne peut tout de même pas empêcher un homme de boire un

coup avec un ami ! dit-il d'un ton sévère. Ce qui m'intrigue, ajouta-t-il à l'adresse de son compagnon sans nom, en le regardant avec une fatigue qui n'apparaissait pas jusque-là dans ses yeux, c'est que vous n'ayez pas entendu dire que vous avez droit à des réparations pour le temps que vous avez passé en camp de concentration.

– Si, je suis au courant, répliqua l'homme, mais je n'ai pas voulu. Croyez-vous vraiment qu'on puisse rembourser une vie volée avec de l'argent ?

– Non, je ne le crois pas, mais je vous aurais volontiers aidé. J'aide beaucoup de gens.

– J'ai tout de suite pensé que vous étiez juif.

– Pourquoi ?

– Quand j'ai raconté mon histoire de camp de concentration, au lieu d'accélérer, vous avez ralenti.

– Parfois, on voudrait surtout ne plus rouler du tout !

Un quart d'heure plus tard, dans un crissement de freins, Walter arrêta la voiture devant une petite pension miteuse de Preungesheim. Il klaxonna à plusieurs reprises, puis dit d'un ton de colère qui n'abusa pas un seul instant Regina :

– Regardez un peu à quel point on en est arrivé avec les prisons. Il n'y a même plus de gardiens.

– Mais ce n'est pas la prison.

– Si, c'est elle. Croyez-moi ! Je suis avocat et je m'y connais. Venez avec moi, on va entrer, tout simplement, et remettre un peu d'ordre là-dedans.

Le vieil homme descendit de voiture en hésitant et emboîta le pas à Walter, qui ouvrit la porte donnant sur une salle de restaurant sombre. Quelques clients bruyants étaient assis à une table ronde. Le patron essuyait un verre à bière à l'aide d'un torchon crasseux et leva la tête avec indolence. Mais, reconnaissant Walter, il posa le verre et le torchon et dit, manifestement heureux :

– Quelle surprise de vous revoir, maître Redlich ! Et si tard le soir ! Qu'est-ce qui vous amène dans nos contrées ?

– Les affaires. Mon ami que voilà a besoin d'une chambre et, demain, d'un copieux petit déjeuner, répondit Walter en tendant un billet à l'aubergiste. En réalité, il voulait passer la nuit en prison, mais je lui ai dit que, chez vous, c'était déjà assez sale.

L'homme prit le billet en adressant un clin d'œil à Regina :

– Il a toujours le mot pour rire, monsieur votre père. C'est ce que j'aime en lui.

– Il parle sérieusement, expliqua Regina. Il veut rendre service à son ami, qui ne sait pas où aller par une pluie pareille.

Le patron regarda d'abord le vieil homme, puis Walter.

– Pour vous, je ferais n'importe quoi, maître. Vous ne m'avez pas non plus posé beaucoup de questions quand vous m'êtes venu en aide. Venez, dit-il au vagabond, je vais vous montrer votre chambre. Si maître Redlich y tient, c'est qu'il doit avoir de bonnes raisons.

Il posa fugitivement la main sur l'épaule du vieil homme et le poussa vers la porte. On les vit un court moment, debout tous les deux dans la lumière blafarde d'un couloir sentant le renfermé. L'ami d'une nuit dit au revoir de la main avant de se retourner. Walter et Regina levèrent aussi la main.

Ils restèrent assis dans la voiture quelques secondes devant le bâtiment délabré, regardant dans la nuit.

– D'où connais-tu de pareils bouges ? demanda Regina.

– Oh, j'ai eu le patron comme client, dans le temps, et je lui ai rendu un petit service. Il ne l'a jamais oublié.

– Comme je te connais, ça n'a pas dû être un service si petit que ça, dit Regina en riant.

– Voilà que tu te mets à parler comme ta mère, la rabroua Walter. Drôle de journée, dit-il, plongé dans ses pensées, je ne me rappelle plus comment elle a commencé. Mais elle m'a fait du bien quelque part. Rübezahl m'a rappelé les Africains, que j'ai toujours tellement enviés. Pas de début et pas de fin… Mais qu'est-ce qu'on va bien pouvoir raconter à ta mère ? Où diable avons-nous pu rester tout ce temps ?

– Mentir, c'est ton domaine de compétence, lui rappela Regina en levant le bras qui portait la montre. Je ne suis qu'une comparse.

Ils n'eurent pas l'occasion de jouer la grande scène habituelle de la confusion. Jettel, très pâle et les yeux rougis, était sur le pas de la porte de l'appartement.

– J'ai toujours su que le 13 du mois portait malheur, dit-elle en pleurant, Schlachanska a fait une crise cardiaque. Il est mort.

19

La dispute dura deux jours : maintenue dans les limites qu'imposaient les circonstances et, surtout, le choc provoqué par l'événement, elle se déroula sur un ton feutré, en dépit de quelques éruptions de colère regrettables, mais il fut d'emblée évident qu'il était exclu qu'elle débouche sur un accord de compromis. Jettel refusait d'emmener Max aux obsèques de Schlachanska. Ses arguments étaient certes passionnés, mais ils reposaient – attitude exceptionnelle – sur une logique accessible à chacun, ce qui eut le don d'exciter dans des proportions inhabituelles l'esprit de contradiction de son mari. Elle affirmait que Max était encore un enfant et qu'il éprouverait une émotion trop forte à voir Jeanne-Marie pleurer devant la tombe de son père.

Ayant imploré sa sœur de ne parler à personne de son angoisse, Max lui avait avoué combien il était accablé quand il pensait à Jeanne-Louise. N'ayant pas été mis dans le secret, Walter fut particulièrement vexé de constater que Regina donnait raison à sa mère. Il déclara que l'hystérie féminine était la pire ennemie de la raison et ne laissa passer aucune occasion d'expliquer que, de toute façon, son fils, qui allait sur ses douze ans, n'était plus un enfant ; que, grâce à la clairvoyance de son père, il n'était au moins pas un enfant dorloté ; et qu'il n'était d'ailleurs jamais trop tôt, pour un homme, de s'endurcir contre les émotions et d'apprendre à serrer les dents.

– On peut voir sur vous, enrageait-il, ce que ça donne quand des mères enseignent à leurs enfants à fermer les yeux devant la vie.

La veille des funérailles, il ne rentra pas déjeuner à la maison, car il achetait à Max le pantalon noir dont celui-ci avait au demeurant besoin depuis longtemps. Mais, pour bien montrer qu'il n'était pas le dictateur incapable de compréhension que sa femme et sa fille voyaient en lui, il rapporta de la ville, à l'intention de Jettel, les gants de cuir noir qu'il lui refusait depuis l'achat de l'astrakan.

— Un jour, dit-il d'un ton satisfait, vous finirez par m'être reconnaissantes.

La voiture ayant démarré au quart de tour malgré le froid, en totale contradiction avec l'accumulation d'expériences malheureuses qu'avait jusque-là réservées la batterie, ils arrivèrent au cimetière avec une demi-heure d'avance. Dans la cour, devant le pavillon funéraire, il y avait pourtant déjà une telle foule que Walter pensa un instant qu'il s'était trompé d'heure. Nerveux, il se fraya un passage vers l'avant en compagnie de Max, salua distraitement un groupe de femmes puis, à sa grande surprise, rencontra un certain nombre d'avocats dont il n'avait pas envisagé la venue, vu les circonstances dans lesquelles Schlachanska avait été condamné.

Amusé, il s'imagina avec quelle verve Schlachanska aurait commenté la présence de personnages qui, pour manifester à nouveau leur attachement à l'intéressé, attendaient qu'il ne soit plus en mesure de le vérifier. Il en éprouva une joie furibonde, cette joie qui l'amenait toujours à laisser trop de champ à ses pensées : il revit d'abord les chocolats fourrés dans la coupe d'argent de l'élégant appartement des Schlachanska, puis la manière dont son ami les avait bourrés dans la gueule baveuse du setter. C'est ainsi qu'il n'aperçut pas tout de suite le petit homme barbu, vêtu d'un manteau élimé et d'un grand chapeau noir, qui fonçait sur lui en gesticulant. Il fallut que ce dernier se plante devant lui et l'apostrophe énergiquement :

— Ce n'est pas possible. Ce garçon doit s'en aller.

— Pourquoi ? demanda Walter, ahuri.

Un instant, il se dit que Max avait peut-être oublié de se couvrir la tête, mettant un moment à prendre conscience que cela ne s'était plus produit depuis des années. Il sentit la gêne l'envahir en s'apercevant qu'il avait passé la main sur la tête de son fils pour vérifier s'il portait sa kippa.

— Les enfants n'ont pas le droit d'entrer dans le cimetière.

— Nous sommes liés d'amitié avec la famille depuis des années, expliqua Walter à l'homme. Nos enfants ont grandi ensemble. Josef Schlachanska serait très étonné que mon fils ne soit pas là aujourd'hui.

L'homme prit appui sur son bâton, ouvrit la bouche assez largement pour indiquer qu'il riait et secoua la tête.

– Certainement pas. M. Schlachanska était quelqu'un de très pieux. Il savait parfaitement ce qui se fait. Les enfants qui ont encore leur père et leur mère ne peuvent entrer au cimetière.

– Depuis quand ?

– Depuis qu'il y a des Juifs, maître Redlich, dit le personnage avec la pitié manifestée par ceux qui savent envers ceux qui ont oublié ce qu'il convient de faire dans les circonstances importantes. On n'a cessé de respecter la loi qu'à Francfort, jusqu'à ce qu'enfin notre rabbin arrive. Même les nôtres venaient prendre congé des défunts avec des couronnes de fleurs !

– C'est bon, murmura Walter.

Il se sentit honteux en examinant le très zélé donneur de leçons. Ce frêle et vieux petit bonhomme, aux yeux toujours en éveil et aux gestes amples, lui rappelait les hommes qu'il voyait jadis, à Sohrau, dans le lieu de culte ; ils étaient tous aussi pieux que pauvres, et sa mère les invitait souvent le vendredi soir. Il revoyait la nappe blanche avec le gâteau aux graines de pavot en forme de tresse et la timbale de vin qu'ils se passaient les uns aux autres. Il pouvait même sentir aujourd'hui l'odeur du bouillon de poule.

L'idée que le ménage de sa mère était encore casher et qu'elle pouvait inviter à sa table les fidèles à la piété la plus intransigeante le rendit mélancolique. Pendant un court moment, qui lui parut toutefois très long, il envia le vieil homme pour la solidité d'une foi qui ne demandait pas à Dieu de s'adapter aux changements d'une époque.

Walter se souvint avec nostalgie qu'il avait eu des pensées semblables pour la dernière fois à Nairobi, à l'occasion du décès du vieux Gottschalk. C'était un vendredi, et, en raison de l'imminence du sabbat, le rabbin n'avait pas voulu repousser un peu les obsèques afin de laisser la fille du défunt arriver à temps. Et c'était précisément Walter qui avait alors compris le sens du message. « Si nous ne comptions pas parmi nous des gens pieux, il n'y aurait plus de Juifs depuis longtemps », avait-il tenté de dire en prenant la défense du rabbin, mais la quasi-totalité des gens qui l'avaient entendu l'avaient pris alors pour un fou.

– C'est bon, répéta Walter en tendant la main au vieil homme, je ne suis pas pieux, mais je respecte la loi.

Il retourna avec Max jusqu'au portail du cimetière, et son désir que son fils, un jour, puisse dire à son tour la dernière phrase qu'il venait de prononcer était si fort qu'il ressentit presque une douleur physique à l'idée qu'il puisse en aller autrement. Mais il se contenta de déclarer à haute voix :

– Tu vois, on ne peut contester à ta mère d'être une femme intelligente. Elle a prouvé une nouvelle fois qu'elle sait même des choses qu'elle ne peut pas savoir.

Tout en parlant, il riait, mais sans émettre de son : toujours plongé dans une espèce d'état second, envahi par un désir qu'il ne parvenait pas à s'expliquer, il se creusait la tête, se demandant pourquoi, d'un seul coup, les bouquets de fleurs qu'il apercevait à présent partout, alors qu'il ne les avait pas remarqués jusque-là, le mettaient si mal à l'aise. Manifestement, de nombreux clients non juifs de Schlachanska avaient tenu à démontrer une dernière fois qu'ils avaient une opinion différente de celle des juges.

Walter se promit d'informer à temps ses propres clients que les funérailles juives avaient un caractère très dépouillé et ne connaissaient pas le rite des bouquets et des couronnes. Il se vit sourire avec ironie en tentant de convaincre ses Haut-Silésiens de cette tradition, et il les entendit répondre qu'il avait toujours aimé plaisanter, mais que, cette fois, il poussait le bouchon un peu loin avec ses blagues. Il eut d'un seul coup l'impression de s'être permis un instant de gaieté intempestive et, avec un petit soupir, il donna congé à son imagination.

– Le mieux, dit-il à Max, c'est que tu rentres à la maison avec Regina. Je n'ai pas envie, le jour où on enterre Schlachanska, de me demander si, chez nous, même les adultes doivent être des demi-orphelins pour avoir le droit de pénétrer dans un cimetière. Je suis navré, mon petit Max, mais il va maintenant te falloir attendre mes propres obsèques pour comprendre ce que j'avais l'intention de t'expliquer aujourd'hui.

D'abord silencieux, puis partageant une nouvelle fois une blague particulièrement réussie que Ziri avait faite, la veille au soir, ils longeaient maintenant un mur couvert de lierre. Regina se rendit compte que, depuis leur promenade à deux dans le Harz, Max ne trottinait plus comme un enfant à ses côtés et qu'il avait également cessé de jouer au football avec tous les gros cailloux qu'il rencontrait. Elle en fut tout émue et cela l'autorisa à oser se dire que la présente journée se prêtait fort bien à une réflexion, à partir de petites preuves, sur le caractère éphémère des choses.

Au pas assuré de son frère, elle comprenait que le trajet lui était familier. Elle fut pourtant surprise de le voir s'arrêter devant le portail du cimetière central de la ville et lui confier, sur le ton de conspirateur qu'il n'adoptait qu'en sa présence, mais de plus en plus souvent ces derniers temps :

– Nous sommes autorisés à entrer dans le cimetière chrétien. Je connais un banc tout près de l'entrée.

– Comment ça se fait que tu le connaisses ?

– On s'asseyait ici avec Else quand j'étais petit.

– Je croyais que vous alliez toujours au Günthersburgpark, tous les deux.

– Pas à la Toussaint, ni au jour des Morts, ni pour Noël non plus, énuméra-t-il. Et à Noël, je suis toujours allé à l'église. Pour regarder la crèche. Else, pouffa-t-il, me laissait même porter l'enfant Jésus quand j'étais tout petit.

– Tu devrais raconter ça à ton père, un jour, dit Regina qui tombait des nues.

– Else m'a toujours averti que, si je disais à la maison que j'étais allé à l'église avec elle, je tomberais raide mort.

– Je connais ça, se souvint Regina. Seulement, mon Else à moi s'appelait Owuor.

– Toi non plus, alors, tu ne racontais pas tout, quand tu étais petite ?

– Non, pas tout. À l'époque, je vivais dans deux mondes à la fois, et j'avais beaucoup de peine à faire la distinction entre mon monde noir et mon monde blanc. J'avais sans arrêt peur que ça énerve papa et maman. Je ne voulais pas qu'ils s'inquiètent.

– Moi non plus, approuva Max, c'est seulement avec toi que je n'ai jamais peur que tu t'énerves. À toi, je peux tout dire.

À l'aide d'un bâton, il dessina de petits cercles dans la terre mouillée et creusa énergiquement des trous dans chacun des trois.

– Au fait, demanda-t-il sans lever les yeux, est-ce que tu sais que Schlachanska a été condamné à un an et demi de prison ? Comment ça se fait qu'il n'y soit jamais allé ?

– Ça, tu aurais tranquillement pu le demander à ton père. Il te l'aurait expliqué bien mieux que moi. Le jugement n'est pas encore définitif. Papa trouvait la peine beaucoup trop lourde. Qui t'a parlé de tout ça ?

– Jeanne-Louise.

– Grand Dieu ! Je croyais qu'elle ne savait rien de rien. Ce n'est tout de même pas toi qui lui en as parlé ?

– Tu penses bien que non ! C'est une fille de sa classe qui le lui a dit. Je trouve ça bien que Jeanne-Louise n'ait jamais dit à son père qu'elle était au courant. On a bien le droit de mentir quand on aime quelqu'un ?

– On le doit ! Seulement, j'ignorais que tu étais déjà si avancé.

– C'est drôle, toi, je n'ai jamais envie de te mentir, et pourtant je t'aime.

– Il y a des gens à qui on ne doit rien taire. C'est là un des rares cas de bonheur dans la vie, se souvint Regina, tout en voyant surgir de derrière un sapin dégoulinant d'eau la tête d'Owuor avec ses cheveux bouclés luisant de pluie.

Ses yeux fixèrent les pupilles de son frère. C'était un ancien jeu magique, un jeu venu d'une vie antérieure. Si les enfants étaient trop jeunes pour y jouer, il était en revanche totalement inaccessible aux adultes, qui ne saisissaient que ce que leur tête comprenait. Le premier qui baisse les yeux a perdu. Mais, si les deux paires d'yeux abandonnent la lutte en battant des cils au même instant, s'ouvre alors une journée qui ne s'éteindra jamais pour chacun des deux joueurs en compétition. C'est avec son frère que Regina vécut pour la première fois avec autant d'intensité ce tour de magie liant deux êtres partageant les mêmes sentiments. Elle regarda Max plus longtemps que les règles du jeu l'y autorisaient.

Elle sentit sa peau se réchauffer en constatant que la vieille histoire d'un amour dont il était impossible de s'échapper venait de recommencer. Le dieu Amour s'étant disposé à transpercer son cœur pour l'éternité, il s'était une nouvelle fois déguisé en guerrier rusé de la tribu des Massaïs et elle s'était retrouvée tout aussi incapable de se défendre que jadis, sous le goyavier de Nairobi, lorsque son père l'avait définitivement vaincue. Ce frère dont elle avait imploré la naissance auprès du grand dieu Mungo n'était plus un enfant. Il l'ignorait encore, mais il était déjà passé maître dans l'art de nouer des liens qu'aucun des deux ne pourrait jamais défaire.

– Viens, soupira Regina, il faut y aller. Comment expliquer, sinon, où nous sommes restés si longtemps ? Personne ne croira que nous avons passé tout ce temps devant des tombes inconnues, dans un cimetière qui n'est pas le bon.

Ils terminèrent le trajet en courant, mais l'auto était déjà dans la cour. Un carton de taille inhabituelle était posé entre les deux poubelles.

– Malheur ! s'exclama Max. Ça va barder à la maison, papa a encore acheté un robot ménager dont maman ne voudra pas.

Mais ils ne prirent pas le temps de satisfaire leur curiosité. Dès le corridor de la maison, ils entendirent les éclats de la dispute.

– Cet engin, criait Jettel, n'entrera pas chez moi. Tout le monde dit que les émissions ne commencent que très tard le soir. Notre garçon ne voudra plus aller au lit à l'heure et, le matin, il sera trop fatigué pour suivre correctement ses cours.

– Depuis quand portes-tu un tel intérêt au vocabulaire latin, Jettel ? Et pour quelles raisons un garçon de douze ans devrait-il se coucher à 8 heures ?

– Il n'a que onze ans. Tu le vieillis sans arrêt quand ça t'arrange. Moi, la seule chose qui me tienne à cœur, c'est le bien-être de mon enfant. Je viens justement de lire qu'un téléviseur est un instrument du diable quand on a des enfants.

– Cela fait des années déjà que les Schlachanska ont cet instrument du diable. Tu ne détestais pas du tout t'asseoir devant. Et Jeanne-Louise, que je sache, est toujours la première de sa classe. La télévision, ce n'est rien d'autre que du cinéma. La seule chose, c'est que tu n'as pas besoin de te pomponner quand tu veux regarder une émission. Et, de toute façon, notre téléviseur est déjà là, et il y restera.

L'objet de la querelle était offert par un client qui continuait à payer les honoraires de son avocat en nature : il récompensait de la sorte le succès obtenu par Walter dans une affaire qui, à l'origine, paraissait perdue. Cet homme était l'un des plus anciens clients de l'étude ; il possédait un hôtel dans le centre-ville, des actions dans une firme de Tel-Aviv et s'acquittait en général de ce qu'il devait par des invitations fort appréciées à venir déjeuner le dimanche dans son restaurant ou bien par des livraisons de pamplemousses et d'avocats qu'il importait d'Israël par caisses entières.

On ne trouvait de pamplemousses, que Jettel appelait des *grapefruits*, que dans quelques rares magasins de luxe. Jettel n'en avait pris son parti qu'après avoir appris que, chez les Fafflok, qui étaient eux aussi régulièrement gratifiés de ces fruits à l'amertume véritablement excessive, ils avaient entraîné un remarquable recul des refroidissements. Mais elle avait conservé son aversion pour les avocats, même si, depuis quelque temps, elle avait cessé de les considérer avec dédain comme de simples poires vertes vénéneuses et de les jeter directement à la poubelle. Elle avait récemment condescendu, suivant la recette recommandée par une revue féminine réputée progressiste, à servir ces cadeaux malvenus assaisonnés de sel, de poivre et de citron. Et, après une première soirée d'affrontements enflammés, elle fit également preuve, concernant l'appareil de télévision, d'une souplesse inattendue.

Il apparut en effet très vite et sans la moindre équivoque que cette boîte marron foncé, dotée d'un écran lumineux et installée sur une petite commode du salon débarrassée à cet effet de tout ce qui l'encombrait, possédait des pouvoirs insoupçonnés, bien au-delà de ce qu'on en attendait habituellement. Payant peu de mine, l'appareil – sur lequel étaient posés une petite lampe ainsi qu'un nain de jardin fumant la pipe – apporta néanmoins la paix dans un couple au sein duquel, jusqu'ici, les querelles futiles avaient même privé de force celui des deux combattants au tempérament volcanique qui avait engagé les hostilités.

C'est en ces journées que commença la douloureuse prise de conscience que la famille, avec Josef Schlachanska, avait perdu un ami aussi loyal qu'exceptionnel, un sage qui assurait une liaison enjouée avec la vie juive, un conseiller très anticonformiste; et c'est à ce moment-là que l'appareil de télévision servit, durant quelques heures au moins, de dérivatif au sentiment oppressant que la vie, à nouveau et pour toujours, était marquée par le départ et l'adieu.

Ce fut un pur hasard si la télévision commença d'éclairer les soirées à l'époque précise où l'abattement et la peine résultant de la mort de Schlachanska brisaient l'harmonie du rythme quotidien. Mais ce ne fut pas un hasard si Walter, Jettel et Regina réagirent aussi intensément à une attraction dont ils connaissaient bien entendu l'existence, mais dont ils n'avaient jamais ressenti le besoin.

Les fascinantes images grises sur fond noir et blanc n'excitaient pas seulement leur imagination de manière fort inhabituelle; elles leur permettaient aussi, en permanence, de revivre des événements auxquels ils avaient cessé de penser depuis longtemps et qui, en retour, les déridaient, comme ces personnes qui, ayant découvert au grenier un vieux livre d'images, se plongent dans le passé avec délectation. Walter et Jettel s'accordaient pour dire qu'ils éprouvaient, avec la télévision, les mêmes émotions qu'à l'époque des films muets dont ils se souvenaient à présent, heureux et stupéfaits, avec autant de netteté que s'ils sortaient d'un cinéma de Breslau.

Le journal d'information du soir devint, chaque jour, le moment fort que personne ne voulait manquer, notamment parce que c'était un événement absolument nouveau, comique tout simplement, de pouvoir contempler de près, comme des invités bienvenus, Adenauer et les autres célèbres hommes politiques de Bonn qu'on ne connaissait sinon que grâce à de mauvaises photos dans les journaux ou, à la rigueur, au travers des actualités du cinéma.

— La seule différence, se réjouissait Walter, c'est qu'on n'est pas obligé de leur offrir à boire et qu'ils n'attendent pas de nous qu'on leur fasse la conversation.

— Là, on peut dire que tu as enfin eu une bonne idée, approuvait Jettel avec satisfaction.

Elle qui, excepté les questions relevant de la vie des Juifs dans l'Allemagne nouvelle, ne s'était jamais souciée de politique, portait à présent autant d'attention et d'intérêt aux débats et aux partis du Bundestag ou à des considérations économiques ardues qu'aux gestes, aux mimiques et aux costumes des députés.

Les images en provenance de l'étranger suscitaient un engouement tout particulier. Elles donnaient au monde extérieur des proportions gigantesques et réduisaient le monde personnel à un format étonnamment étroit. Une rue de New York, un défilé de mode à Paris, des images de Bombay, de Tokyo ou de Tel-Aviv, même un chien dans Hyde Park, à Londres, voire la reine d'Angleterre dans son carrosse, offraient le panorama grandiose d'une vie jusque-là inconnue. Et il suffisait, pour y accéder et s'y fondre en quelque sorte, d'appuyer sur un bouton.

Un soir, c'est le canal de Suez qui apparut sur l'écran. Jettel, Walter et Regina bondirent sur leurs pieds avec autant d'excitation que s'ils s'étaient retrouvés sur le pont de l'*Almanzora*, qui les avait jadis ramenés en Allemagne.

— On ne voit pas de bourriques, annonça Walter.

— Elles sont toutes à bord, *sir*, s'écria Regina, et tous trois savourèrent l'ancienne plaisanterie avec autant d'entrain que si, des années durant, ils avaient été à l'affût de l'instant propice pour l'extraire d'une tombe trop vite refermée.

Ils n'avaient même pas honte de leur naïveté devant Max et Ziri, quand, pour quelques instants seulement, ils s'offraient le plaisir – si subitement redécouvert – de priver la réalité de ses contours trop nets. Dès que les images scintillaient sur l'écran, Walter, Jettel et Regina se sentaient ramenés à l'époque où la radio avait été leur unique lien avec le monde. Ils se rappelaient – et Walter lui-même, avec un certain contentement mêlé de mélancolie – comment, à la ferme, ils ouvraient les fenêtres et les portes toutes grandes pour permettre aux gens des huttes portant leurs nourrissons, aux chiens et aux chèvres accourus en masse, de capter avec allégresse les sons qui sortaient de la petite boîte et qui restaient privés de sens pour eux.

L'appareil procurait à Max des plaisirs d'un autre genre. Il s'était entiché des sagas familiales qui mettaient presque toujours en scène un garçon de son âge ayant les mêmes opinions que lui. Quand, le mercredi, c'était le jour de la famille Schölermann, avec ce père si épatant, cette mère si efficace et si compréhensive, et ces enfants si charmants, il se faufilait en pyjama jusqu'à la porte du salon et s'allongeait par terre. L'heure d'émission de ces histoires édifiantes célébrant la pérennité de l'amour et de l'harmonie était en effet trop tardive, et sa mère tenait toujours beaucoup à ce qu'il soit au lit dès 20 heures. Mais sa crainte d'être découvert pesait peu face au constat étonnant qu'il n'en allait guère autrement dans d'autres familles que chez lui.

— Un jour, supputa Regina, pleine d'espoir, à la fin d'un reportage sur la vie au Caire, nous pourrons aussi voir Nairobi, et Owuor nous fera signe.

— Comment ça, Nairobi ? demanda Walter, mais ses yeux trahissaient qu'il éprouvait lui aussi le désir d'images bien définies. Tu ne crois tout de même pas sérieusement qu'Owuor est resté à Nairobi sans nous ?

— Espérer ne coûte rien ; c'est toujours ce que tu me disais quand j'étais petite.

Quelques jours plus tard, Regina n'eut plus le moindre doute qu'elle et son père avaient fait resurgir leur passé de la manière infaillible qui leur était commune. Elle s'aperçut trop tard du piège. Ils avaient fait preuve de trop d'insouciance, oubliant qu'il n'était pas bon de sortir des limites sagement fixées aux espoirs et de les dépouiller ainsi de leur enveloppe protectrice. C'est ainsi que l'heure de la vérité transforma une joie folle et irréfléchie en un monstre porteur de mort, aux dents acérées.

À la fin du journal télévisé du soir, il fut question de l'assassinat d'un *farmer*. Walter était en train de se plaindre que Jettel n'ait pas acheté le cervelas chez le boucher silésien ; la discussion sur l'absence d'ail détourna l'attention générale un moment de l'écran, si bien que, dans un premier temps, personne ne s'aperçut qu'il était question du Kenya. Le mot commença pourtant à percer dans les esprits quand le présentateur buta au moment de prononcer le nom de «Naivasha». Tous les trois le crièrent à l'homme dans le poste, avec autant de sérieux que s'il avait été de la plus grande importance de bien prononcer ces syllabes si pleines.

La première image fut encore une ombre dans une pièce emplie de rires. Pourtant, les murs calcinés d'une maison incendiée finirent par émerger de l'écran gris. La porte, défoncée, gisait en travers d'un parterre rond d'œillets foulés aux pieds. Les rires se figèrent en un silence où l'horreur le disputait à la stupéfaction. On vit une vache éventrée sur la pelouse rase devant la maison. Des cheveux trempés de sang étaient collés contre une haie blanche. Des Noirs en uniforme et deux Blancs en short kaki se tenaient devant une Jeep. Puis le reportage enchaîna sur de petites photos représentant trois enfants blonds et une femme. Walter se leva et éteignit l'appareil.

– Naivasha, murmura Jettel, mais ça ne se peut pas, une chose pareille ! C'est un si beau pays.

– Nous avons fait du canot sur le lac avec Martin, dit Walter. J'ignorais totalement que les troubles s'étendaient jusqu'à Naivasha.

– Les Mau-Mau…, dit Regina en avalant sa salive avec peine.

Ils étaient tous au courant, depuis des années, de la guerre des Noirs contre les *farmers* des hautes terres, mais, en l'absence d'images, ces éclairs lointains n'avaient pas été suivis du tonnerre de la réalité. Ils étaient restés au stade du pressentiment qu'il se produisait des changements chargés de violence dans un monde qu'ils avaient connu lumineux et plein de douceur. Ils avaient entendu parler très tôt, fréquemment aussi, du combat de Jomo Kenyatta contre les autorités coloniales britanniques, vu sa photo dans les journaux et essayé, chacun pour soi, d'interpréter les traits du vieux guerrier si déterminé qui parlait de liberté et donnait des ordres de mort. Ce n'était pas d'hier qu'ils connaissaient le mot de Mau-Mau, symbole du soulèvement et de l'indépendance. Depuis le début, ils savaient qu'il était synonyme de mort, mais, même quand ils eurent appris que le calme commençait à revenir au Kenya, ils n'osèrent pas prononcer ce mot si peu familier.

C'était Walter qui s'expliquait le moins son silence. L'insurrection mau-mau, au cours de laquelle même des enfants avaient été assassinés, et, de surcroît, par des êtres qu'ils avaient aimés comme s'ils avaient été des leurs, était en définitive une confirmation tardive de sa clairvoyance à l'époque où il avait décidé de quitter le Kenya. Ces dernières années étaient arrivées à Francfort de nombreuses lettres, écrites par d'anciennes connaissances qui avaient dû abandonner leurs fermes et repartir pour un nouvel exil incertain, en Amérique, en Angleterre ou en Israël. Jettel elle-même n'évoquait plus que rarement le Kenya comme le paradis auquel elle avait été obligée de renoncer.

Mais le problème de Walter n'était pas d'avoir eu raison et d'avoir été l'un des premiers à fuir avant la tempête. Ce qui le contrariait, c'était que fût confirmée, *a posteriori*, une clairvoyance qu'il n'avait pas eue réellement. Il savait trop bien qu'au Kenya il n'avait jamais songé qu'éclaterait une guerre sanglante entre Noirs et Blancs. Rétrospectivement, il n'éprouvait, envers un pays qui les avait sauvés de la mort, lui et sa famille, que gratitude et nostalgie. Plus qu'il ne voulait bien se l'avouer, il souffrait à l'idée que ce monde ancien n'existait plus, ce monde où le soleil, le vent, la pluie et le caractère pacifique des autochtones avaient si longtemps déterminé son existence.

Regina, en revanche, avait toujours su pourquoi elle ne pouvait pas prononcer le mot Mau-Mau. Ce n'était qu'en fermant les lèvres qu'elle réussissait à préserver, dans sa tête et dans son cœur, les forêts et les champs, les montagnes, les huttes, les êtres chers, les animaux et le sage dieu Mungo. Maintenant, la réalité à la face haineuse et barbouillée de sang qui la faisait frémir venait de la rattraper. Tout en gardant les yeux rivés sur l'appareil de télévision, elle s'enfonçait les doigts dans les tempes, mais sans trouver de réponse à ses questions ; elle devinait qu'à l'avenir, durant ses journées noires, elle ne saurait plus dans quel pays s'évader.

– Est-ce que notre maison d'Ol'Joro Orok est encore debout ? chuchota Jettel. Et les toilettes avec les trois cœurs, et la jolie cuisine sous le grand arbre ?

– Est-ce là le problème ? répliqua Walter. Nous nous sommes déjà séparés de tant de choses dans notre vie. Si, à nouveau, une partie de nos souvenirs n'ont plus de foyer, plus de maison, il faudra bien que nous en prenions notre parti.

Une fois au lit, Regina éteignit aussitôt sa petite lampe de chevet. Grâce à un entraînement de plusieurs années, elle parvint aussi à étouffer l'incendie des images, mais ses pensées étaient comme les redoutables feux de brousse qui ne cessent de se ranimer d'eux-mêmes : elle ressentait comme une brûlure le fait que ses oreilles aient capté un mot sans l'avoir encore transmis à sa tête. Elle se rassit dans son lit et, pareille au chasseur ayant perdu la trace du gibier, elle s'obligea à récapituler les images, et surtout les sons. Il lui fallut parcourir un très long chemin, au travers d'une forêt étouffée par les plantes grimpantes, pour déboucher sur la clairière qui permet aux égarés de recouvrer la vue. Regina finit par entendre en cet endroit l'écho qu'elle venait de chercher si longuement. Son père avait dit « chez nous » en parlant d'Ol'Joro Orok !

Saisie d'étonnement, elle répéta le mot, mais il lui fallut encore plus de temps que précédemment pour saisir le sens du message. Troublée, mais en quelque sorte aussi libérée, elle finit par comprendre que Walter était parti en safari tout comme elle. Au moment même où elle faisait cette constatation réjouissante, elle eut d'abord simplement l'impression qu'elle avait réussi à repousser le rocher qui lui avait si longtemps bouché la vue. Son bonheur ne fut que de courte durée. Ensuite, elle saisit, avec stupeur et une tristesse qui lui déchira d'abord la tête puis le cœur, pourquoi Walter venait de partir dans le monde qu'il avait jadis voulu quitter par désir de retrouver une patrie. Le départ à jamais d'Afrique avait ouvert une blessure douloureuse qui refusait de guérir. Le *bwana* n'était jamais arrivé chez lui, à sa maison.

20

Pour son cinquantième anniversaire, en juin 1958, Jettel demanda à son mari de pouvoir faire, à la fin de l'été, un voyage à l'étranger avec Regina. Elle n'en revenait pas elle-même d'avoir eu l'audace d'exprimer son désir et elle était convaincue que Walter ne se donnerait même pas la peine de parler sérieusement avec elle de son projet. Le seul fait d'envisager un long voyage lui paraissait si extraordinaire et si provocateur, compte tenu des idées conservatrices de son époux, qu'elle n'osa formuler son souhait que le jour où elle apprit par hasard que Walter voulait lui offrir un nouveau tapis pour le salon.

Dès que Jettel abordait le sujet des vacances, Walter se renfrognait et se montrait vexant. Lors de ces affrontements déplaisants, il aimait lui reprocher d'avoir la folie des grandeurs et d'être dépensière ; il faisait remarquer avec colère que, dans sa vie, il avait eu bien assez d'occasions, et certainement pas toujours de son plein gré, de parcourir le monde et que, de toute façon, son unique désir était de revoir les monts des Géants. L'aspiration moderne au luxe, aux vacances et aux destinations lointaines qui, à sa grande désapprobation, s'emparait aussi de personnes qui n'étaient jamais allées plus loin que chez leur oncle à la campagne, n'était à ses yeux qu'un phénomène de mode regrettable, typique d'une époque où triomphaient l'étroitesse d'esprit et la vanité. D'un point de vue plus personnel, il la ressentait comme une marque d'ingratitude envers un destin, le sien, où le mot départ avait eu une signification particulièrement funeste.

— Mon Dieu, lui reprocha Jettel une semaine avant son anniversaire, je n'ai tout de même pas l'intention de m'exiler. J'aimerais juste voir quelque chose d'autre pendant quinze jours et ne plus rencontrer d'Allemands.

– Et à quel pays penses-tu, s'il te plaît ?

– Je pensais à l'Autriche, répondit Jettel en jetant furieusement son trousseau de clés sur la table.

Elle s'était attendue à des moqueries, à des reproches blessants, voire à une forte dispute, mais pas à une réaction aussi déconcertante. Walter eut d'abord un sourire d'une ironie humiliante en même temps qu'il se tapait la tête avec le poing ; Jettel se jura alors de décommander sans attendre, et sans le prévenir, les personnes invitées à sa fête. Ensuite, il n'hésita pas à hennir de manière si niaise et si bruyante que Ziri accourut de la cuisine, le couteau à viande à la main, pour ne pas manquer le moindre détail de cette gaieté inattendue.

À la grande stupéfaction de Jettel, Walter se leva de son fauteuil avec une lenteur calculée, il la salua d'un geste plein d'élan, lui posa la main sur l'épaule et lui dit d'un ton presque tendre :

– Eh bien, d'accord, vas-y, mon cher ange innocent. Quand tu seras partie, je passerai tout mon temps dans ce fauteuil à me remémorer tout ce que tu as pu dire des Autrichiens durant notre exil. Et quand tu reviendras, je serai mort de rire.

La réaction de Regina, le lendemain matin, étonna Jettel davantage encore. Elle avait d'abord uniquement proposé de faire le voyage avec elle parce qu'elle savait que Walter avait moins de peine à dépenser de l'argent quand il espérait faire plaisir à sa fille. Mais, au-delà de toutes ces considérations tactiques dont elle n'était pas peu fière, Jettel était ennuyée à l'idée de créer chez Regina un conflit intérieur dont il lui serait impossible de parler.

Contrairement à Walter, Jettel se doutait en effet depuis des années que Regina ne passait pas ses congés comme elle le prétendait, c'est-à-dire avec une collègue dans la forêt bavaroise. Aussi se demandait-elle, non sans une certaine compréhension, si sa fille sacrifierait pour un voyage avec sa mère une part de la vie privée qu'elle protégeait avec tant de soin et qui la satisfaisait manifestement beaucoup. Néanmoins, Regina donna son accord pour ce projet commun avec une telle spontanéité, et elle fut même si indéniablement touchée que Jettel, après coup, éprouva une grande honte à avoir eu recours à une ruse dont le caractère égoïste ne lui avait pas un instant échappé.

Durant les semaines qui suivirent son anniversaire, elle se demanda pourtant à maintes reprises – pour une large part aussi parce que sa confiance en soi était ébranlée – si le oui inattendu de Regina ne s'expliquait pas uniquement par sa gentillesse. Toutefois, plus on approchait du départ pour Mayerhofen dans la vallée de la Ziller (Jettel était très fière d'avoir choisi elle-même la destination et d'avoir accompli toutes les formalités avec l'agence de voyages sans l'aide de Walter), plus elle sentait que Regina se réjouissait non seulement de partir en vacances, mais aussi d'effectuer un séjour à deux.

Heureuse, Jettel remit *Les Tyroliens sont gais, les Tyroliens sont joyeux* à son répertoire de chansons de cuisine et, au cours de deux de ses rencontres au café, expliqua à ces dames – qui l'envièrent beaucoup car elles étaient précisément en train de vivre des expériences pénibles avec leurs enfants adultes – qu'il n'y avait pas, pour une mère, de bonheur plus grand que d'entreprendre une escapade avec une fille si réfléchie et si aimante. Bientôt, Jettel n'arriva même plus à croire qu'elle avait pu être jalouse de Regina.

De son côté, Regina s'expliquait tout aussi peu pourquoi, dans le passé, elle avait fait preuve de beaucoup moins de patience et de tolérance à l'égard de sa mère que de son père. Il semblait qu'au fur et à mesure des préparatifs, qui avaient commencé bien avant le jour J, s'effritait la réserve faisant écran entre deux êtres qui se connaissaient très bien, mais s'étaient perdus de vue en raison de circonstances qui leur restaient inexplicables.

Elles remarquèrent pour la première fois ces changements le jour où, Jettel s'étant acheté un corsage de soirée d'un gris argenté brillant, et Regina un pull-over noir moulant, Walter avait, à son habitude, froncé les sourcils et lâché un rituel « formidable » à la vue de tant de merveilles. Elles s'étaient alors mutuellement regardées et étaient parties d'un rire complice et indulgent. Elles discutèrent à longueur de journée de chaussures et de sandales, de chaussettes hautes et de socquettes épaisses, se demandant si elles avaient besoin d'un manteau en loden, voire d'une robe tyrolienne, et – comme si elles n'avaient jamais vécu dans une ferme – ce qu'elles feraient si une vache venait à les prendre en chasse dans un pré.

Un jour, Jettel déclara qu'elle avait l'impression d'être revenue à l'époque où elle passait ses vacances avec sa mère et sa sœur. Elle parlait à présent assez souvent d'«aller aux bains», évoquait les élégants jeunes hommes qui, à Norderney, tournaient autour de sa mère, jeune et jolie veuve, et, tandis qu'elle se plongeait en souriant dans un passé dont elle avait cessé de parler depuis des années, elle ressemblait de plus en plus à la coquette fillette aux grands yeux qu'on voyait, en costume de marin, sur la photo fanée rangée avec les autres dans la vieille boîte à thé.

Parmi les documents nécessaires au voyage organisé, il y avait deux badges en carton bleu brillant. Le jour du départ, Regina et Jettel les fixèrent sur leurs cardigans blancs tout neufs, pouffant comme des jeunes filles avant leur premier rendez-vous. Le départ du train spécial de la Touropa, en voitures-couchettes, était prévu pour 23 heures : Walter insista pour les accompagner à la gare. Il engagea un porteur, offrit à Jettel, pour le trajet, les bâtonnets au gingembre dont elle raffolait et, une fois le compartiment localisé après pas mal d'énervement, provoqua une authentique confusion en priant leurs compagnons de voyage, avec un embarras simulé, de traiter avec beaucoup de ménagement sa femme et sa fille, qui sortaient tout juste de maison de santé.

— Prends bien soin de toi, lui recommanda Jettel en se penchant par la fenêtre, et mange comme il faut. Ziri est au courant de ce qu'elle doit vous préparer. Je lui ai fait tout exprès une liste pour tous les jours.

— Tu vois un peu comme je suis tombé bien bas. Tu ne crains même plus de me laisser seul avec une jolie jeune fille.

— Mais tu sais très bien que je n'ai jamais été jalouse de ma vie. Tâche, un jour, d'aller avec Max chez Mme Schlachanska. Elle m'a promis de vous inviter.

— C'est bien ça le problème, objecta Walter. Elle me regarde toujours d'un air de reproche, comme si elle m'en voulait de ne pas être mort à la place de son mari.

— Vas-y quand même ! Cette femme est bonne. Son gâteau aussi.

— Ne te dispute pas avec ta mère, Regina. Et fais-lui comprendre en route que le Tyrol est dans la montagne et pas en bordure de mer ! s'écria Walter en même temps que retentissait le coup de sifflet du départ. Et explique-lui aussi que les gens, là-bas, ne sont que des Allemands déguisés !

Depuis Innsbruck, on ne pouvait rejoindre Mayerhofen, dans la vallée de la Ziller, qu'en autocar. Le village accueillit ses hôtes, rompus

260

par un aussi long voyage, en leur offrant le spectacle de petits pichets en verre coloré contenant de l'eau-de-vie d'abricot, de géraniums rouges bien épanouis sur les balcons en bois sombre de maisons pimpantes. Le décor comprenait aussi deux vaches enrubannées de fleurs, une chapelle sur la place du marché, des prairies ensoleillées et des sommets couverts de neige fraîche. Regina félicita sa mère de son choix avec tant d'enthousiasme que Jettel surmonta sur-le-champ sa fatigue et mobilisa une énergie étonnante, même de sa part, pour expliquer au responsable du groupe, complètement abasourdi, qu'elle voulait à tout prix loger dans la ravissante maison au joli panneau portant l'inscription *Kramerwirt*. Elle menaçait, sinon, de rentrer chez elle tout de go.

Une aussi fougueuse manifestation d'autoritarisme maternel plongea Regina dans un embarras profond et, tant que durèrent les tractations, elle n'osa pas lever les yeux sur l'homme en costume tyrolien. Ce dernier, en revanche, donna à plusieurs reprises du «chère madame» à Jettel, la complimentant pour son corsage et, après une hésitation initiale, échangea sans autre objection l'hébergement prévu contre celui qu'exigeait Jettel. Toujours souriant, il alla jusqu'à accéder à un désir supplémentaire de sa part : elle se vit attribuer la chambre avec vue sur la place du marché et non celle, plus petite, donnant sur la cour.

– Ne jamais se laisser marcher sur les pieds, observa Jettel en riant, et, d'excellente humeur, elle s'affala sur le lit aux draps à carreaux rouges et blancs. Ton père et toi, vous pouvez encore en prendre de la graine.

Le premier soir, on proposa du *Kaiserschmarren*, un plat que Jettel, s'étant servie une première fois, qualifia d'œufs brouillés avec des raisins secs puis, s'étant resservie, d'authentique cuisine viennoise qu'elle avait déjà eu l'occasion d'apprécier pleinement dans sa jeunesse. Les hôtes nouvellement arrivés eurent droit à un verre de vin, une attention particulière de la maison, puis furent invités à gagner la grande salle de restaurant pour une petite réception ; un trio de musiciens barbus en culotte de cuir, coiffés d'un chapeau vert à longue plume, jouait des airs folkloriques et, à la demande expresse de Jettel, ils exécutèrent même à deux reprises *Les Tyroliens sont gais*.

Des femmes aux cheveux gris, en corsage de nylon blanc et transparent, jetaient des regards envieux sur les boucles aux couleurs rafraîchies de Jettel et sur sa robe très décolletée, ornée, sur un fond noir, d'exubérantes roses rouges. Les hommes, dont les bretelles dessinaient d'amples courbes sur leurs chemises trop étroites, étudiaient d'un œil concupiscent les jambes de Regina. Prenant toutes deux un grand plaisir à s'offrir ainsi en spectacle, elles commandèrent un verre de vin qu'elles burent à tour de rôle en se moquant des autres convives : d'abord en chuchotant puis, sans plus se gêner, en swahili, trouvant même à haute voix des mots pour formuler des notions aussi complexes que «typiquement allemand» ou «petit-bourgeois».

Vers la fin de la soirée, elles lièrent amitié avec le basset de la patronne de l'établissement, s'accordant pour dire que Walter était vraiment sot de prétendre sans arrêt que les bassets étaient sans exception aucune des nazis. Au moment de s'endormir, elles convinrent n'avoir pas autant ri ni s'être senties si bien depuis des années. C'est le chant d'un coq qui les réveilla, et elles constatèrent alors qu'elles n'en avaient plus entendu un seul depuis leur départ d'Ol'Joro Orok.

Sur sa première carte à Walter, Jettel écrivit : «Mais si, j'avais raison, le Tyrol est bien à l'étranger ! Nous faisons très attention à ne pas trop dépenser, mais, en revanche, nous voyons tellement de choses que la tête nous tourne.» Elles épargnaient une partie de l'argent prévu pour le déjeuner en se contentant d'emporter en excursion deux petits pains du petit déjeuner et d'acheter deux bananes et du lait. Avec la somme ainsi économisée, elles se payaient un billet pour le petit train démodé menant à Jenbach ou bien des circuits en autocar passant par Innsbruck, Salzbourg, le Tuxer Joch ou le Grossglockner.

Jettel, qui, à la maison, évitait tout effort en prétextant son âge et ses migraines, ne ressentait pas la moindre fatigue au cours de ces escapades. Se déclarant satisfaite de tout, au grand étonnement de Regina, elle acquit une énorme popularité auprès de leurs compagnons d'excursion ; elle flirtait avec les hommes, qui se disputaient l'honneur de porter son sac et de l'aider à descendre du bus, et elle mettait un soin maternel à s'occuper des dames seules et âgées. Celles-ci lui racontaient leurs existences, plus tragiques les unes que les autres, mais elles s'intéressaient bien davantage encore à ce que Jettel avait vécu en Afrique. Et toutes, sans exception, se souvenaient avec mélancolie d'amis juifs auxquels, en ces temps effroyables, elles étaient venues en aide.

Avec son nouvel appareil, Regina photographia sa mère, radieuse, devant le Toit d'or d'Innsbruck et dans les jardins du château Mirabell de Salzbourg ; dans la ruelle aux grains de la même ville, elle tenait même à la main une boîte de bouchées de chocolat à la pâte d'amandes, des *Mozartkugeln*. Mais afin de conserver assez d'argent pour s'offrir ce qui s'annonçait devoir être le clou de leur séjour, elles se contentèrent d'acheter dans un kiosque une petite bouteille de rhum qui leur parut particulièrement bon marché.

Elles hésitèrent longtemps pour savoir si Bressanone qui, à leur grande surprise, s'appelait aussi « Brixen », n'était pas déjà assez « en Italie » pour satisfaire leur désir de voir ce pays. Elles finirent néanmoins par réserver deux places pour le grand voyage par le col du Brenner, qui prévoyait un arrêt d'une heure à Bozen – ou « Bolzano » – et de trois à Meran – ou « Merano ». À Bozen, l'autocar étant tombé en panne en cours de route, elles durent se contenter de jeter un rapide coup d'œil au marché aux fruits où elles eurent tout juste le temps d'acheter une livre de raisins. Mais, à Meran, elles sentirent tout de suite qu'elles avaient enfin atteint le pays de leurs rêves.

– Nous l'avons cherché de toute notre âme, récita Regina.

– Comme tu as dit ça joliment, s'émerveilla Jettel.

– Il y avait un peu de Goethe là-dedans [1].

Elles firent quelques pas sur la splendide promenade, devant l'élégant établissement thermal, s'assirent en pleine canicule sur un banc peint en blanc, où elles écoutèrent avec une grande émotion les valses jouées par l'orchestre de la station ; parvenues au bord de la rivière Passer (ou « Passirio ») dont le babil les enchanta, elles prirent place dans un café qui avait son propre palmier et un perroquet ; elles caressèrent de la langue le mot si beau et si étrange d'« *espresso* » et, de la main, les minuscules tasses argentées, émerveillées que le serveur parle aussi couramment l'allemand. Elles n'en furent pas moins d'accord pour affirmer qu'elles étaient parvenues jusqu'au cœur de l'Italie.

Dans les magasins nichés sous les arcades fraîches et obscures, elles trouvèrent pour Ziri un minuscule cheval en verre et à la crinière bleue et elles purent goûter du vin sans rien avoir à payer pour cet instant d'ivresse et de félicité. Elles avaient toutes deux des taches rouges sur la figure et, dans les oreilles, des sonorités où Regina reconnut le chant

1. Dans *Iphigénie en Tauride* : l'héroïne, exilée en Tauride, pleure la perte du pays des Grecs *(NdT)*.

des sirènes ; elles essayèrent des chapeaux de paille et des lunettes de soleil et, folles d'envie, contemplèrent les chaussures, les ceintures et les sacs à main, qui étaient sans aucun doute très bon marché, mais n'en restaient pas moins inaccessibles à leur bourse. Après un deuxième *espresso* – et cette fois elles osèrent emporter le sucre enveloppé dans de si jolis sachets –, elles se décidèrent à acheter en commun une chaînette faite de boules en porcelaine blanche sur lesquelles on avait peint des roses bleues et roses. Jettel donna cinquante lires de plus que Regina, ce qui lui conféra le droit de disposer à l'avenir du magnifique joyau tous les dimanches et de le mettre sur elle sans plus attendre. Un soldat en uniforme italien, dont il était incontestable qu'il n'était pas allemand puisqu'il donna du « *signora* » à Jettel, fit claquer sa langue ; les joues de celles-ci se colorèrent de rose.

Avec les quelques lires qui leur restaient, elles achetèrent à Max un petit agent de police authentiquement italien : en plastique de « qualité exceptionnelle », il était coiffé d'un casque bleu et agitait les bras au premier souffle de vent. À l'intention de Walter, elles se chargèrent de deux litres de chianti dans une bouteille vert mousse, elle-même logée à l'intérieur d'un petit panier en raphia jaune clair. Emplies d'une excitation joyeuse, elles s'enthousiasmèrent à l'idée que, de toute sa vie, il n'avait sans doute jamais vu pareille splendeur et qu'il n'oserait certainement pas déboucher la bouteille, en dépit des assurances du vendeur, qui avait affirmé d'un ton convaincant qu'il était possible de ficher une bougie dans le goulot et de conserver ainsi une bouteille aussi belle qu'auparavant.

Avant le départ, elles dépensèrent leurs toutes dernières pièces de monnaie dans l'achat d'un grand cornet de glace qu'elles léchèrent à tour de rôle. Regina s'étant vu attribuer le soin de choisir les boules, elle interpréta correctement les regards de sa mère et se fit servir du chocolat, du praliné et du moka, bien que ses parfums préférés aient été la vanille et la fraise.

– J'ai l'impression d'avoir rajeuni de plusieurs années, en Italie, dit Jettel.

– Tu as rajeuni, confirma Regina, mais c'était déjà le cas avant l'Italie.

Au retour, l'autocar tomba une nouvelle fois en panne à Brennerbad. Le chauffeur consola les passagers qui commençaient à grogner en leur offrant du vin rouge pris sur son propre stock. Seuls les messieurs d'un certain âge, toujours prompts à la critique, trouvèrent à redire au fait qu'une entreprise de transport public dispose d'autant de verres, mais pas d'un seul pneu de secours. C'est assise dans un pré, sous un pommier dont les branches ployaient sous le poids de fruits au rouge éclatant, que Jettel exprima l'idée qui n'avait plus quitté l'esprit de Regina depuis le deuxième jour de leur équipée.

– À vrai dire, dit-elle, c'est la première fois que nous passons toutes les deux tant de temps ensemble depuis ma grossesse à Nakuru, quand j'étais désespérée de sentir que j'allais accoucher d'un bébé mort-né.

– Et nous parlons l'une avec l'autre comme à cette époque, répondit Regina, avec elle aussi, dans la gorge, un poids qu'elle s'efforçait d'avaler. Je croyais que tu l'avais oublié depuis longtemps.

– Non. J'y pense souvent. Tu avais beau être très petite, tu m'avais apporté un grand réconfort. J'avais le sentiment que tu me comprenais aussi bien que ma mère jadis.

– Et aujourd'hui, tu ne le penses plus ?

– Je ne sais plus très bien. Tu es toujours du côté de ton père.

– Non, répliqua Regina, ce n'est pas ça. Je te comprends souvent bien mieux que tu ne le crois, mais je veux protéger papa. J'ai sans arrêt peur pour lui, quand il s'énerve. Ne te figure surtout pas que je n'ai pas saisi depuis longtemps comme ce doit être difficile d'être marié avec lui. Je sais aussi que c'est souvent lui qui commence les disputes.

– Généralement, soupira Jettel, c'est à ton propos que nous nous chamaillons. Tu nous entends sans arrêt nous quereller, mais tu ne sais jamais comment ça a démarré. Ton père est obsédé par l'idée que tu as une relation avec ton chef ou bien que tu n'arrives pas à te détacher de Martin et que c'est pour cette raison que tu ne veux pas te marier. Alors, il m'en veut terriblement quand je lui dis que tu es assez grande pour savoir ce que tu as à faire.

Regina éprouva un intense besoin de prendre sa mère dans ses bras, mais le vieux conflit qui opposait ses parents pour la conquête de son cœur la laissa aussi désemparée qu'au temps de son enfance. Elle sentit que sa peau était brûlante et ses bras retombèrent.

– Merci, dit-elle à voix basse en caressant la main de Jettel.

– De quoi ?

– Je devrais dire : de bien mieux me comprendre que je ne te comprends. Mais, en vérité, je te remerciais aussi pour ce merveilleux voyage. Je n'oublierai jamais ces journées passées ensemble.

– Moi non plus. Il n'y a pas eu un instant où je n'aie voulu te le dire. Mais je suis toujours aussi curieuse : qu'est-ce qui est vrai ? Ton histoire avec Martin ou bien celle avec ton chef ?

– Les deux. Et ni l'une ni l'autre ne sont exactement comme vous vous les imaginez. Tu es une femme intelligente.

– C'est bien ce que je ne cesse de répéter, répondit Jettel qui, tout en riant, ramassa une petite pomme et la lança en l'air. Seul ton père ne l'admettra jamais. Il manque totalement de psychologie. Et pourtant, bien que je sois déjà en train de m'énerver à son sujet, je pense toujours à lui avec joie. Je parie qu'il n'a pas envoyé Max une seule fois se coucher à l'heure.

Elle avait rarement eu autant raison. Expédier Max au lit avant d'aller lui-même se coucher aurait donné à Walter l'impression de gaspiller son temps libre de manière coupable. Alors qu'il éprouvait souvent une certaine honte en raison de l'étroitesse de ses liens avec sa fille, y voyant de l'injustice à l'égard de Max, il était en train de découvrir son fils sous un jour nouveau. Durant ces deux semaines de vie en tête à tête, il se rendit non seulement compte que Max n'était plus un enfant, mais il constata aussi qu'il était doté du même humour que lui, qu'il prenait autant de plaisir que lui à se livrer à des plaisanteries ou à des provocations, voire à user d'un langage grossier, et qu'il avait, comme lui, l'habitude de dissimuler ses émotions sous une apparente froideur difficilement acceptable par autrui. La découverte d'une telle affinité le remplit de bonheur. Quand il se retrouvait avec Max, il ne se fatiguait pas aussi vite que d'ordinaire et ses idées noires le laissaient en paix. Il éprouvait une grande joie à constater que ce fils si gai et si intelligent, doté d'un sens si développé pour la langue et l'ironie, prenait visiblement un véritable plaisir à converser avec lui.

Pas un seul jour durant ces deux semaines, Walter ne manqua une occasion de démontrer à Max combien la vie était riante, simple et harmonieuse quand les hommes n'étaient pas obligés de tenir compte des femmes et de leur propension à se préoccuper au mauvais moment de choses qui leur empoisonnaient la vie. Pour la première fois, il se dessina entre le père et le fils le même rapport intime de complicité tacite que celui qui, jadis, à la ferme, unissait Walter à sa fille.

Quand Walter était seul avec Regina, à Ol'Joro Orok, il s'efforçait toujours d'organiser la vie différemment. Il l'autorisait à ne pas se laver une semaine entière et à rester debout, le soir, jusqu'à ce qu'elle s'endorme devant l'âtre et qu'Owuor la porte alors dans son lit. Maintenant, c'est Max qu'il incitait à rompre avec les conventions, à faire tout ce que Jettel n'appréciait pas et à parler de choses qui, d'ordinaire, n'étaient pas évoquées en sa présence.

Assis dans la baignoire, Walter écoutait Max lui réciter son vocabulaire de latin pour le lendemain ; il lui expliquait le théorème de Pythagore en utilisant, comme matériel de démonstration, un morceau de savon, une brosse et un gant de toilette, puis il lui exposait des problèmes politiques, la nature de l'antisémitisme et la conduite à tenir s'il faisait de son père un grand-père avant l'heure. Il permit à Max de dormir dans le lit conjugal, de l'accompagner à la prison et de le rejoindre à l'étude à la sortie des cours. Là, plongé dans les dossiers de divorce, son fils alimentait sa soif de vivre.

À midi, ils mangeaient debout chez un boucher pour lequel Walter venait d'introduire une demande de divorce et dont il partageait les opinions non seulement à propos de l'infidélité conjugale, mais aussi sur ce qu'il fallait entendre par de « bonnes côtelettes ». Ils achetaient de la saucisse au curry à un kiosque, allaient chercher des têtes de nègre pour le dessert et les mangeaient assis sur un banc du parc, devant l'étude. Un jour, Walter demanda à son fils s'il ne préférerait pas rester avec les garçons de sa classe.

– Non, répondit Max, loin d'eux je me sens en vacances.

À deux reprises, la chaleur ayant été particulièrement forte, ils mangèrent sous les arbres du *Kaiserkeller*, un restaurant chic où ils mirent le serveur dans un grand embarras en quittant leurs chaussures et leurs chaussettes, et dans un embarras plus grand encore lorsque Walter prétendit avoir perdu son portefeuille. Pour son vélo, il acheta à Max une sonnette qui imitait le klaxon des voitures et, pour lui-même, une chaîne lui permettant de faire directement glisser ses lunettes de son nez jusque sur sa poitrine. L'opticien leur raconta qu'il n'existait jusqu'ici de telles chaînes qu'en Amérique : ils s'aperçurent aussitôt que c'était vrai, car les gens, dès qu'ils voyaient les lunettes de Walter se balancer en travers de sa poitrine, s'arrêtaient et riaient sous cape.

Par ailleurs, les championnats du monde de football battaient leur plein et, au bout de deux semaines d'images papillotantes, de reportages hurlés sur un mode strident, d'émotions et d'inquiétude permanente quant à la forme physique et aux résultats du formidable onze national, Walter avait acquis des connaissances suffisamment approfondies pour pouvoir, aussi fort et avec autant d'indignation que son fils, envoyer au diable les arbitres et les joueurs qui compromettaient la victoire et l'honneur de l'Allemagne. Sans qu'il s'en doute, il était sur le point de faire une découverte qui allait le toucher au plus profond de son être. C'était le jour, attendu dans la fièvre et la tension, où allait se jouer entre la Suède et l'Allemagne l'accession à la finale. Au début du match, Walter regarda le duel comme si, sa vie durant, il ne s'était intéressé à rien d'autre qu'à des coups francs, des corners et des penalties. À la grande satisfaction de Max, il partagea tout à fait son enthousiasme quand l'équipe allemande, dont Walter connaissait maintenant chacun des joueurs par son nom, réussit une attaque étonnante. Pourtant, il perdit de sa concentration plus rapidement qu'à l'occasion des matches précédents, car la journée n'avait pas été bonne pour lui, avec la perte d'un procès et une querelle avec un juge qu'il avait ressentie comme une humiliation.

Il fit tout d'abord de très gros efforts pour ne pas décevoir Max en lui laissant voir qu'il était distrait, mais les images finirent par se brouiller quelque peu devant ses yeux, avant de perdre toute importance pour lui. Finalement, seules ses oreilles trouvèrent un aliment pendant cette retransmission. Avec une force d'attraction à laquelle il ne parvint bientôt plus à s'arracher, les sons qu'elles captaient se transformaient en des bruits familiers qu'elles n'avaient jamais oubliés. Au fil du match, les cris d'encouragement « *Heia! Heia!* » que les spectateurs suédois hurlaient avec une régularité monotone, lui rappelaient invinciblement les tambours dans la forêt d'Ol'Joro Orok.

Ayant un bref instant autorisé ses yeux à entreprendre le voyage, Walter se vit au bord du grand champ de lin. Il vit aussi Regina lancer son chapeau en l'air et s'allonger sur la terre rouge et luisante pour capter les messages transmis par le sol, il entendit crier les singes noirs à la crinière blanche, puis Owuor rire. Pareil à un coup de tonnerre assourdi, l'écho rebondit contre la montagne. Ils étaient trois dans l'éclair éblouissant, et ils hurlaient d'une même voix en direction de la forêt, signalant ainsi que le message des tambours était arrivé jusqu'à eux.

– *Heia! Heia!* se mit à crier Walter d'une voix sombre, confronté à ces images.

– Tu n'as pas le droit de crier « *Heia!* », lui reprocha Max, c'est de la trahison.

– De la haute trahison, le corrigea Walter. J'essaie seulement de chasser l'ennemi en faisant du bruit. C'est comme ça qu'on agit quand on fait la guerre. Je le sais depuis notre combat contre les sauterelles.

Il n'arriva néanmoins pas assez rapidement à émerger d'un monde qui, rétrospectivement – pour l'unique raison qu'il était, à l'époque, jeune et en bonne santé –, lui laissait l'impression d'avoir eu, fort brièvement, une existence harmonieuse. Mais le même mouvement qui lui faisait retrouver le souvenir de sa force encore intacte, le replongea dans les affres qu'il avait connues en Afrique : comme s'il venait à l'instant de quitter l'Allemagne pour l'exil, il ressentit la douleur aiguë de la blessure encore béante que lui avait infligée alors, en le chassant, une patrie dont il gardait au cœur une éternelle nostalgie.

Cette lutte contre des souvenirs qui l'entraînaient dans des directions divergentes, enflamma ses sens. Il poussa un profond soupir pour éteindre ce feu et, du même souffle, étouffer l'angoisse de n'avoir finalement pas retrouvé en Allemagne la patrie dont il avait porté le deuil en Afrique. Effrayé, il mit la main devant sa bouche afin de ne pas laisser se répéter une manifestation de résignation aussi accablante, mais, tout à coup, il se rendit compte que c'était son fils qui avait gémi. Soulagé, il ouvrit les yeux et regarda Max.

– Ce salaud a expulsé Juskowiak, s'écria Max.

– C'est un des nôtres ?

– Enfin, papa, tu sais quand même bien qui c'est, Juskowiak ! Comment on va faire pour gagner maintenant ?

La dureté de ces trois syllabes ayant exercé sur lui une étrange fascination, Walter chercha désespérément, un très bref instant, ce que lui rappelait ce nom de Juskowiak. Il revit en pensée Sohrau, la maison paternelle sous les tilleuls, les rues, les places, les gens et les scènes ; il finit par se souvenir de la campagne électorale pour le référendum, au lendemain de la Première Guerre mondiale, et du fanatisme avec lequel, jeune homme encore, il s'était battu pour que son pays natal demeure allemand. Il s'entendit discourir d'un ton sans concession, tranchant, sur la culture et la patrie allemandes, la fidélité, l'honneur et l'esprit de sacrifice. Il tenta de se rappeler ce qu'il éprouvait en prononçant ces paroles, de retrouver les visages des jeunes gens qui avaient milité avec lui pour cette cause perdue ; mais aucun nom ne lui revint en mémoire : seules lui revinrent les images floues de visages emplis de détermination, d'ardeur et de haine. Il se surprit soudain à envier les amis d'autrefois, à envier aussi le jeune homme qu'il avait été, le confort que conférait la conviction de défendre la seule cause juste.

— Fritz Walter est blessé. Merde, il peut pas continuer. Il sort du terrain en boitant. C'est ce salopard de Suédois qui a fait faute contre lui. C'est dégueulasse ! hurlait Max. Mais regarde un peu cette vacherie, papa !

Walter sentit aussi une brûlure dans ses yeux en voyant s'inscrire dans le visage rouge et bouffi de son fils les traces de l'ardeur et de la haine qu'il venait à l'instant de se remémorer. Ce reflet de sa propre jeunesse lui fut désagréable. Il éprouva le besoin de se mettre définitivement à l'abri d'un malentendu dont il considérait soudain qu'il n'avait été, une vie durant, qu'une illusion, de ces illusions qui rendent l'homme aveugle. Quelque chose le poussait à dire au jeune homme de jadis que l'idée de patrie n'était qu'une chimère, mais, tout à coup, il fut incapable de savoir si sa mise en garde s'adressait à lui ou à son fils.

— On ne joue plus qu'à neuf ! s'écria Max. Maintenant, on est fichus.

Ce fut le désespoir perceptible dans la voix enfantine qui chassa les spectres. Enfin délivré, Walter vit Max se mordre les lèvres et serrer les poings. Il reconnut aussitôt ces signes qui le bouleversèrent davantage encore que la plongée dans son passé. Walter éprouva une immense délivrance en prenant soudain conscience que le fils avait trouvé la patrie qui ferait désormais à jamais défaut au père.

— C'est vraiment chouette, le football, dit-il.

— Mais tu passes ton temps à dormir, se plaignit Max.

— Un père ne dort jamais. Il réfléchit. Prends bonne note de ça, mon fils préféré.

Le match fut gagné par les Suédois sur le score de trois buts à un. Max était déjà au lit qu'il répétait encore que la fin des espoirs allemands était une tragédie et qu'il ne trouverait plus l'occasion de rire de toute sa vie. Mais il ne tarda pas à en trouver une quand Walter, en pyjama, se mit à agiter un parapluie en criant «*Heia! Heia!*», et en proposant de se passer le visage au cirage noir.

Le lendemain matin, deux heures avant l'arrivée du train spécial en provenance du Tyrol, Walter et Max se rendirent au grand magasin *Kaufhof* pour accueillir Jettel avec un nouveau faitout. Il était plus haut et beaucoup plus grand que l'ancienne marmite abandonnée à Leobschütz, lors du départ pour l'exil; il avait des poignées brillantes et il étincelait comme une coupe d'argent. Walter le dressa au-dessus de sa tête et la jeune vendeuse, se passant la langue sur les lèvres, dit d'un ton connaisseur :

— Vous avez bien choisi. De l'authentique acier suédois!

— De l'acier suédois! la reprit Walter en imitant sa voix haut perchée; puis, claquant le couvercle sur l'ustensile, il demanda de manière à être entendu de chacun: mais vous n'êtes donc pas au courant de ce qui vient de se passer? Vous n'allez tout de même pas croire qu'un Allemand qui se respecte va faire cuire sa soupe dans une casserole de Suède? Je ne suis pas un traître à ma patrie.

— *Heia! Heia!* s'écria-t-il, à nouveau à pleine voix.

Les clients se pressaient autour de lui, le regardant avec amusement ou curiosité, certains même avec admiration. Il lança encore deux «*Heia!*» sonores dans le grand hall; cette fois, la petite foule qui l'entourait scanda en chœur et l'applaudit à tout rompre.

— C'est formidable, ce que tu as fait, lui dit Max, plein d'admiration, quand ils arrivèrent sur le quai de la gare. Je n'aurais pas le courage de crier comme ça devant tant de gens.

— Nous autres Allemands, nous ne nous laissons pas monter impunément sur les pieds, gloussa Walter. Nous marchons de nouveau la tête haute.

Le train venant d'Innsbruck entra en gare de Francfort avec deux minutes d'avance. C'est ainsi qu'il n'eut pas l'occasion d'expliquer à son fils la différence entre courage et arrogance, ni de lui dire ce qu'il avait eu l'intention de lui faire comprendre, la veille, après le dernier but suédois.

21

C'est à la mi-novembre seulement qu'une journée inhabituellement froide vint clore l'exceptionnelle période de soleil et de douceur qui avait si longtemps transfiguré ce début d'automne. Le vent cinglant, la pluie, des averses de grêle et une chute brutale de température contrastaient à ce point avec la clémence de la veille que Walter perdit l'espoir qu'il lui suffirait de s'habituer au changement de temps pour, par la seule force de sa volonté, traverser l'hiver sans encombre. À peine quittait-il la maison qu'il ressentait dans un bras les tiraillements qu'il avait appris à interpréter depuis sa première crise cardiaque ; la nuit, il était pris d'une toux si violente qu'il lui était impossible de rester couché et qu'il souffrait le martyre jusqu'au petit matin, dans le fauteuil à oreilles du salon ; quand il marchait, il perdait le souffle dès les premiers pas. Comme il n'avait même plus assez d'énergie pour contredire Jettel avec l'à-propos qu'il fallait, il se retrouva, trois jours plus tard, bien qu'il se sentît justement beaucoup mieux cet après-midi-là, dans le cabinet de consultation du professeur Heupke.

Il y avait, dans un vase de marbre vert clair, un bouquet d'asters qui, très malencontreusement en une pareille circonstance, le fit songer à une urne funéraire ; il regardait les fleurs avec irritation, comme si elles avaient été responsables, et non l'homme derrière son bureau, de la désagréable nouvelle qu'il venait d'apprendre. Il avait déjà trouvé que l'examen auquel on le soumettait était bien trop approfondi pour un état qu'il qualifiait une nouvelle fois – et, trouvait-il, de manière très appropriée – de « petite indisposition passagère ».

Ce qui contrariait Walter, plus encore que l'examen, c'était ce que venait de lui proposer le professeur Heupke, avec son ton de gravité et son visage impénétrable. Furibond, Walter interprétait cette attitude comme un des moyens éprouvés, mis en œuvre par une corporation qu'il n'estimait guère, pour faire passer un malade d'un état d'abattement momentané à un comportement de soumission dont, à son avis, tout médecin, depuis Hippocrate, avait besoin pour exercer son art de manière crédible.

Écœuré, il détourna le regard, se concentrant quelques secondes uniquement sur les grosses gouttes de pluie collées aux vitres. S'étant enfin retourné, il donna un léger coup de poing sur la table, gardant l'autre main serrée dans la poche de sa veste. Il fit un signe de tête et raidit les épaules pour indiquer qu'il venait tout de même de trouver une réponse à la question qui lui avait été posée deux minutes auparavant. Se sentant soudain libéré et réconcilié avec son sort, il eut la certitude d'avoir encore assez de cœur et d'énergie pour résister comme à son habitude. Il fut ravi de ce jeu de mots involontaire qu'il garda pour lui. Il rit avec un soupçon de plaisir, se disant qu'il tombait particulièrement à pic.

— Cette fois, vous ne m'aurez pas, déclara-t-il avec une netteté un peu forcée, personne ne me forcera à entrer dans votre hôpital.

— Mais vous savez pourtant bien comment les choses se passent. C'est une simple question de routine, objecta le professeur Heupke avec patience, c'est juste pour vous remettre en état de marche.

Le médecin mobilisa tout l'aplomb dont il était capable pour arriver à sourire le plus innocemment du monde, tout en s'étonnant d'éprouver encore pour Walter la sympathie qu'il lui manifestait depuis sa première consultation, quelques années plus tôt.

— Trois ou quatre jours à l'hôpital vous feront le plus grand bien.

— C'est aussi ce que vous avez dit la dernière fois, le contredit Walter. Les médecins ne s'aperçoivent-ils donc jamais qu'ils ne savent plus à quel saint se vouer ? Vous n'allez pas me mettre un moteur tout neuf.

— Non, mais ramener à la normale votre taux de sucre, commença le professeur. Et renforcer votre cœur. Et veiller aussi à ce que vous preniez un peu de repos. Je ne vous en demande pas plus. Laissez donc une fois à un médecin la chance de venir en aide à un patient auquel il est très attaché, proposa-t-il.

— Pas de flatteries, répondit Walter d'un ton sévère.

Si l'obstination du médecin l'irritait, parce qu'il la trouvait en tout point comparable à la sienne, ce qui le rendait plus furieux encore, c'était d'avoir dû entendre Jettel énumérer ses douleurs avec une minutie qu'il aurait très volontiers acceptée en des circonstances plus favorables, mais surtout de l'entendre commenter chacun des propos du professeur de la phrase qu'il détestait entre toutes :

– C'est ce que je ne cesse de lui dire.

– Après Noël, dit Walter d'un ton triomphant, j'aurai tout le temps qu'il me faudra. Mais, depuis peu, messieurs les médecins se sont mis à partir eux aussi en voyage et se soucient de leurs malades comme d'une guigne.

– Pas moi.

– Vous fêterez bien entendu la Saint-Sylvestre au chevet de votre patient préféré.

– Pour ce qui est de la Saint-Sylvestre, promit le professeur, ne vous faites pas de souci. Vous quitterez l'hôpital et vous réveillonnerez avec madame votre épouse. Mangez autant qu'il vous plaira et je reprendrai tout à zéro dès le début de la nouvelle année, sans un seul mot de reproche.

– Je vais y réfléchir, répondit Walter. Mais uniquement parce que je viens de vous entendre faire votre première plaisanterie depuis que nous nous connaissons. Ne vous faites cependant pas trop d'illusions et n'espérez pas que je vais tirer ma flemme ici.

– Ne vous faites pas trop d'illusions non plus, si vous refusez qu'on vous aide. Et là, je ne plaisante plus.

– Deux plaisanteries le même jour, ce serait trop, en effet.

Durant les nuits d'insomnie qui suivirent la visite chez le médecin et au fil de journées qui lui parurent n'avoir ni début ni fin, Walter ne tarda pourtant pas à reconnaître – *in petto* en tout cas – que l'amélioration de son état n'avait été que de courte durée. Son entêtement n'en continuait pas moins d'entretenir en lui l'espoir que son corps, une fois de plus, se sortirait d'affaire tout seul. Il n'avait l'intention ni de se faire hospitaliser, ni de se préoccuper plus longtemps de la proposition du médecin. Mais ni Jettel ni Regina ne le laissèrent tranquille.

Pendant quatre longues semaines, elles menacèrent, supplièrent, pleurèrent et se disputèrent avec Walter. Elles le traitèrent de tous les noms et se firent traiter de même ; puis elles se réconciliaient avec lui,

lui promettant d'aller le voir deux fois par jour à l'hôpital et de transmettre la consigne d'en faire autant à toutes leurs connaissances. Elles lui jurèrent même de lui apporter des cigarettes et du chocolat, et de ne pas protester s'il se faisait amener des dossiers de l'étude. Jettel en appelait à la raison de Walter avec autant d'insuccès que Regina à son esprit de responsabilité. Dans un ultime espoir de parvenir à le convaincre de la nécessité d'une hospitalisation, Jettel alla jusqu'à faire intervenir Fafflok, mais il dut lui aussi s'avouer vaincu. Pour finir, ce fut Ziri qui accomplit le miracle à un moment où plus personne n'y croyait. Elle fit changer Walter d'opinion d'une seule phrase :

— Je croyais, dit-elle une semaine avant Noël, que vous vouliez être là pour assister à la grande fête de votre fils.

— De toutes les bonnes femmes de la maison, Ziri est la seule qui ait un peu de jugeote, déclara Walter le soir même. Car, tout de même, quand le père vient de décéder, on ne fête une bar-mitsva que dans un cercle très restreint. Il faut que je tienne jusqu'en mars. Je le dois à mon fils unique. Comment avez-vous pu penser une seconde que je n'irais pas à l'hôpital ?

Cette reculade, dont il affirma en ricanant qu'elle n'était qu'un jeu que tout homme doté d'une once d'humour aurait aussitôt percé à jour, transforma d'un seul coup la vie de tout le monde. Ses disputes avec Jettel portèrent de nouveau sur les choses banales de la vie quotidienne et elles avaient perdu toute âpreté. Walter taquinait Max et Ziri avec un plaisir retrouvé, mais, surtout, il avait rétabli avec Regina une relation complice dont la disparition avait pesé à l'un comme à l'autre.

La toux et l'humeur de Walter s'améliorèrent avec une rapidité stupéfiante après le coup de fil passé au professeur Heupke, dont il apprécia l'accueil sympathique comme s'il lui était effectivement dû. Ses explosions de colère s'espacèrent et son agressivité blessante s'effaça au profit des blagues cocasses qui le réjouissaient tant. Regina se prit même à penser qu'il n'allait pas tarder à déclarer que, en définitive, il n'irait pas à l'hôpital, mais elle se trompait.

Les jours où il se sentait particulièrement bien, après avoir soufflé un petit moment dans l'escalier, au deuxième étage, il se mettait à siffloter *J'ai perdu mon cœur à Heidelberg* et appelait Ziri «Owuor», un nom qu'elle n'arrivait toujours pas à prononcer correctement. De plus en plus souvent, avec une impatience joyeuse, il parlait de la bar-mitsva de mars prochain, échafaudant des projets très concrets, en totale opposition avec le sens de l'économie et la modestie qui le caractérisaient habituellement.

À son fils, il promit une fête dont on parlerait encore à Francfort plusieurs années plus tard, à sa femme une nouvelle robe provenant de l'une de ces petites boutiques où, depuis peu, il était de bon ton de faire ses emplettes chez ces dames. Le soir, il établissait de longues listes d'invités qu'il rallongeait encore, tout heureux, le lendemain matin. Elles comprenaient la plus grande partie de la communauté juive, mais aussi des collègues, des juges, des procureurs et de bons clients. Il n'y manquait ni les Haut-Silésiens, ni les camarades de l'ancienne association étudiante dont plusieurs étaient revenus en Allemagne ces dernières années. Il prévoyait que Greschek dormirait au salon et Grete dans le jardin d'hiver. Un soir, il proposa d'inviter Martin. Regina s'y opposa, mais son père était déjà trop séduit par son propre projet pour voir clair dans le jeu de sa fille. Il tomba dans le panneau et écrivit en Afrique du Sud.

Pour l'anniversaire de leur mariage, il offrit à sa femme le collier de perles dont elle avait envie depuis des années. Le lendemain, le soir de Noël, il lui reprocha de vouloir répartir sur deux repas la carpe et l'oie rôtie, et il le fit sur un ton de violence tel qu'elle lança le collier sur la table de la cuisine d'un geste théâtral, menaçant de ne plus jamais le porter et de mettre au four sans la plumer l'oie que Greschek avait expédiée depuis le Harz. Mais même cette révolte de Jettel – authentique tradition des jours de fête, tout comme le gâteau au miel qu'elle avait réussi à confectionner à la ferme africaine, quand il n'y avait pas de miel – ne parvint pas à altérer durablement la bonne humeur générale.

– À Noël, aimait à dire Walter depuis qu'était révolue l'époque des restrictions, les Juifs ont eux aussi le droit de manger à leur faim.

Il prétendait l'avoir appris dans sa jeunesse, durant sa préparation à la bar-mitsva, et les jours de fête lui procuraient donc un plaisir tout particulier. Cet homme qui avait très tôt enseigné à ses enfants à ne s'identifier qu'à leurs propres fêtes religieuses, qui n'acceptait pas la moindre branche de sapin chez lui et qui reprochait à Jettel, depuis leurs fiançailles, le sapin de Noël que sa mère avait dressé dans son salon, était pourtant le même que celui qui ne voyait rien de mal à mêler sa voix aux chants de Noël retransmis par la radio ou, le 25 décembre, à s'asseoir sous l'arbre somptueusement décoré des Fafflok et à se bourrer de *Stollen*[1] jusqu'à en avoir la nausée.

Il ne lui serait jamais venu à l'idée de renoncer aux harengs hachés menu, aux cous d'oie farcis, à la sauce à la bière accompagnant la carpe, ni aux boulettes au pavot qui lui rappelaient ses Noëls en haute Silésie. Il prit un kilo et demi durant ces deux ou trois jours et, quand Jettel, les fêtes passées, fit sa valise pour l'hôpital, il était de bonne humeur, presque exubérant.

Pour y avoir déjà effectué quelques séjours, Walter ne se sentait pas dépaysé dans l'hôpital du Saint-Esprit. Surtout, et c'était pour lui le plus important, la plupart des infirmières le connaissaient et, cette fois encore, elles l'accueillirent avec une chaleur qui lui fit du bien. Ayant fini parcomprendre que les manières souvent grossières de Walter n'étaient qu'un camouflage de sa bonté, elles acceptaient de bonne grâce ses taquineries, ses plaisanteries et ses blagues, manifestaient de la compréhension pour son naturel impatient, souvent injuste, et ne se laissaient jamais prendre à ses manières brusques quand de petits riens lui déplaisaient.

Toutes appréciaient ses compliments sans-gêne et ses pourboires généreux, les infirmières aux cheveux grisonnants comme celles aux hanches solides ou à la taille de guêpe. Elles le trouvaient nature, et l'amour qu'il portait à sa famille et l'amour que celle-ci lui rendait les touchaient beaucoup. Elles éprouvaient surtout le plus grand respect pour un patient que l'infirmière en chef connaissait si bien qu'elle venait chaque soir lui rendre visite, s'entretenant longuement avec lui. Le dernier jour de l'année, elles trouvèrent quasiment toutes une occasion de venir lui présenter personnellement leurs meilleurs vœux.

À toutes, il promit de veiller sur sa santé, de revenir avec de meilleurs taux de sucre et des boulettes au pavot pour tout le service et, d'un ton bougon, il fit jurer le silence à chacune de celles qui auraient pu faire état de sa générosité. Il avait demandé à l'infirmière en chef d'offrir à ses frais du mousseux et des petits pains garnis dans une des salles de six lits, et il avait glissé en cachette l'argent du voyage à une

---

1. Gâteau de Noël traditionnel en Allemagne, à la pâte d'amandes et aux raisins secs *(NdT)*.

élève infirmière dont les parents, originaires de Ratibor, habitaient à présent Göttingen.

Walter donna à deux médecins et à l'infirmière en chef l'assurance solennelle qu'il prendrait un taxi pour retourner chez lui, mais il se faufila hors de l'hôpital immédiatement après le déjeuner, alla chercher sa voiture dans une rue latérale et rentra à la maison en chantant. Comme on ne l'attendait pas avant le courant de l'après-midi, il ne put résister à la tentation d'effrayer davantage encore sa famille qu'il ne l'aurait de toute façon fait en sonnant avant l'heure à la porte de la maison. Il ouvrit avec sa clé la porte de l'appartement en poussant un mugissement dont seul Owuor était capable, à Ol'Joro Orok, quand il obligeait la montagne à lui renvoyer un triple écho; puis il lança son chapeau sur la table de la cuisine en manquant de peu la tête de Jettel, donna des coups de poing dans le dos à Regina et expédia Max à la droguerie du coin pour y acheter des bougies magiques, des serpentins, des bonbons à pétard, du plomb et un pain de sucre.

— Tu deviens de plus en plus timbré, le gronda Jettel, sans pourtant dissimuler qu'elle était heureuse.

Au terme d'une discussion enfiévrée de trois jours, elle avait fini par se laisser convaincre de préparer cette fois la salade de pommes de terre exactement comme à Leobschütz, sans même renoncer à y mettre le hareng que ni Walter ni Regina ne digéraient bien.

Il la goûta debout, avec de forts claquements de langue, s'essuya la bouche au rideau de la cuisine qu'on venait de laver, gratifia Jettel d'un tendre « ma vieille » et l'embrassa.

— Dommage que Ziri, aujourd'hui, ne puisse pas être de la fête avec nous, dit-il en faisant semblant de ne pas entendre les gloussements sortant du placard à balais.

Puis il la tira de sa cachette et la serra contre lui en soupirant :

— Vous n'avez pas idée de la joie que vous procurez à un vieil homme comme moi.

— C'est bien pour ça que je suis revenue dès aujourd'hui.

— Avez-vous avoué à votre mère que vous aviez une liaison avec votre patron ?

— Oui, répondit-elle en riant, mais elle ne m'a pas crue.

— Je ne suis pas un père fait de la même pâte, dit Walter d'un ton insistant en regardant Regina. Si ma fille me racontait quelque chose de ce genre, je la croirais aussitôt.

Après le dîner, bien que la température ait été particulièrement clémente ce jour-là, Walter insista pour qu'on sacrifie au punch traditionnel, la *Feuerzangenbowle*, puis pour qu'on essaie les cinq premières bougies magiques. Heureusement pour le reste de la soirée de réveillon, il avait suffi d'un demi-verre de la boisson trop fortement alcoolisée pour rendre Jettel incapable de déterminer qui avait troué et brûlé le nouveau voilage de la fenêtre du salon et elle se contenta de se lamenter quelques minutes. Walter accusa son fils d'un air menaçant et Max son père d'un ton tout aussi irrité. Avec un rien de mélancolie qui, instantanément, lui fit battre le cœur à toute allure, Regina constata que son frère était déjà parfaitement rompu au jeu auquel elle s'était si longtemps livrée : ouvrir de fausses pistes tout en ne se ménageant pas soi-même.

Selon une vieille coutume anglaise, elle avait caché une pièce de monnaie dans un des beignets de la soirée. Celui qui la trouverait bénéficierait à l'avenir de toute la santé et de tout le bonheur possible, mais, de manière très peu britannique cette fois, Regina avait, dès la cuisson, contrevenu aux règles du fair-play et battu en brèche l'égalité des chances, dotant le beignet fatidique d'un raisin sec particulièrement gros. S'empressant de poser un beignet dans chaque assiette, elle glissa le porte-bonheur dans celle de son père.

– C'est bien des Anglais, ça, jura Walter en recrachant la pièce de cinquante pfennigs, considérer comme un heureux présage le fait de se casser une dent la nuit de Noël.

Mais on pouvait lire sur son visage qu'il était peut-être immunisé contre toute espèce de sentimentalité, mais pas contre la superstition.

Au jeu du plomb fondu [1], Ziri sortit du récipient un morceau informe dans lequel Walter, galant, reconnut une calèche de mariés ; pourtant, Regina ayant fondu une figure à peu près semblable, il ne fit pas preuve de la même bienveillance :

– Là, dit-il, chacun voit bien que ce truc est une valise gigantesque. Je présume que tu as l'intention, l'année prochaine, d'abandonner ton vieux père pour toujours. Comme la fille d'Hamlet.

---

1. Dans la nuit précédant le Nouvel An, il est de tradition, dans les familles allemandes, de tenter de lire l'avenir dans les dessins formés par le plomb fondu qu'on jette dans de l'eau *(NdT)*.

– La fille de Lear, le corrigea Regina. Hamlet est mort célibataire.

– Il était donc amoureux de quelqu'un qui ne l'aimait pas ?

– Oui, d'une fille d'Afrique du Sud.

L'unanimité se fit pour décréter que le morceau de plomb de Jettel représentait un ramoneur ; dans celui de Max, au terme d'une longue réflexion, on ne put voir mieux qu'une espèce de pot.

– Avoir du pot, s'enthousiasma Regina en s'efforçant de ressembler à la fée de son enfance, c'est ce qu'on peut espérer de mieux au jeu du plomb fondu.

– Ne dis donc pas de bêtises, la contredit Walter, cela signifie simplement qu'il te faudra, mon fils, dans l'année qui vient, payer toi-même les pots que tu auras cassés.

Il fit fondre son plomb en dernier, se pencha très bas au-dessus du récipient rempli d'eau et en sortit une petite plaque rectangulaire. Avant que personne ait pu l'examiner sérieusement, il la prit dans sa main et dit :

– Pauvre type que je suis, qu'est-ce que je pourrais fondre d'autre ? C'est un cercueil.

Ziri se signa et devint toute pâle ; Jettel et Regina rougirent de fureur ; Walter demanda à son fils si lui, au moins, savait pourquoi les femmes n'avaient pas d'humour. Max secoua la tête, roula des yeux désemparés, murmura : « Cheveux longs et idées courtes », puis il se leva et, se plaçant derrière son père, il l'entoura de ses bras.

Une demi-heure avant minuit, Ziri monta chez les locataires du quatrième étage pour leur souhaiter une bonne année et leur faire goûter les boulettes au pavot de Jettel. Elle n'était pas partie depuis dix minutes que Walter, sans que personne ne le remarque, téléphona chez eux, demandant, d'une voix déguisée, à parler à Ziri ; il chuchota alors dans l'appareil :

– Descendez tout de suite, M. Redlich vient de mourir.

Coiffé d'un bonnet qu'il s'était fabriqué avec le papier bariolé d'un bonbon à pétard, Walter, sur le palier, accueillit en gloussant une Ziri en sanglots, flanquée du jeune couple du quatrième, complètement bouleversé. Mais il eut plus de difficulté qu'il ne l'avait escompté à expliquer les tenants et les aboutissants de l'affaire à Jettel, à Regina et à Max, et à les calmer pour qu'ils finissent par lui pardonner et par entrer dans la nouvelle année les yeux secs. Il n'en persista pas moins à prétendre que, de toute sa vie, il n'avait encore jamais fait de plaisanterie aussi réussie. Cinq minutes avant les douze coups de minuit, il entonna *Auld Lang Syne*. Il avait la voix forte et claire.

Effrayée, Regina regarda son père sans arriver à se persuader qu'elle entendait bien ces sons qui lui avaient été si familiers, mais qu'elle avait oubliés depuis longtemps. Elle vit de minuscules étoiles se fondre en une boule brillante et tourner autour de ses sens en pleine confusion. Elle tremblait de tout son corps, elle avait les yeux brûlants, mais parvint à en chasser les grains de sel juste avant que les images s'enflamment avec la violence d'un feu de brousse bien nourri qui embrase une forêt entière. Le vieil air écossais empreint de mélancolie, cette mélodie déchirante qu'elle connaissait depuis sa scolarité dans un internat anglais, l'avaient toujours émue. Fouettés par un vent lourd et humide, les souvenirs se bousculèrent alors sans pitié dans sa tête : scènes d'une nuit tropicale, voix sous les citronniers et les goyaviers. La dernière fois qu'elle avait entendu ce chant, c'était pour la Saint-Sylvestre de 1946, à Nairobi.

Ce soir-là, les émigrés allemands avaient chanté *Auld Lang Syne*, à minuit, avec gêne et maladresse, pour au moins se prouver à eux-mêmes qu'après des années de quête désespérée de racines nouvelles au Kenya, ils avaient enfin trouvé leur patrie et qu'ils avaient cessé d'être des bannis. Avec une netteté effrayante, Regina revit les personnages auxquels elle n'avait plus songé depuis des années, faire la ronde en se donnant la main. Elle les entendit chanter et sentit de nouveau dans sa poitrine la pression d'un rire hâtivement étouffé au moment où la rude et gutturale prononciation allemande avait heurté ses oreilles. Seul Walter, qui avait appris cette chanson dans l'armée britannique, avait alors réussi à faire vibrer les syllabes et les vieux mots gaéliques, la mélancolie portée par les vents et le romantisme mystique. Elle avait éprouvé de la fierté pour le chevalier radieux dont la langue, en ce bref et merveilleux instant de plénitude, n'avait pas écorché l'anglais comme celle des autres étrangers.

Regina revit son père debout, en uniforme de *sergeant*, sous les arbres odorants d'Afrique. Les trois bandes blanches, sur la manche de sa chemise kaki, brillaient d'un vif éclat. Walter était mince, plus grand que la plupart de ceux qui l'entouraient, et il était jeune. Il avait le regard clair, les cheveux fournis et noirs. Il tenait la main de Regina, et la chaleur de son contact déchirait son cœur en deux, car elle savait qu'il ne pouvait rêver à rien d'autre qu'à un retour en Allemagne, retour qu'elle appréhendait tant. Quand elle avait entendu son père chanter si fort dans une langue qui n'était pas la sienne, elle avait pressenti pour la première fois qu'il omettrait de se protéger, en vue du départ, contre les souvenirs qui dérobent à jamais la paix de l'âme. Il s'était agi là d'un des nombreux moments, l'un des premiers sans doute, au cours desquels l'amour pour son père, simple lien à l'origine, s'était mué en une chaîne incassable et irrésistible.

La clarté du jour envahit peu à peu le ciel nocturne de Francfort, mêlant un vert étincelant et un rouge flamboyant. Les fenêtres ouvertes laissaient pénétrer le chant des cloches et le sourd grondement des coups de canon. Dans la rue, les voitures passaient en trombe en klaxonnant. Un chien glapit, des pigeons s'envolèrent. On entendait le vacarme des enfants qui, avec des hurlements, jetaient des pétards du haut des balcons. Une pluie dorée tombait dans les jardinets, devant les maisons, où elle finissait par s'éteindre. D'un claquement de mains, Regina entreprit de protéger ses oreilles contre les appels de son ancien monde, et elle ouvrit grands les yeux. La flamme sous la casserole de punch était bleue ; au plafond, les abat-jour en papier parchemin de la lampe à six bras diffusaient une douce lumière jaune. Sur la peau blanche de Jettel, le collier de perles neuf brillait de tous ses feux.

Mais la bougie magique que Walter agitait en poussant des cris de joie et des « Bonne année ! » retentissants conférait à son visage les couleurs empoisonnées de l'éphémère, avec toute la malignité d'un monstre à l'affût. Regina aperçut une peau grise, une noire tristesse dans ses yeux, de profonds sillons sur son front, des épaules voûtées d'avoir trop longtemps porté un fardeau excédant ses forces, un ventre légèrement proéminent, des bras amaigris, des doigts diaphanes aux jointures bleues. La douleur du retour au réel l'anéantit. Son père était un homme marqué par l'âge et la maladie. Elle savait qu'elle ne pourrait pas très longtemps supporter la vérité sans révéler, par un regard, qu'elle avait elle-même perdu l'espoir, espoir dont elle se sentait pourtant redevable à son égard puisqu'il l'avait, lui, totalement abandonné. Il prit alors à nouveau sa main dans la sienne, avec la même chaleur que dans les jours enfuis, avec le même tremblement magique dans les doigts, comme si rien ne s'était passé depuis la nuit où, à Nairobi, il était devenu son chevalier. La chaîne de l'amour se fit lourde et brûlante autour du corps de Regina. Walter se pencha au-dessus d'elle avec gaucherie, ses lèvres lui effleurèrent les cheveux et touchèrent son oreille ; la seule chose qui lui parut alors importante fut que personne, elle exceptée, ne l'entende dire :

– Merci.

– Mais qu'est-ce que vous êtes encore en train de faire comme messes basses ? leur reprocha Jettel.

– Nous ne faisons pas de messes basses, affirma Walter, vexé. Regina, je t'en prie, raconte sur-le-champ à ta jalouse de mère ce que je viens de te dire.

– Il voudrait une tartine à la sauce du rôti, mais il n'a pas osé te le demander, répondit Regina en prenant quelque liberté avec la vérité.

Tard dans l'après-midi de ce premier jour de l'année nouvelle, faisant des signes par la fenêtre du taxi et agitant joyeusement son chapeau, Walter repartit pour l'hôpital du Saint-Esprit ; il se sentait le corps ragaillardi par le rôti de lapin juteux préparé par Jettel et l'âme revigorée par une nuit dont il trouvait qu'elle avait été exceptionnellement réussie, dans une atmosphère aussi insouciante que stimulante. Il expliqua au chauffeur de taxi qu'il passait par principe ses congés à l'hôpital, puis se rendit compte, un peu affecté tout de même mais toujours de bonne humeur, que c'était effectivement ainsi qu'il commençait à percevoir le temps. L'odeur d'encaustique des longs corridors vint à sa rencontre ; elle lui fut agréable. La chaleur de l'endroit lui fit du bien, tout comme la vue des infirmières, dont les visages, encore marqués par les fatigues d'une longue nuit, s'éclairèrent quand elles lui souhaitèrent la bienvenue. L'infirmière en chef avait fait mettre dans sa chambre une branche de roses de Noël dans un verre bleu. Il caressa avec tendresse une fleur et, un infime instant, il ouvrit son cœur à la beauté ; il s'assit sur le lit fraîchement refait et constata qu'il n'avait plus de peine à délacer ses chaussures. En enfilant son pyjama, il sifflota à nouveau *Auld Lang Syne* ; la joie de vivre battait à ses tempes.

En même temps que la fatigue qui ne tarda pas à se faire sentir, il fut envahi d'un sentiment de satisfaction que son tempérament, toujours en révolte contre son corps affaibli, ne lui accordait que rarement. La tombée de la nuit le rendait d'humeur indulgente et confiante, bien que, depuis l'Afrique, il ressentît les minutes entre chien et loup comme trop longues et lourdes de menaces ; il ferma les yeux et s'endormit d'un sommeil profond de brève durée. Quand il se réveilla, frais et dispos, il aperçut le visage de Regina, répondit à son regard plein d'amour, pensa à la bar-mitsva de Max et prit la décision de faire en sorte que, pour le médecin, mais aussi pour lui-même, le temps qu'il lui faudrait passer à l'hôpital soit le plus agréable possible. Il entendit des pas dans le couloir et des heurts de vaisselle devant les chambres, et ces bruits familiers lui procurèrent une joie identique à celle qu'il éprouvait à la ferme, la nuit, quand il était capable d'identifier les sons avant qu'ils ne commencent à l'inquiéter.

La jeune élève infirmière à l'accent francfortois, dont les parents venaient de Ratibor et à qui il avait payé le billet pour rentrer chez elle, était de retour ; elle le remercia en lui apportant des boulettes au pavot faites selon une recette de sa grand-mère d'Hindenburg. Il lui parla, avec une foule de détails qu'il eut plaisir à raconter, d'un petit escroc qu'il avait jadis défendu devant le tribunal d'instance de cette localité et à qui il avait évité une peine de prison. La jeune fille à la blouse empesée découvrait de belles dents en riant, mais son regard et surtout son élocution ne pouvaient dissimuler à Walter que la haute Silésie était devenue un pays très lointain. Il soupira ; la jeune fille blonde et plantureuse lui demanda s'il souffrait.

– Pas là où vous le pensez, diagnostiqua-t-il.

Tard dans la soirée, l'infirmière en chef lui rendit visite en lui portant une pomme rouge bien astiquée, sur une assiette en bois finement veiné. Sa voix lui rappela celle de sa mère, la jupe noire dans la chambre blanche évoqua pour lui des angoisses qu'il s'efforça d'oublier, puis, retrouvant sa gaieté, il lui raconta sa plaisanterie de la nuit de la Saint-Sylvestre, la frousse qu'il avait flanquée à tout le monde.

– Mais vous savez bien, remarqua-t-il, les gens qu'on a un jour considérés comme morts vivent longtemps.

– Votre pauvre femme me fait de la peine, dit-elle.

– À moi aussi. De temps en temps, au moins. Mais j'ai pris la résolution de devenir un autre homme dans l'année qui vient. On a encore besoin du vieux bourricot.

L'idée de l'homme nouveau qui réussirait, grâce à sa volonté et à son sens des responsabilités, à se vaincre soi-même pour le bien de ceux qu'il aimait le séduisit tellement que, le lendemain, il s'en ouvrit au professeur Heupke. Le médecin vit alors s'offrir la chance qu'il attendait et lui dit :

– Restez donc encore dix jours chez nous. Vous verrez le bien que cela vous fera.

– Huit, marchanda Walter d'un ton résolu, je veux être chez moi le 9 janvier. En revanche, vous ferez de moi tout ce que vous voudrez pendant mon séjour ici.

Il tint parole, respecta presque sans se plaindre le régime diététique, observa de longs repos à la mi-journée, entretint des relations quasiment pacifiques avec Jettel et resta suffisamment loin des obligations de son métier pour ne s'énerver qu'une fois par jour. À la fin de la semaine, il sentit ses forces et sa confiance revenir. L'après-midi, il faisait une promenade d'une demi-heure dans le parc enneigé jouxtant l'hôpital, en compagnie de Jettel. Bien qu'ayant prétendu, la première fois, qu'il lui était impossible de faire un pas et qu'elle voulait seulement le tuer le plus rapidement possible pour dilapider en voyages les économies qu'il avait réalisées à si grand-peine, il n'eut ni crise d'étouffement, ni douleurs à la poitrine en dépit du froid. Il perdit un kilo et demi, et son visage retrouva des traits fermes et des couleurs. Le taux de sucre dans son sang s'améliorait – moins, pourtant, que l'humeur du médecin, dont l'enthousiasme devint tel qu'il évoqua l'éventualité d'une courte postcure à Bad Nauheim.

– Il faudra me passer sur le corps, répondit Walter.

Regina venait toujours voir son père après le travail, tard le soir. Elle lui apportait des journaux et des livres, et Walter se voyait confirmé dans une idée qu'il nourrissait depuis longtemps : sa fille si sérieuse et réfléchie se montrait beaucoup plus enjouée au journal qu'au foyer. Elle parlait de ses collègues ou de théâtre, rapportait des discussions, relatait des rencontres. Pour la première fois, laissant de côté ses réserves habituelles et ses remarques sarcastiques, Walter s'intéressa réellement au travail de sa fille ; un jour, il alla jusqu'à dire qu'elle excellait dans sa branche et à avouer qu'il ne considérait pas son métier aussi inconvenant pour elle qu'il l'avait toujours affirmé. Enfin, il concéda aussi – ce qu'elle savait depuis longtemps – qu'il lisait l'*Abendpost* au bureau et qu'il prenait plaisir aux articles de sa fille.

– Bien sûr, j'aurais préféré avoir un gendre, s'empressa-t-il de relativiser.

– Ne raconte donc pas d'histoires, *bwana*. Ça fait tout de même un bon moment que nous sommes tombés d'accord sur ce point. Tu ne m'aurais jamais accordée à un rival.

– Mais je t'ai enlevé ta liberté.

– Tu me l'as donnée.

Ils parlaient beaucoup d'Ol'Joro Orok et d'Owuor, ils refoulaient – tout heureux de leur habileté à le faire – les souffrances du passé et voilaient le présent dans une douce mélancolie dont ils auraient eu honte dans une autre atmosphère que celle d'un hôpital. Ils savouraient leurs longues conversations, leur intimité et, surtout, la certitude qu'ils étaient tout l'un pour l'autre. Durant ces longues heures de complicité, aucun des deux ne parvint jamais à donner le change à l'autre et à l'empêcher de s'apercevoir combien leurs souvenirs convergeaient infailliblement vers les hommes d'Afrique qu'ils avaient tant aimés, ces êtres qui acceptaient les maladies comme la volonté de Dieu et qui ignoraient la peur de l'avenir.

– Il est temps que je rentre à la maison, constatait Walter. Regarder derrière soi rend faible.

La nuit précédant son départ de l'hôpital, il dormit mal et se réveilla à 5 heures du matin. Il avait été rattrapé par l'impatience et l'inquiétude, par la soif de reprendre le travail, par le sens du devoir et l'urgence, par le besoin de prouver à lui et aux autres sa valeur, par l'envie de décider seul. Il lui fallait retrouver sa famille, son foyer et ses activités. Il réclama son petit déjeuner dès qu'il entendit le cliquetis du chariot de service dans le couloir ; il mangea hâtivement, récriminant contre le café trop clair et l'œuf trop cuit, il s'habilla et boucla sa petite valise bien qu'il ait convenu avec Jettel qu'elle ne viendrait le chercher qu'à 10 heures. Il se posta un court instant à la fenêtre, comptant les autos qui passaient dans la rue et s'irritant à l'idée que la sienne était devant chez lui. Il finit par sonner l'infirmière.

– Quand vais-je enfin pouvoir partir ?

– Ça alors ! Vous avez déjà fait vos bagages ! Le professeur veut pourtant vous voir une fois encore.

– Qu'il ne se donne pas cette peine, je lui enverrai une photo de moi.

– Il sera ici à 8 heures au plus tard. Il vous l'a promis expressément, pas plus tard qu'hier.

– Mais est-ce qu'il a une idée de ce que je dois faire jusque-là ?

– Ne soyez donc pas si impatient pour votre dernier jour ici, maître Redlich. Ça va vous faire du mal.

– C'est cette foutue attente, oui, qui me fait du mal.

– Il n'y en a plus pour très longtemps. Faites donc des mots croisés, proposa l'infirmière Martha, vous aimez ça d'ordinaire.

– C'est bien parce que c'est vous, grommela Walter, mais je proteste.

Il lui fallut quelque temps pour trouver son stylo, puis il chercha tout aussi longuement ses lunettes et finit par s'asseoir dans le fauteuil devant la fenêtre. S'accommodant de son inactivité forcée, d'un geste dont le caractère routinier lui apparaissait déjà comme un acte important de la vie quotidienne, il ouvrit le journal. Pendant un petit moment, il se demanda comment il se faisait qu'une infirmière s'entende beaucoup mieux à apaiser un homme mécontent que sa propre épouse, puis il sourit. Toute sa vie, Walter avait éprouvé de la satisfaction à obéir à la logique des mots croisés. Ils répondaient à son besoin de n'atteindre le but fixé qu'au prix d'une obstination patiente et en faisant abstraction de tout sentiment : que la réussite, dans les mots croisés, ne dépende pas du hasard le fascinait. Durant l'exil, il avait vu comme un symbole néfaste le fait de connaître trop peu l'anglais pour arriver à résoudre un seul mot croisé.

S'apercevant qu'il était en train de remplir trop rapidement les cases vides, il fit une pause pour faire un peu durer le plaisir et regarda par la fenêtre. La lumière vive des lampadaires était en accord avec son humeur. Les arbres paraissaient figés dans la nuit froide, mais la première fleur de givre sur la vitre avait déjà fondu. Quand la seconde commença elle aussi à dégouliner, il se pencha à nouveau sur la page de son journal et recommença à écrire. Le silence, dans la pièce, était tel que le grattement de la plume sur le papier devint audible.

Le réveil, réglé sur 7 heures, fit entendre sa sonnerie stridente. L'infirmière Martha entra. Le linoléum, très dur, n'assourdissait pas le moins du monde ses pas assurés.

– Eh bien, vous voyez, dit-elle, vous voilà rendormi, et vous avez gardé vos lunettes sur le nez, en plus.

En faisant aussi peu de bruit que ses chaussures grossières le lui permettaient, elle alla prendre le plateau du petit déjeuner sur la table de chevet, mais sa manche s'accrocha à la petite lampe et elle eut toutes les peines du monde à ne pas lâcher le plateau. Le pot à lait heurta la cafetière, la tasse se fracassa par terre, les éclats venant frapper le châlit en fer.

— Excusez-moi, je n'ai vraiment pas fait exprès, dit l'infirmière effrayée, en se retournant vers Walter.

Comme il ne bougeait pas, elle se mit à rire :

— Jusqu'au bout, vous nous aurez fait tourner en bourrique. Bon, restons-en là, maître Redlich, je sais parfaitement que je vous ai réveillé avec le vacarme que j'ai fait.

Elle posa le plateau sur le chariot et, toujours riant, fit les quelques pas la séparant du fauteuil. Elle tenait la tête inclinée, si bien que son regard se porta d'abord sur la petite table supportant le journal ouvert. Il ne restait plus qu'un très petit nombre de cases vides dans les mots croisés.

Walter n'avait pas eu le temps de trouver les dernières solutions avant de mourir. Il avait encore le stylo à la main.

22

Au cours d'une nuit remplie des mugissements de tonnerre du Dieu noir d'Ol'Joro Orok, bien avant l'heure où un être humain devient voyant pour toujours, Regina avait appris l'existence des jours du dernier éclair. Ces journées s'armaient d'une hache porteuse de mort et provoquaient des blessures qui ne guérissaient jamais. Quand on avait subi les souffrances qu'elles infligeaient, on pouvait à tout moment faire le décompte de ses cicatrices et les faire parler. Mais aucun des guerriers de l'obscurité n'avait jamais réussi à ôter durablement à Regina l'espérance de l'enfant qui sent encore sur son épaule la main paternelle.

Ce 11 janvier 1959 fut une de ces journées détruisant la vie. Il lui avait suffi de frapper une seule fois pour porter le coup fatal. Regina se prépara à accueillir l'ennemi si longtemps redouté. Quand elle entendit ses dents s'entrechoquer comme des massues à tête d'acier, elle serra les lèvres. Elle savait qu'il lui fallait se défendre contre les premières larmes de la tristesse avec autant de détermination qu'un jeune Massaï se défend contre le feu de sa première blessure, si elle voulait se montrer digne de ce que son père lui avait laissé en héritage. Elle avait à lui manifester toute sa gratitude pour l'abnégation avec laquelle il avait porté son fardeau.

On entendait au loin, venant du monde de la vie, le chant des cloches. Le deuxième jour de cette ère nouvelle était un dimanche. Après une nuit glaciale, il fut accompagné de températures que les hivers doux et douillets de Francfort ne connaissaient pour ainsi dire pas. Dès 10 heures, tout était impitoyablement figé par le froid. Pourtant, une demi-heure avant l'heure prévue, il était déjà évident que ni le gel, ni un vent de plus en plus fort et mordant, ni même le long trajet que beaucoup avaient à parcourir n'avaient dissuadé de venir aux obsèques de Walter un seul de ses amis, de ses collègues, ni une seule de ses connaissances ou des personnes partageant sa vision du monde, ni même un seul de tous ceux qui avaient ressenti l'obligation d'être là.

Les personnes présentes, frigorifiées, se tenaient par petits groupes devant les murs blancs du cimetière, se rassemblaient dans la cour devant le pavillon funéraire ou se réfugiaient sous les arbres qui veillaient au-dessus de la première rangée des tombes couvertes de neige. Ceux qui étaient au courant des usages et qui n'avaient pas à craindre, par un geste dont ils ne pouvaient mesurer les conséquences, d'enfreindre des règles religieuses inconnues, entraient brièvement dans la petite salle d'attente tout en longueur où l'haleine de chacun se transformait en un petit nuage de brume grise et humide. Jettel, pleurant sans bruit, et Regina, muette, étaient assises là, à côté de Fafflok, sur un étroit banc de bois blanc. En face d'eux étaient assis quelques vieilles femmes en habits usagés et des hommes barbus au regard vigilant.

Regina ne les avait encore jamais vus, et Jettel uniquement à l'occasion d'enterrements. Ces inconnus, dont la mine insouciante et les nombreux gestes pleins de sous-entendus ne laissaient ignorer que la mort leur était plus familière que la vie, conversaient avec un entrain qui ne convenait ni à leurs visages gris et sillonnés de rides, ni au décor de la scène. Ils interrompaient très soudainement leurs bavardages pour regarder d'un air pensif la mère et la fille, puis se remettaient aussi subitement à parler qu'ils avaient cessé de le faire ; quand ils faisaient un signe affirmatif de la tête, ce qui leur arrivait fréquemment, on aurait dit qu'ils s'étaient longuement exercés à effectuer leurs gestes sans aucun à-coup.

Dès qu'il s'instaurait un silence bienvenu, Regina entendait la voix de son frère, une voix très nette, très ferme, qui avait sur elle un effet apaisant. À peine se sentait-elle pour un bref instant délivrée des regards inquisiteurs qui la mettaient au supplice, qu'elle se retournait : si elle osait étirer le corps et lever la tête assez haut, elle pouvait alors également apercevoir Max. Il se trouvait dans une petite salle annexe, avec son professeur de religion, et il répétait pour la dernière fois la prière des morts qu'il réciterait en l'honneur de son père. Durant les deux jours qui s'étaient écoulés depuis l'appel téléphonique de l'hô-pital du Saint-Esprit, cette prière était tellement entrée dans la tête de Regina, qui ne connaissait pourtant pas l'hébreu, qu'il lui semblait l'avoir entendue toute sa vie.

Tandis qu'elle tenait dans la sienne la main froide de sa mère, elle tentait de rendre la sensibilité à ses membres crispés, afin de pouvoir transmettre la douleur et la compassion, comme l'exigeaient la règle et l'amour filial. Mais elle était devenue incapable de ramener dans la bonne direction ses pensées qui, dans un instant d'abandon, s'étaient échappées du présent pour retrouver les jours où n'existaient ni la peur ni la mort. Cette fuite privait sa tête de sa force et enlevait trop d'énergie à son corps.

Regina serra les paupières intensément afin de transformer les larmes de ses yeux en sel invisible et elle regarda dehors, dans la cour. Elle vit les cylindres des hauts chapeaux noirs, un mur de manteaux sombres et d'innombrables visages qui faisaient comme une immense tache blanche. À nouveau, ses pensées s'envolèrent. Elle se surprit à s'imaginer la joie qu'aurait éprouvée son père à voir une si grande foule, et à se rappeler sa gaieté moqueuse quand il disait que personne ne manquerait ses obsèques, compte tenu de ce que, aux enterrements juifs, on économisait les frais d'une couronne.

Elle ressentit comme un péché le fait de s'amuser d'une plaisanterie en un moment qui exigeait du recueillement, du respect et de l'hu-milité ; elle était prête à expier ce manquement. C'est alors que Max sortit de la pièce de derrière. Ses pas résonnèrent dans le silence qui s'était soudain établi. Il prit place à côté de Regina, s'appuya contre son épaule, et elle sentit enfin lui venir la chaleur qu'elle n'avait pas réussi, un peu avant, à communiquer à Jettel.

Passée du remords à la honte d'avoir pensé avec tant de satisfaction à son père vivant plutôt qu'à sa mort – et de l'avoir fait avec une sérénité qu'elle trouvait insolite et provocante –, Regina lâcha la main de sa mère. En plein désarroi, elle se tourna vers son frère pour s'assurer la consolation d'une douleur muette et partagée, consolation qui venait à l'instant de la traverser d'une onde de bonheur. Elle constata que Max avait toujours les yeux tendres, avec de longs cils épais qui enchantaient tout le monde quand il était enfant. Maintenant que l'expérience précoce de la vie était venue les assombrir, ils avaient acquis une coloration supplémentaire : celle de la bonté qui avait fait de son père l'homme qu'il avait été.

– As-tu une idée de quand nous pourrons enfin sortir d'ici et passer dans la grande salle ?

– Nous serons les tout derniers, répondit Max, tu peux bien te l'imaginer. Nous serons là-bas au premier rang. Je suis parfaitement au courant. Papa me l'a fermement promis.

En prononçant cette dernière phrase, il s'était efforcé de donner à sa voix la tristesse que les oreilles des amis, et surtout des étrangers, attendaient de lui ; mais Regina perçut néanmoins les vibrations familières, révélatrices d'une certaine légèreté trop vite réprimée, et elle sut à quoi s'en tenir. Elle se mordit les lèvres pour ravaler, avant qu'il devienne visible, le sourire qui était en elle. Max lui aussi gardait à l'oreille les plaisanteries de son père.

– Est-ce que tu te rappelles quand il te l'a promis pour la première fois ?

– Quand il a eu sa première crise cardiaque, se souvint Max. Est-ce qu'il faut que j'aie honte d'avoir tant ri ce jour-là ?

– Non, il voulait que tu puisses rire en pensant à lui. Aujourd'hui aussi. Moi, quand j'étais petite, il me promettait toujours que je ne serais pas obligée de me débarbouiller le jour de son enterrement.

– Je trouve que c'était aussi une jolie promesse.

Quand elle se rendit dans la salle funéraire, un bras autour de la taille de Jettel, l'autre main dans celle de son frère, un fort groupe de personnes d'un certain âge qui se tenaient devant la porte, intimidées et dans l'expectative, retint l'attention de Regina. Il était visible que les chapeaux noirs des hommes étaient neufs, leurs manteaux, en revanche, paraissaient avoir autant vécu que leurs propriétaires. Les femmes, de petite taille et rondelettes, avaient des faces aux traits durs. Ces visages aux yeux rougis et dont l'expression reflétait un embarras attristé se ressemblaient tous ; Regina sentit la sincérité de ces gens venus manifester leur sympathie et, d'un mouvement de la tête, elle leur fit savoir qu'elle les remerciait en souvenir de son père, mais ne réussit à mettre un nom sur aucune des têtes. Pourtant, sans même avoir à réfléchir un seul instant, elle sut comment s'appelaient chacune des villes et chacun des villages d'où ils venaient.

Ce groupe silencieux l'émut beaucoup. Ils étaient tous venus, ces Silésiens et ces Haut-Silésiens déracinés avec qui Walter avait partagé le souvenir d'une naïveté juvénile et l'inextinguible nostalgie de Breslau, Leobschütz et Sohrau. Seuls ces êtres qui avaient le don de jeter sur leur passé un regard qui le transfigurait, lui avaient permis de rendre une certaine réalité à son rêve d'une patrie, chimère qui l'avait poursuivi une vie entière. Ces gens l'avaient de la sorte empêché de devoir avouer la mort de ses illusions.

Regina remarqua que beaucoup des chers compatriotes de Walter gardaient les mains croisées sur le ventre, comme pour les retenir de faire un geste qu'elles avaient envie de faire. Mais elle ne parvint pas à deviner de quoi il retournait, jusqu'au moment où une femme s'approcha d'elle et chuchota :

— Maître Redlich disait toujours qu'il ne fallait pas le ridiculiser en venant avec des fleurs dans un cimetière juif.

— Il serait heureux que vous y ayez pensé, lui répondit Regina à voix basse.

À nouveau, une idée plaisante l'empêcha de s'abandonner à sa douleur. Elle entendit son père lui raconter comment, dès que des Haut-Silésiens venaient le voir au bureau ou qu'il leur rendait visite, il les informait des rites d'un enterrement juif, et comment tous disaient :

— On ne peut tout de même pas accompagner jusqu'à sa dernière demeure quelqu'un d'aussi distingué que vous les mains vides, maître Redlich.

Regina percevait avec une telle netteté les rudes sonorités des voix silésiennes, les exclamations de surprise aux voyelles traînantes et les tournures grossières et imagées qu'elle put entendre parler Walter. Sa voix eut assez de présence pour conférer aux sens de Regina plus d'acuité encore : l'humour et l'ironie paternels se superposèrent d'abord aux sons familiers, puis, quand vint le tour des images, inscrites en elle depuis si longtemps, Regina prit conscience de ce que son père avait fait pour elle.

Il avait été un sage ayant revêtu l'habit traditionnel du bouffon. S'il n'avait cessé, avec les siens, de répéter l'avenir, ce n'était pas par amour grotesque du macabre, mais afin qu'ils puissent supporter le présent sans désespérer. Ce n'était plus que le corps de Regina qui tremblait, et ce n'était pas sous l'effet du froid.

Il s'en fallait de beaucoup que toute la foule ait trouvé place dans la grande salle funéraire. Il y avait des gens debout contre les murs et dans l'allée centrale ; il était impossible de fermer la porte ; le vent glacial pénétrait jusqu'au cercueil en bois simple. Regina essaya de s'imaginer son père dans ce cercueil, mais sa tête refusa la réalité. Elle ne cessait de se dire qu'elle devait trouver un réconfort à l'idée que la mort était venue à lui très rapidement, sans qu'il souffre et sans qu'il l'ait vue venir. Mais elle ne pouvait s'empêcher de repenser au jeu du plomb fondu de la Saint-Sylvestre et aux étranges plaisanteries auxquelles il s'était livré cette nuit-là. Gênée, elle serra la main de Jettel quand le rabbin prit place au pupitre.

C'était un homme aux cheveux blancs, d'une taille imposante, au visage rougeaud toujours prêt à s'enflammer de colère ; il avait un regard dominateur et une voix digne des prophètes les plus fervents et les plus zélés. Tonnant, il parla de la fidélité à la foi et de la tradition, et dit que, au cours de ses conversations avec Walter, il avait toujours senti chez lui, au-delà des opinions libérales qu'il professait, la réalité de ces sentiments. Il qualifia le défunt d'homme pétri de contradictions, qui avait supporté avec courage l'exil dans une plantation de café d'Amérique du Sud, qui avait aimé sa famille, mais à qui il n'avait pas été accordé de voir ses enfants grandir et marcher sur ses traces. Regina, qui gardait les yeux fixés sur ses genoux, finit par relever la tête. Elle chercha, dans le dos de sa mère, le regard de son frère. Il avait lui aussi les épaules qui tremblaient et lui aussi se cachait la bouche derrière la main.

– Surtout, ne riez pas si le rabbin me confond avec quelqu'un d'autre, leur disait souvent Walter, C'est ce qui lui arrive en règle générale lors des obsèques. L'essentiel, c'est qu'il dise que j'ai été un homme bon.

Le discours mesuré du représentant de l'ordre des avocats, qui parla – qualité en voie de raréfaction – de l'éthique professionnelle d'un homme intègre[1], sans se rendre compte de son jeu de mots ; les propos du représentant de la présidence de la communauté juive, dont Walter disait qu'il était un homme de la première heure et dont il définissait avec finesse le tempérament coléreux comme la preuve qu'il avait le courage de ses opinions ; mais encore et surtout, l'allocution truffée de citations latines d'un très vieux camarade de la corporation étudiante de

---

1. ˙Redlich, en allemand, signifie « intègre » (NdT).

Breslau, toutes ces belles paroles ressemblaient de manière si frappante, souvent au mot près, aux imitations que Walter en avait faites à l'avance que même Jettel eut un sourire. À la ferme, quand il lui arrivait de songer soudain à sa jeunesse, s'enflammant à la pensée du succès qu'elle connaissait auprès des hommes et réveillant du même coup la vieille jalousie de Walter, son visage avait parfois eu cette expression détendue, chose devenue rare par la suite.

Au souvenir de sa première existence, Regina fut envahie par la mélancolie. Elle eut beau se dire que ce n'était pas le moment, elle se mit à s'interroger à propos du couple de ses parents : son père, au moins l'espace de ce bref sourire libérateur de Jettel, aurait-il admis que sa femme avait plus d'humour qu'il ne lui en accordait ? Le soupir qu'elle réprima et les larmes qui lui montèrent aux yeux lui apparurent comme une trahison. La question ne cessait pourtant de la tarauder : pourquoi son père n'avait-il jamais pu s'enlever ce préjugé de la tête ? Que l'amour de sa mère pour son père ait été toujours assez fort pour susciter son indulgence la réconforta néanmoins.

Quand le viril camarade de corporation abandonna ses citations latines au profit de citations grecques, le besoin de fuir à l'air libre devint proprement irrépressible. À force de contraindre ses yeux à ne pas laisser trahir ses véritables sentiments, Regina était devenue incapable de distinguer un visage parmi d'autres. Tout d'un coup, pourtant, au milieu de cette masse informe, elle aperçut Emil Frowein. Elle se crut le jouet d'une illusion.

Du fait de sa grande taille, il dépassait la plupart des présents, et on pouvait voir qu'il était une des rares personnes de l'assistance capable de suivre l'orateur. Regina ne l'avait encore jamais vu avec un chapeau dur et noir, et il lui fallut un moment pour le reconnaître avec certitude. Elle se demanda comment il en était venu à vouloir partager avec elle cet adieu qui n'avait pas de signification pour lui, mais elle ne trouva pas de réponse. Seule la secrétaire était présente quand Regina avait prévenu qu'elle n'assurerait pas son service à la rédaction. Ce qui la touchait plus encore que la venue inattendue de Frowein, c'était qu'il se fût acheté un chapeau neuf. Elle se jura de le lui dire dès qu'elle serait de nouveau en état de penser, de sentir et de parler.

Ce fut au tour de Regina de sourire quand elle songea que son père, de manière systématique, appelait son chef « Reiswein ». Bien souvent, elle en avait été chagrinée. Et voilà qu'elle ne comprenait déjà plus pourquoi elle en avait pris ombrage ; soudain, elle trouvait drôle cette manière d'estropier le nom de son ami, comprenant que cette lourde plaisanterie avait été, pour son père, le seul moyen de rester à distance tout en parlant d'une part de la vie de sa fille qui lui tenait à cœur.

Il n'était jamais venu à l'esprit de Regina de faire se rencontrer les deux hommes. Frowein, elle le croyait à présent, aurait été de toute façon d'accord, Walter, en revanche, vraisemblablement pas. Elle avait toutefois l'impression qu'elle aurait dû au moins essayer de créer un point de jonction entre les deux faces de son existence. Elle regrettait d'en avoir laissé passer l'occasion ; il lui paraissait que c'était une amère ironie du sort que de voir la mort écrire un épilogue qu'elle aurait dû mettre en scène elle-même.

Frowein et Walter se ressemblaient beaucoup par leur modestie, leur sincérité et leur intégrité. Ainsi seulement s'expliquait – Regina l'avait senti dès le début – ce qui, ces dernières années, se passait invariablement entre elle et son père quand elle était en quête d'échange, de réconfort et d'affection. La tristesse la submergea quand elle songea qu'elle n'avait jamais réussi à faire savoir à son père combien les deux hommes qui marquaient son existence de leur empreinte étaient semblables. Walter était tellement désireux d'obtenir d'elle des éclaircissements et elle avait obstinément gardé le silence !

C'est en cet instant où elle laissait vagabonder des pensées qui n'avaient rien à voir avec son affliction ou sa peur de la séparation, rien à voir non plus avec la certitude que tout amour était mortel, c'est en cet instant que Regina comprit ce qui lui était arrivé. Elle n'avait pas eu le temps de prononcer les paroles décisives, de tourner la tête une dernière fois. Quand elle avait reçu le coup de téléphone de l'hôpital, il n'en était pas allé autrement que le jour où, à Ol'Joro Orok, elle avait quitté la ferme sans se douter de rien, sans un adieu, sans un regard pour la maison, la forêt et les champs, les êtres et les bêtes, et pour ne plus jamais revenir. Cette fois encore, il ne lui avait pas été donné de faire ses adieux.

En proie à un désespoir dont chaque attaque la laissait un peu plus anéantie, elle chercha à se rappeler sa conversation avec son père, le dernier soir, mais elle n'en retrouva que des bribes sans signification, qui ne lui apportèrent aucune chaleur. Elle n'était sûre que d'une chose : elle n'avait pas appelé son père « *bwana* » une dernière fois, et lui ne l'avait pas appelée tendrement sa « *memsahib* ». Désormais, personne n'échangerait avec elle les paroles de leur secrète complicité. Les chants s'étaient tus, la magie était morte et le jeu terminé.

Owuor avait éteint le feu dans le poêle. Comme ce jour empoisonné, à Nairobi, quand, au petit jour, il s'était éloigné, tenant en laisse le vieux chien et portant tous ses biens enveloppés dans une serviette. Regina et Walter étaient restés assis dans la cuisine. Cela avait été, cette fois-là, un long adieu, le genre d'adieu qui fixe pour toujours dans la tête les images qui doivent y demeurer, avec leurs formes et leurs couleurs, les sons et les odeurs. Son père avait-il une dernière fois appelé l'ami de sa longue errance, comme il le faisait souvent quand il avait besoin d'aide et que personne n'était là pour la lui apporter ? Avait-il une dernière fois entendu rire Owuor et rebondir l'écho ?

Regina ne pouvait plus se défaire du souvenir d'Owuor. Elle savait qu'il lui suffirait de fermer les yeux pour voir ses traits, mais elle n'osa pas s'abandonner à son désir. Ce n'était pas une bonne chose de laisser sa tête partir en safari tant qu'on avait encore besoin de son corps.

Le silence se fit dans la salle. Un homme assez âgé s'avança vers le pupitre de l'orateur. Il chercha longuement un manuscrit dans la poche de son manteau et mit la main à son chapeau comme s'il voulait l'ôter, mais il se souvint à temps que la règle religieuse des Juifs obligeait à avoir la tête couverte. Il sourit avec embarras et il laissa retomber le bras en clignant des yeux. Il parla au nom des Haut-Silésiens. Regina n'entendait encore que des mots isolés sans parvenir à reconstruire des phrases, mais elle s'efforça de se concentrer et constata bientôt qu'elle avait déjà entendu ce discours.

Elle en prit conscience à l'emphase avec laquelle le mot « patrie » était accentué et à la manière dont le petit homme trapu, aux yeux d'un bleu d'acier, disait « maître Redlich ». Walter avait aussi imaginé jusque dans les détails – et, comme il s'avérait, quasiment mot pour mot – l'allocution du Haut-Silésien. Un juste mélange de prosaïsme et de sentimentalisme inattendu avait de l'importance à ses yeux. Regina entendit son père rire. Ou bien était-ce Owuor ? Celui-ci lui avait enseigné que les mots n'étaient bons et justes que si on les disait deux fois. C'était l'écho du rire d'Owuor qui lui avait appris à rire.

Sa tristesse s'éloigna et s'adoucit. Regina se sentit réconfortée d'une

297

manière qui lui était en quelque sorte familière. Il n'était donc pas vrai que, sans long adieu, on était obligé de se séparer de l'amour de son existence. Il n'en irait pas autrement avec son père qu'avec Owuor. Lui non plus ne pouvait l'abandonner si elle ne le permettait pas. Comme Owuor, il lui avait fait le don miséricordieux du rire. Dans une autre langue, mais avec la même magie indestructible. Regina se pencha légèrement vers l'avant et regarda son frère qui, avec l'assurance d'un élève bien préparé, prononçait à voix basse certains mots en même temps que l'homme de la haute Silésie. Elle sut que l'humour, le sarcasme, mais aussi la capacité à aimer dont Walter avait fait preuve avant lui, le marqueraient à son tour. Seulement, il l'ignorait encore.

Le chantre se leva et entonna d'une voix pleine et sonore les premières mesures de la prière des morts. Regina l'avait souvent entendue lors des cérémonies en mémoire des victimes des camps de concentration, et elle avait chaque fois vu cette plainte antique arracher des larmes à tous ceux dont elle touchait le cœur. C'était à présent à son père qu'était destinée cette mélodie bouleversante, paroles et musique de deuil chargées de ferveur, de piété et d'éternité. Les yeux de la fille demeurèrent sans larmes. Le dernier adieu à son père appartenait déjà au passé. Devant elle s'annonçaient les jours où il lui suffirait de laisser sa tête n'évoquer qu'une seule scène : son père, à Nairobi, sous le goyavier, bandant son arc et lui perçant le cœur avec la flèche du dieu Amour. Pour toute une vie d'amour, Regina n'avait pas besoin de plus.

Quand elle se leva pour suivre le cercueil, avec Jettel et Max, elle sentit que beaucoup la regardaient d'un air critique mêlé de curiosité ; elle releva la tête, tout en sachant que les gens à qui la mort commandait de souffrir ne devaient pas le faire. Cela lui permit d'ailleurs d'entendre très clairement deux femmes discuter d'abondance des raisons pouvant expliquer qu'elle ne soit pas mariée et que Max n'ait pas pleuré.

– Les nigauds, dit l'une d'elles, sont trop fiers pour ça. La fille pour se marier et le garçon pour pleurer. Et quand on pense que ce petit est à la veille de sa bar-mitsva. C'est le pire qui puisse arriver à un garçon : se retrouver sans père le jour le plus important de son existence.

– La mère, répondit la seconde femme, me fait de la peine. Elle n'a pas mérité ça. Une femme si bonne, si distinguée.

Quand Max, au bord de la tombe, méconnaissable dans son attitude sérieuse, dit la prière des morts du fils pour le père, Regina faillit ne pas pouvoir retenir ses larmes. Non pas à cause de Walter, mais à cause de son frère qui, plus précocement encore qu'elle, venait de perdre la protection et l'assurance qui sont les privilèges de l'enfance. Révoltée et mélancolique à la fois, elle songea à la bar-mitsva qui, en cette année de deuil, se déroulerait en cercle on ne peut plus restreint, et elle prit la main de Max pour le consoler, mais ses doigts étaient chauds et la poigne ferme. Il avait déjà commencé d'assumer les devoirs qui lui incombaient désormais. Il n'avait pas encore treize ans.

Ensuite, Fafflok, le compagnon réfléchi et taciturne qui avait accompagné Walter durant l'ultime épisode de sa vie, la voix cassée par le chagrin, prononça devant la tombe les paroles les plus sincères et les plus chaleureuses de la journée. Et c'est alors que Regina prit conscience que jamais son père, ni quand il était d'humeur à plaisanter, ni quand il était dans un état dépressif, n'avait imaginé ce que pourrait être le discours de Fafflok à son enterrement. Elle en devinait la raison. Fafflok avait été son unique ami à Francfort. Lui seul, dont Walter respectait la foi autant que la sienne propre, avait été tenu à l'écart du jeu macabre.

Les souvenirs de Regina la ramenèrent aux débuts de la famille dans cette ville inconnue, à la faim, à la misère et à l'espoir, mais aussi à la première rencontre avec les Fafflok, à l'achat de la Rothschildallee et à l'obsession de Walter de laisser aux siens une maison libre de toute dette. Tant de scènes, de conversations et de sentiments se bousculaient en elle qu'elle ne vit pas la femme au foulard sur la tête se diriger vers elle. Elle la remarqua seulement à l'instant où l'inconnue sortit un petit couteau de sa poche et entailla son manteau. Effrayée, elle regarda son frère. Son complet noir, tout neuf, qu'on avait acheté pour sa bar-mitsva, était aussi tailladé que son manteau.

– C'est ce qu'on fait aux époux et aux enfants, chuchota Max, en signe de deuil.

– Je n'étais pas au courant.

– Moi, oui. Mais je n'y ai pas pensé. Papa m'a toujours dit que je devais mettre une vieille veste pour son enterrement. Il va être furieux que j'aie oublié.

– Pour ça, oui ! confirma Regina.

– On le saura pour la prochaine fois, murmura Max.

– Est-ce que tu te mettrais déjà à faire comme ton père ?

– Oui.

– C'est bien. C'est ce qu'il faut.

Deux heures après les obsèques, les premiers visiteurs vinrent présenter leurs condoléances à la Rothschildallee. Comme c'était dimanche, il avait été possible de mettre directement la tradition en pratique, et ce fut aussitôt un véritable déluge de manifestations de sympathie. Tant de gens n'étaient encore jamais entrés dans l'appartement ! Tous, amis, connaissances, inconnus aussi, accouraient pour étreindre et embrasser les proches du défunt, pour soupirer, se lamenter et pleurer, se faire une idée approximative de l'aménagement des lieux et des perspectives d'avenir de la famille, dispenser des conseils et se souvenir de leurs propres malheurs. Ils serraient Jettel contre eux, jetaient à la dérobée un œil critique sur Regina et Max, enregistraient qu'ils n'avaient pas les yeux rougis par les larmes et assuraient à la veuve en sanglots que la mort du mari était bien pire pour la femme que celle du père pour les enfants.

D'un air entendu et compréhensif, Jettel approuvait de la tête, mais elle disait qu'elle avait de bons enfants qui ne l'abandonneraient jamais et qui, à l'image du cher défunt, dégageraient sa route de tous les obstacles. Ils avaient dû le promettre sur l'honneur à leur père. Les gens, qui avaient depuis belle lurette cessé de chuchoter sous le coup de l'affliction, mais qui, tout au contraire, manifestaient sans retenue leur capacité à surmonter résolument la douleur d'autrui, lançaient un nouveau regard à Regina et à Max, et approuvaient de la tête en retour. Les visiteurs les plus pieux gardaient les yeux baissés et se taisaient. Obéissant à l'antique coutume, ils apportaient de la soupe, des plats de viande, du poisson, des fruits et de la pâtisserie. Quand on a à pleurer la perte d'un être cher, on ne doit pas être détourné de son deuil par des soucis quotidiens, en particulier le problème de la nourriture.

– Je préfère encore les gens pieux, dit Max dans la cuisine en posant un morceau de *gefilte Fisch*[1] sur son assiette et en goûtant un gâteau.

– C'est aussi ce que disait toujours ton père.

– Parce qu'il aimait autant manger que moi ?

– Non. Il a toujours envié les gens pieux parce qu'ils savent où est leur place. Moi aussi, d'ailleurs.

Jettel n'avait pas perdu contenance malgré ses larmes. Vêtue d'une robe en flanelle grise avec des ruchés blancs – c'est seulement à son

---

1. Carpe farcie en yiddish *(NdT)*.

arrivée au cimetière qu'elle avait appris que les Juifs n'ont pas pour usage de s'habiller de noir en signe de deuil –, elle racontait pour la énième fois les derniers jours de Walter, l'histoire des mots croisés non terminés et disait combien leur mariage avait été heureux. Elle avait des couleurs aux joues. Elle était déjà en train de rédiger un nouveau chapitre dans l'histoire de sa vie.

– Mon mari, déclarait-elle, m'a littéralement portée à bout de bras et il lisait dans mes yeux le moindre de mes désirs. Et il a enseigné à ses enfants à faire de même.

Regina se mit à envier sa mère, et pas seulement parce qu'elle était de ces rares femmes que les larmes n'enlaidissent pas. Elle tenta de se représenter l'avenir avec sa mère. Elle n'en était pas encore capable, mais elle était prête à assumer la charge dont elle était redevable à son père ; en pensant au passé enjolivé que Jettel allait maintenant transformer en une vérité à laquelle elle croyait déjà, elle aurait presque pu sourire. Regina se demanda aussi si les querelles quotidiennes de son mariage tumultueux ne manqueraient pas à sa mère ; cette fois, il lui fallut prendre sur elle pour ne pas sourire effectivement. Elle était persuadée que Jettel trouverait de nouveaux partenaires, chez sa fille d'abord, puis chez Max quand il serait assez âgé, pour continuer à s'affirmer dans sa lutte contre la logique, le jugement et l'esprit de compromis.

Les derniers visiteurs ne quittèrent la maison qu'en début de soirée. Jettel pria Ziri de mettre la table.

– Nous allons vivre comme jusqu'à présent, dit-elle d'un ton solennel, je le dois à mon mari. Mais je ne vais pas pouvoir avaler une seule bouchée.

Elle mangea avec appétit en soupirant beaucoup.

– C'est ce qu'il aurait voulu, dit-elle, que ce soit justement moi qui mange les *Krakauer*[1] du boucher silésien. Je les avais achetées exprès pour lui.

Le repas terminé, elle regarda autour d'elle et déclara, d'un ton de reproche certes, mais sans animosité :

– Je suis tout de même étonnée que vous n'ayez pas pleuré une seule fois, ni l'un ni l'autre. Beaucoup de personnes m'ont demandé si la mort de papa ne vous touchait pas.

---

1. Saucisses de l'Europe centrale *(NdT)*.

– On peut pleurer sans pleurer, répondit Regina, mais sa mère n'avait jamais trouvé de sens au retour régulier de certaines paroles quand il ne s'agissait pas des siennes.

Quand Max fut couché, Regina alla le voir dans sa chambre, comme à l'époque où il n'était qu'un petit enfant. Il avait souvent manifesté le désir qu'on en change le papier peint, mais Walter était trop économe pour accéder à son désir. Cela avait été un long et vigoureux conflit entre père et fils, un conflit qui n'était pas près de cesser avec une mère qui n'avait même pas attendu le lendemain des obsèques pour se sentir comme une veuve sans ressources.

Regina examina les motifs du papier mural : charrettes paysannes, chevaux au travail, châteaux forts, arbres, bébés au berceau, garçons avec leur ballon, fillettes avec leur poupée, clowns avec leur trompette, mais aussi des hommes gardant des chèvres et des villages autour d'un clocher avec son coq. Puis elle regarda son frère, dans un pyjama à rayures bleues et blanches, la tête sur un oreiller blanc. Ses yeux ressemblaient à ceux des poupées sur les murs. Son visage était très pâle, ses cheveux étaient noirs, et la main qui avait pris la sienne, trop petite pour recevoir tout ce qu'elle avait à donner.

– Est-ce que tu te rappelles, demanda Max, la voix pleine de désir, qu'avant tu me récitais toujours des poésies ?

– C'était parce que je ne savais pas chanter. Je n'aurais pas cru que tu t'en souviennes.

– Je me souviens de tout, dit Max.

Après un bref temps de silence, il demanda :

– Tu n'aurais pas une poésie pour aujourd'hui ?

– Si. Tu en as vraiment envie ?

– Oui, vraiment.

Elle alla chercher dans sa chambre un livre de poche fatigué, bien qu'elle connût par cœur le poème de Kurt Tucholsky [1] que, depuis deux jours, telle était sa détresse, elle ne parvenait pas à chasser de son esprit. Elle n'avait besoin de l'ouvrage que pour cacher sa figure. Approchant la petite chaise du lit, elle se mit aussitôt à lire à haute voix, sans regarder Max une dernière fois :

---

1. Extrait de *Nachruf für Siegfried Jakobsen*, hommage pour la mort de son éditeur (*NdT*).

Le monde a changé. Je n'arrive encore à y croire.
Ce n'est pas possible.
Une voix basse et grave dit alors :
« Nous sommes seuls. »

Une journée sans lutte – mauvaise journée.
Tu as osé.
Ce que chacun ressent, ce que nul n'a envie de dire :
tu l'as dit.

En écho à sa propre voix, Regina entendit celle de son père. C'était un jour de soif à Nairobi ; assise sur la pelouse brûlée par le soleil, elle berçait le landau en récitant des vers du *Songe d'une nuit d'été* de Shakespeare. Max, âgé de six mois, gigotait, les jambes nues, et gargouillait de plaisir. Walter avait surgi de derrière un arbre, dans son uniforme kaki, et avait demandé : « Eh bien, Regina, tu es encore en train de gaver ton frère de tes poésies ? » La réprobation, dans la voix de Walter, l'avait mise mal à l'aise, mais elle avait continué à réciter dans la langue de Shakespeare, et son père était resté pour l'écouter.

Regina hocha la tête comme ce jour-là, une journée passée depuis longtemps, mais qui n'avait jamais disparu, et elle continua sa lecture :

Chacun de nous était chez toi le bienvenu,
Annonciateur de joie.
Nous t'apportions tout. Tu aimais
Tellement rire.

Jamais rien de pathétique. Pas une trace
Durant toutes ces années.
Berlinois tu étais, sans aucun goût
Pour les cérémonies.

S'apercevant que sa voix perdait de son assurance parce qu'elle voyait trop distinctement le visage de son père, dont la vie et l'amour se transformaient soudain pour elle en un torrent de douleur, elle hésita un moment, ne sachant si elle devait lire les deux dernières strophes qu'elle redoutait tant, ou dire à Max que le poème était fini. Mais il avait un tel sens de la langue et de la beauté qu'il ne lui laissa pas d'échappatoire.

— Continue, insista-t-il.

Parce qu'il le faut bien, nous suivons ton chemin.
Tu dors en paix.
Pour la première fois tu m'as infligé une douleur.
Le coup a porté.

Tu m'encourageais et me choyais. Tu riais.
S'il m'est donné de bien faire,
Ce sera alors pour toi que je le ferai.
Accepte donc mon offrande.

Regina avait appris d'Owuor, à Ol'Joro Orok, au bord du champ de lin, dans l'ivresse bleue des grandes pluies, cette histoire magique : les larmes, celles du rire comme celles de la tristesse, fondaient deux cœurs en un seul. Ceux à qui une telle chose arrivait ne pouvaient plus se séparer leur vie durant, sans que leur cœur se brise pour toujours. Mais elle avait déjà senti une fois le poids des chaînes forgées par l'amour, et elle retint ses larmes. Du moins jusqu'au moment où elle entendit Max pleurer.

Impression réalisée sur CAMERON
par BRODARD ET TAUPIN
La Flèche
en juin 2003

Imprimé en France
Dépôt légal : juin 2003
N° d'impression : 19115